고등 수학의 **첫** 걸음

풍산자

확률과 통계

쉽고 정확한 개념 학습은 **자신감**으로

개념-문제 연계 학습은 **실력**으로 쌓이는 **풍산자**입니다.

시작은 그 일의 가장 중요한 부분이다.

- 플라톤 -

읽으면서 이해하는 **개념 학습 비법서**

풍산자

교재 활용 로드맵

문제와 유기적으로 개념을 익히는
예제와 유제 및 풍산자 비법

개념 확인 및 응용을 익힐 수 있는
필수 확인 문제

풍산자식으로 핵심 내용을 정리한
중단원 마무리

실전형 문제를 2단계로 제시한
실전 연습문제

주제별 짧은 흐름으로 이해하기 쉬운
명쾌하고 간결한 개념 설명

주제별 개념 정리와 명쾌한 추가 설명	풍산자만의 명료하고 유쾌한 개념 설명과 짜임새 있는 해설
개념 이해를 위해 엄선된 예제와 유제	문제 해결의 핵심을 개념과 문제를 연결하여 짚어주는 풍산자 曰, 풍산자 비법
개념 확인과 응용 연습에 최적인 엄선된 문제	개념 확인과 응용, 시험 대비에 꼭 필요한 필수 확인 문제, 실전 연습문제

풍산자

확률과 통계

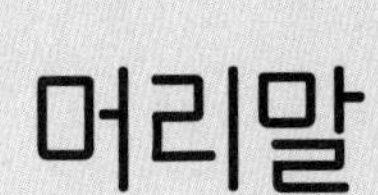

수학 공부는 어떻게 해야 할까요?
먼저 개념을 익혀야 합니다.
개념 학습은 문제와 융합된 형태로 이루어져야 합니다.
풍산자는 개념과 문제를 유기적으로 결합하여
개념 공부가 문제 공부이고 문제 공부가 개념 공부인
시스템을 지향하며 만들었습니다.
개념과 문제를 하나의 흐름으로 공부하되
직관적인 그림과 비유를 통한 구어체 설명으로
개념은 좀 더 쉽고 빠르게 익히고,
문제 풀이는 단계별로 짧게 구성하여
어려운 문제도 명쾌하게 이해할 수 있도록 하였습니다.
골치 아픈 수학이지만 풍산자로 공부하면서
때로는 소설책을 읽는 듯한 재미와 통쾌함도 느끼고
고향 같은 푸근함도 느끼면서 수학의 기초를 든든하게
닦을 수 있기를 바랍니다.

풍산자수학연구소

풍산자만의 매력

1

학습자의 눈높이에 맞는 개념서

개념 설명이 아무리 자세하더라도 여러분의 눈높이에 맞지 않다면 아무 소용이 없습니다. 풍산자는 궁금해 하는 부분만을 바로 옆에서 콕콕 짚어 설명해 주는 과외 선생님같은 개념서입니다.

2

지루하지 않고 재미있는 개념서

딱딱하고 어려운 용어 때문에 수학이 지루하고 재미없게 느껴졌나요? 풍산자 특유의 유쾌하고 명쾌한 설명으로 지루할 틈 없이 수학을 쉽고 재미있게 공부할 수 있습니다.

3

짧은 호흡으로 간결하게 읽는 개념서

많은 양의 개념을 한 번에 읽고 문제를 풀려면 그 개념을 문제에 어떻게 적용해야 할지 몰라 어렵게 느껴집니다. 풍산자는 개념 설명을 읽고 그 개념을 바로 문제에 적용하도록 구성하여 짧은 호흡으로 공부할 수 있습니다.

STRUCTURE

미니 단원

개념을 주제별로 나누어 짧은 호흡으로 익힐 수 있도록 구성하였습니다.

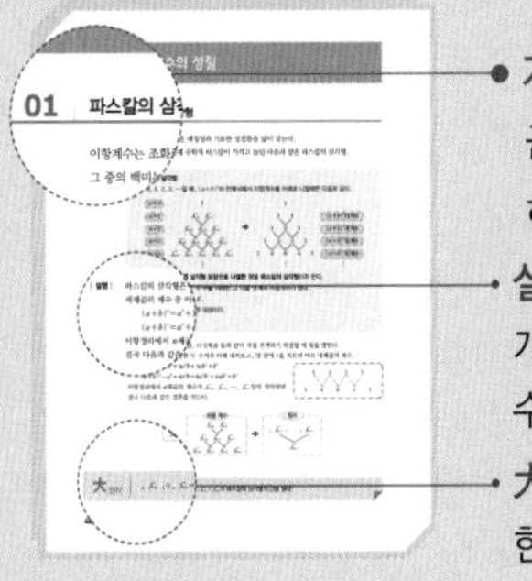

- **개념 설명** 군살을 쏙 빼 명료하고 간결하게 설명하였습니다.
- **설명, 증명, 참고, 개념확인** 개념의 원리를 쉽게 이해할 수 있도록 도와 줍니다.
- **大원칙** 개념의 핵심이 되는 한마디를 콕 짚어 줍니다.

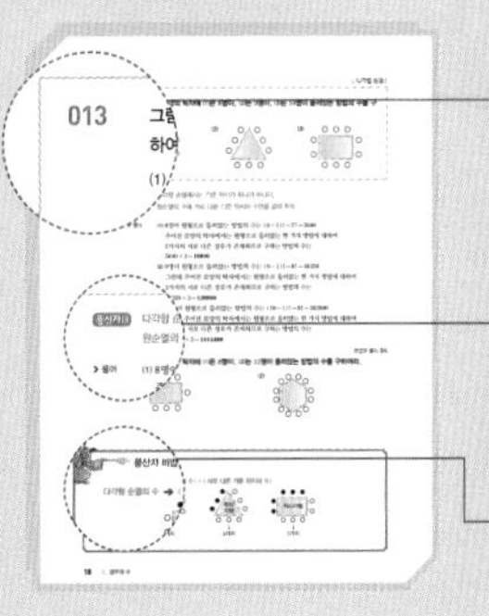

- **예제와 유제** 개념 이해에 꼭 필요한 문제들만 엄선하였습니다.
- **풍산자日** 문제를 풀기 위해 알아야 할 핵심 개념을 알려 줍니다.
- **풍산자 비법** 학습의 흐름에 따라 내용을 정리합니다.

필수 확인 문제

개념의 확인과 응용을 위해 스스로 풀어 볼 문제를 수록하였습니다.

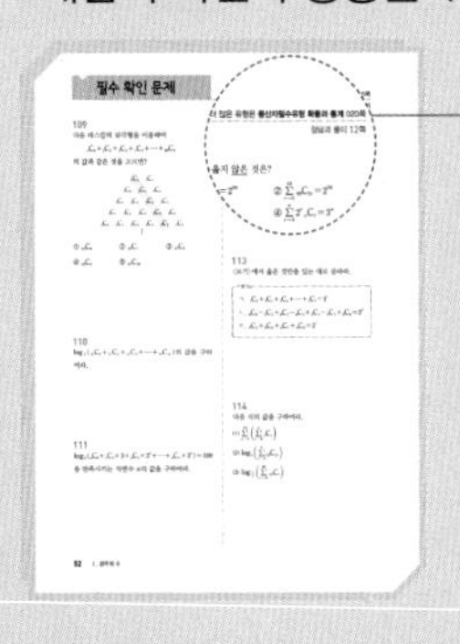

- 더 많은 유형의 문제를 풀어 볼 수 있도록 풍산자필수유형의 관련 쪽수를 안내하였습니다.

중단원 마무리

단원별 핵심 내용을 한눈에 살펴볼 수 있도록 표로 정리하였습니다.

실전 연습문제

실전에 꼭 필요한 문제들을 2단계로 나누어 수록하였습니다.

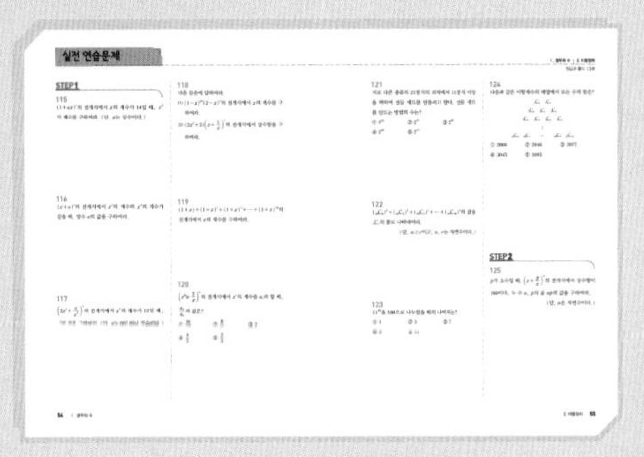

I 경우의 수

1 순열과 조합

2 이항정리

CONTENTS

Ⅱ 확률

CONTENTS

Ⅲ 통계

1 확률분포

2 통계적 추정

I

경우의 수

1 순열과 조합

2 이항정리

DNA, 그 **순서**가 궁금하다.

DNA는 유전자의 기본 요소로 나선 구조로 이루어져 있다. 나선 구조를 구성하는 4개의 단백질의 순서와 배열에 따라 생물의 특징이 달라지기 때문에 이 순서와 배열을 연구하면 난치병 치료에 도움이 되기도 하고, 티라노사우르스나 매머드와 같은 멸종된 생물을 다시 복원하는 연구에도 중요한 도구로 쓰인다.

DNA를 분석하는 것은 유전적 요소를 연구하는 유전공학에서 매우 중요한 일이다. 염기의 배열을 분석하는 과정에서 순열과 조합이 중요한 도구로 쓰인다.

순열과 조합

순서가 중요하냐 중요하지 않느냐
그것이 문제로다.

1 순열

$_{n}\Pi_{r}$

2 조합

$_{n}\mathrm{H}_{r}$

1 순열

01 경우의 수와 순열

고등학교 [수학]에서 순열과 조합에 대해 이미 배웠다.
[확률과 통계]에서의 순열과 조합은 더 복잡한 경우를 배우게 된다.
본격적으로 학습하기 전에 이미 배운 내용을 간단히 복습하고 가자.

[1] 경우의 수

경우의 수 문제를 풀다 보면 두 경우의 수를 더해야 할지 곱해야 할지 헷갈릴 때가 무척 많다.
합의 법칙과 곱의 법칙은 언제 더하고 언제 곱하는지에 대하여 정리한 것이다.

합의 법칙과 곱의 법칙

(1) **합의 법칙**: 두 사건 A, B가 동시에 일어나지 않을 때, 사건 A, B가 일어나는 경우의 수가 각각 m, n이면 사건 A 또는 사건 B가 일어나는 경우의 수는 $m+n$이다.

(2) **곱의 법칙**: 사건 A가 일어나는 경우의 수가 m이고, 그 각각에 대하여 사건 B가 일어나는 경우의 수가 n이면 두 사건 A, B가 동시에 일어나는 경우의 수는 $m\times n$이다.

[2] 순열

3개의 문자 a, b, c에서 2개를 뽑는 방법과 뽑아서 나열하는 방법은 다음과 같다.

뽑는 방법 ➡ 순서를 무시하는 것	뽑아서 나열하는 방법 ➡ 순서를 고려하는 것
ab, ac, bc	ab, ac, ba, bc, ca, cb

뽑는 것을 조합이라 하고, 뽑아서 나열하는 것을 순열이라 한다.
한마디로 순열이란 순서가 있는 배열.

순열

서로 다른 n개에서 중복됨이 없이 r개를 택하여 일렬로 나열하는 것을 n개에서 r개를 택하는 순열이라 한다. 이 순열의 수를 ${}_{n}\mathrm{P}_{r}$로 나타내고 다음과 같이 계산한다.

$${}_{n}\mathrm{P}_{r}=\underbrace{n(n-1)(n-2)\cdots(n-r+1)}_{r\text{개}}\ (\text{단, } 0<r\le n)$$

| 참고 | ${}_{n}\mathrm{P}_{r}=\dfrac{n!}{(n-r)!}$ (단, $0\le r\le n$), ${}_{n}\mathrm{P}_{n}=n!$, $0!=1$, ${}_{n}\mathrm{P}_{0}=1$

001 집과 학교 사이에 그림과 같은 도로망이 있다. 집에서 학교로 가는 방법의 수를 구하여라.
(단, 같은 지점을 두 번 지나지 않는다.)

풍산자日 언제 더하고 언제 곱하는가?
경우를 분석하여 '또는'일 때는 더하고, '그리고'일 때는 곱한다.

> 풀이 곱의 법칙에 의하여 집에서 학교로 가는 방법은
(집 → A→ 학교) ➡ $2\times2=4$(가지)
(집 → B→ 학교) ➡ $3\times1=3$(가지)
(집 → A→ B→ 학교) ➡ $2\times2\times1=4$(가지)
(집 → B→ A→ 학교) ➡ $3\times2\times2=12$(가지)
따라서 합의 법칙에 의하여 구하는 방법의 수는 $4+3+4+12=\mathbf{23}$

정답과 풀이 **2**쪽

유제 **002** 네 개의 도시 A, B, C, D 사이에 그림과 같은 도로망이 있다. A도시에서 C도시로 가는 방법의 수를 구하여라.
(단, 같은 지점을 두 번 지나지 않는다.)

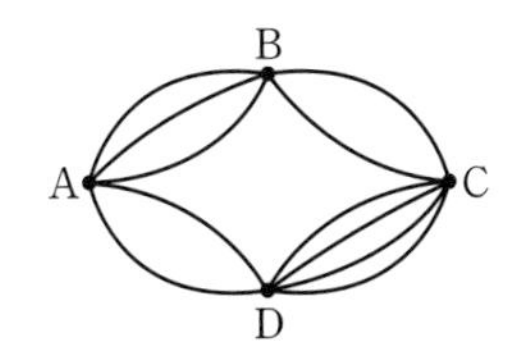

003 다음 등식을 만족시키는 n 또는 r의 값을 구하여라. (단, n, r는 자연수이다.)

(1) ${}_7P_r=210$ (2) ${}_nP_2=90$ (3) ${}_nP_4=20{}_nP_2$

풍산자日 ${}_nP_r=n(n-1)(n-2)\cdots(n-r+1)$

> 풀이 (1) ${}_7P_r$는 7부터 1씩 줄여가며 r개를 곱한 것이다.
그런데 ${}_7P_r=210=7\times6\times5$이므로 $r=\mathbf{3}$
(2) ${}_nP_2$는 n부터 1씩 줄여가며 2개를 곱한 것이다.
그런데 ${}_nP_2=90=10\times9$이므로 $n=\mathbf{10}$
(3) 주어진 식의 양변을 풀어 쓰면 $n(n-1)(n-2)(n-3)=20n(n-1)$ ...... ㉠
그런데 ${}_nP_4$에서 $n\geq4$이므로 $n(n-1)\neq0$이다.
㉠의 양변을 $n(n-1)$로 나누면 $(n-2)(n-3)=20$
$n^2-5n-14=0$, $(n-7)(n+2)=0$
$n\geq4$이므로 $n+2\neq0$ $\therefore n=\mathbf{7}$

정답과 풀이 **2**쪽

유제 **004** 다음 등식을 만족시키는 n 또는 r의 값을 구하여라. (단, n, r는 자연수이다.)

(1) ${}_5P_r=60$ (2) ${}_nP_2=30$ (3) ${}_nP_5=30{}_nP_3$

005 **다음 물음에 답하여라.**

(1) 5명의 학생을 일렬로 세우는 방법의 수를 구하여라.

(2) 5명의 학생 중 3명을 뽑아 일렬로 세우는 방법의 수를 구하여라.

(3) 서로 다른 9권의 책 중 r권을 뽑아 책꽂이에 일렬로 꽂는 방법의 수가 72일 때, r의 값을 구하여라.

풍산자日 서로 다른 n개에서 r개를 택하여 일렬로 나열하는 방법의 수: ${}_nP_r$

> 풀이

(1) 5명에서 5명을 택하는 순열의 수와 같으므로
${}_5P_5=5!=5\times4\times3\times2\times1=\mathbf{120}$

(2) 5명에서 3명을 택하는 순열의 수와 같으므로
${}_5P_3=5\times4\times3=\mathbf{60}$

(3) 서로 다른 9권에서 r권을 택하는 순열의 수가 72이므로
${}_9P_r=72=9\times8 \qquad \therefore r=\mathbf{2}$

정답과 풀이 **2**쪽

유제 **006** **다음 물음에 답하여라.**

(1) 6명의 학생을 일렬로 앉히는 방법의 수를 구하여라.

(2) 10명의 학생 중에서 대표, 부대표를 각각 1명씩 뽑는 경우의 수를 구하여라.

(3) 서로 다른 n권의 책 중 2권을 뽑아 책꽂이에 일렬로 꽂는 방법의 수가 56일 때, n의 값을 구하여라.

007 **남자 4명, 여자 3명을 일렬로 세울 때, 여자 3명이 이웃하여 서는 경우의 수를 구하여라.**

풍산자日 '이웃한다'라 하면 이웃하는 것을 한 묶음으로 생각하여 일렬로 세운 후, 묶음 안에서 일렬로 세우는 경우를 생각하면 된다.

[1단계] 여자 3명을 한 묶음으로 보면 총 5묶음
5묶음을 일렬로 세우는 경우의 수는 $5!=120$
남1 남2 남3 남4 여1 여2 여3

[2단계] 묶음 안의 여자 3명을 일렬로 세우는 경우의 수는 $3!=6$

[3단계] 곱의 법칙에 의하여 구하는 경우의 수는 $120\times6=\mathbf{720}$

정답과 풀이 **2**쪽

유제 **008** **서로 다른 국어책 2권, 영어책 3권, 수학책 2권을 책꽂이에 일렬로 꽂을 때, 국어책은 국어책끼리, 영어책은 영어책끼리 이웃하게 꽂는 경우의 수를 구하여라.**

02 원순열

[1] 원순열

원순열이란 원형으로 나열하는 순열.

원형으로 나열할 때는 회전 방향이 같은 순서의 나열은 모두 같은 것으로 본다.

즉, 원순열에서 [그림 1]의 세 경우는 모두 같은 경우이다.

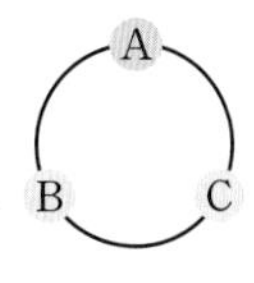

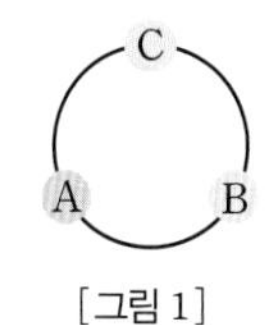

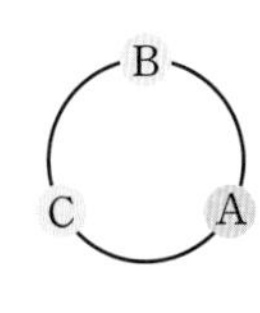

[그림 1]

왜냐? 돌리면 같아지니까.

적당히 돌리면 A를 항상 꼭대기로 오게 할 수 있다.

이를 이용해 생각하면 A, B, C의 원순열은 [그림 2]의 2가지뿐.

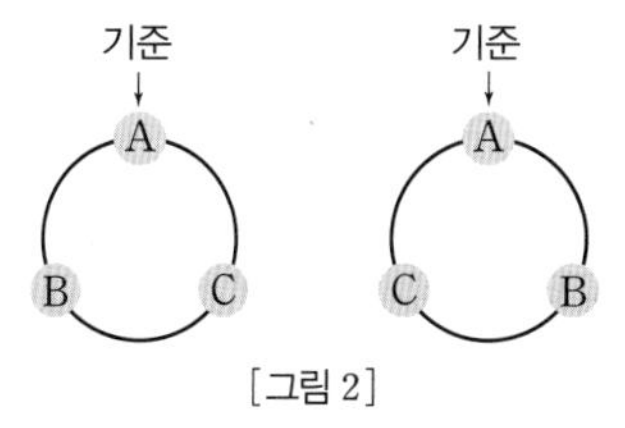

[그림 2]

이와 같이 원순열은 항상 1개를 기준으로 고정한 후 나머지만 나열하면 된다.

따라서 서로 다른 n개를 원형으로 나열한다면 1개를 기준으로 고정한 후 나머지 $(n-1)$개만 나열하면 되므로 그 경우의 수는 $(n-1)!$이 된다.

원순열 중요!

(1) 서로 다른 n개를 **원형으로 나열**하는 것을 **원순열**이라 한다.

(2) 원순열의 수: 서로 다른 n개를 원형으로 나열하는 경우의 수는 $(\boldsymbol{n-1})!$이다.

| 설명 | 4개의 문자 A, B, C, D를 원형으로 나열하는 방법을 생각해 보자.

4개의 문자 A, B, C, D를 일렬로 나열하는 경우의 수는 $4!=24$이다.

그런데 4개의 문자 A, B, C, D를 일렬로 나열할 때에는 ABCD, BCDA, CDAB, DABC가 서로 다른 나열이지만 원형으로 나열할 때에는 다음 그림과 같이 모두 같은 나열이 된다.

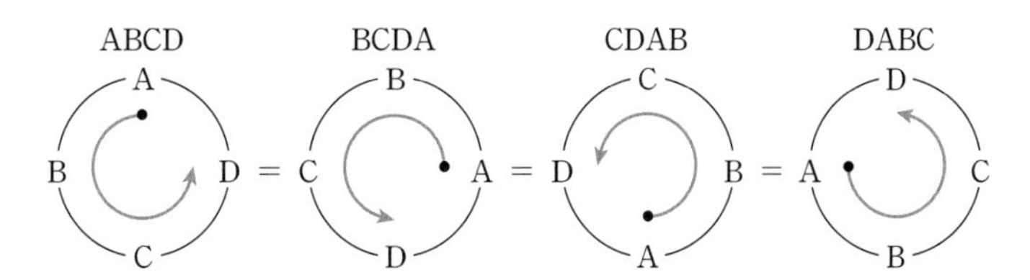

{모두 회전 방향이 같다}={모두 위치 관계가 같다}={모두 같은 원순열}

이와 같이 4개의 문자 A, B, C, D를 일렬로 나열하는 것을 원형으로 나열하면 회전에 의해 같은 나열이 되는 것이 4가지씩 있으므로 원순열의 수는 $\frac{4!}{4}=3!$이 된다.

일반적으로 서로 다른 n개를 일렬로 나열하는 순열의 수는 $n!$이고, 이 각각을 원형으로 나열하면 그 전체에는 같은 것이 n가지씩 있으므로 원순열의 수는 순열의 수의 $\frac{1}{n}$이 된다.

즉, 서로 다른 n개를 원형으로 나열하는 원순열의 수는 $\frac{{}_n\mathrm{P}_n}{n}=\frac{n!}{n}=(n-1)!$이다.

[2] 다각형 순열

다각형 순열이란 다각형 위에 나열하는 순열.

다각형 순열에서 오른쪽 그림의 둘은 서로 다른 경우.

왜냐? 돌려도 같아지지 않으니까.

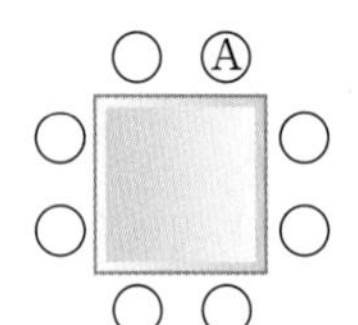

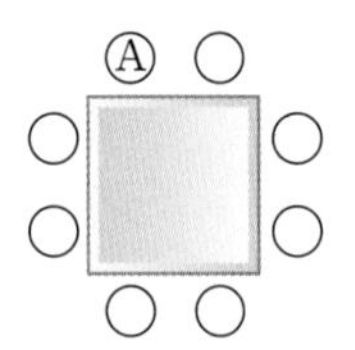

다각형의 둘레에 나열하는 순열의 수

다각형의 둘레에 나열하는 순열의 수 ➡ **(원순열의 수) × (서로 다른 기준 위치의 수)**

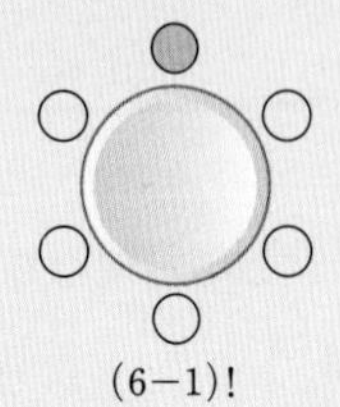

$(6-1)!$

$(6-1)!\times 2$

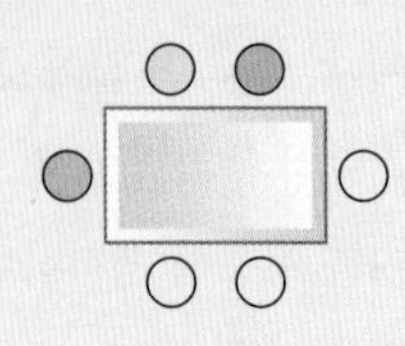

$(6-1)!\times 3$

| 설명 | 원순열에서는 적당히 돌리면 같아지므로 1개를 기준 위치에 고정한 후 나머지만 나열하면 된다.
하지만 다각형의 둘레에 나열하는 경우 기준 위치가 하나가 아니다.
왜냐? 돌려도 같아지지 않으니까.
이런 경우 원순열의 수를 구한 후, 서로 다른 기준 위치의 수만큼을 곱해야 한다.

| 개념확인 | 오른쪽 그림과 같은 정삼각형 모양의 탁자에 6명의 학생이 둘러앉는 방법의 수를 구하여라.

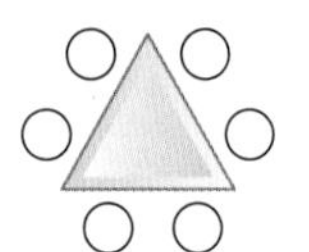

> 풀이 6명의 학생을 각각 ①~⑥이라 하자.
[그림 1]과 같이 학생 ①이 자리에 앉는 방법의 수는 1, 이 경우에 대하여 나머지 5명의 학생이 앉는 방법의 수는 5!
이때 학생 ①의 위치를 [그림 2]와 같이 옮기면 [그림 1]과 서로 다른 방법이 되므로 구하는 방법의 수는
$5!\times 2=\mathbf{240}$

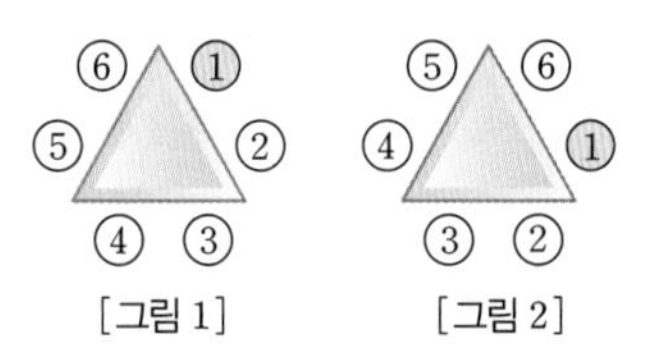

[그림 1] [그림 2]

> 다른 풀이 서로 다른 n개를 원형으로 나열하는 원순열의 수는 $\frac{n!}{n}=(n-1)!$이다.
이때 $n!$을 n으로 나누는 이유는 한 가지의 순열에 대하여 n개씩 같은 것이 생기므로 같은 것의 개수만큼 나누어 주어야 하기 때문이다.
즉, 정삼각형 모양의 책상에 6명의 학생이 둘러앉는 경우에는 한 가지의 순열에 대하여 오른쪽 그림과 같이 3가지씩 같은 것이 생기므로
구하는 방법의 수는 $\frac{6!}{3}=240$

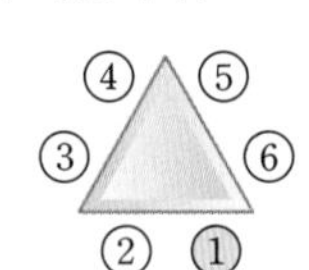

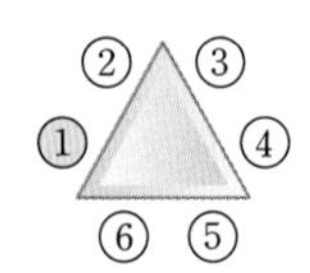

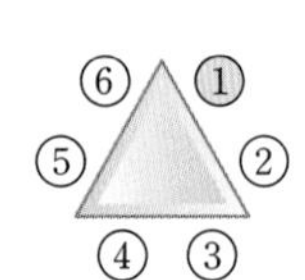

009 **남학생 5명과 여학생 3명이 원탁에 둘러앉을 때, 다음을 구하여라.**

(1) 모든 방법의 수

(2) 여학생끼리 이웃하여 앉는 방법의 수

(3) 여학생끼리 이웃하지 않게 앉는 방법의 수

풍산자曰 여학생들이 이웃하여 앉으면 여학생을 한 묶음으로 생각하고, 이웃하지 않는다고 하면 나머지를 먼저 나열한다.

> 풀이 (1) 8명이 원탁에 둘러앉는 방법의 수이므로 $(8-1)!=7!=\mathbf{5040}$

(2) 여학생 3명을 1명으로 생각하면 6명이 원탁에 둘러앉는 방법의 수는 $(6-1)!=5!=120$

여학생끼리 자리를 바꿔 앉는 방법의 수는 $3!=6$

따라서 구하는 방법의 수는 $120\times6=\mathbf{720}$

(3) 이웃하지 않은 남학생을 먼저 나열하여 벽을 만든다.

남학생 5명이 원탁에 둘러앉는 방법의 수는 $(5-1)!=4!=24$

남학생과 남학생 사이의 5개의 장소 중 여학생이 끼어들 3개의 장소를 택하는 방법의 수는 ${}_5P_3=60$

따라서 구하는 방법의 수는 $24\times60=\mathbf{1440}$

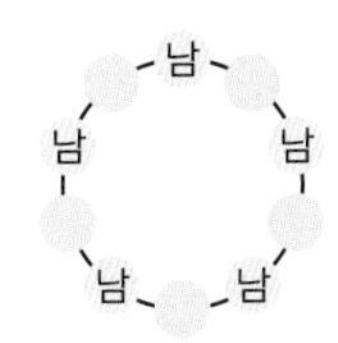

정답과 풀이 2쪽

유제 **010** **부모와 4명의 자녀가 원탁에 둘러앉을 때, 다음을 구하여라.**

(1) 모든 방법의 수

(2) 부모가 이웃하여 앉는 방법의 수

(3) 부모가 마주 보도록 앉는 방법의 수

011 **남학생 4명과 여학생 4명이 원탁에 둘러앉을 때, 남학생과 여학생이 교대로 앉는 방법의 수를 구하여라.**

풍산자曰 먼저 남자를 앉힌 후 그 사이사이에 여자를 끼워 앉힌다.

> 풀이 남학생 4명이 원탁에 둘러앉는 방법의 수는 $(4-1)!=3!=6$

남학생과 남학생 사이의 4개의 장소에 여학생을 앉히는 방법의 수는 ${}_4P_4=24$

따라서 구하는 방법의 수는 $6\times24=\mathbf{144}$

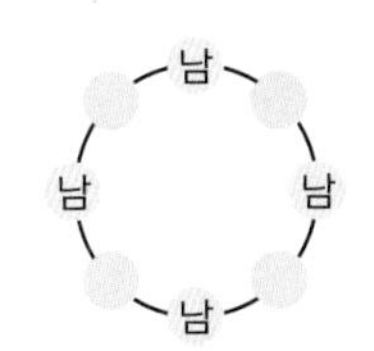

정답과 풀이 2쪽

유제 **012** **네 쌍의 부부가 원탁에 둘러앉을 때, 부부끼리 이웃하여 앉는 방법의 수를 구하여라.**

013 **그림과 같은 모양의 탁자에 (1)은 8명이, (2)는 9명이, (3)은 10명이 둘러앉는 방법의 수를 구하여라.**

(1)

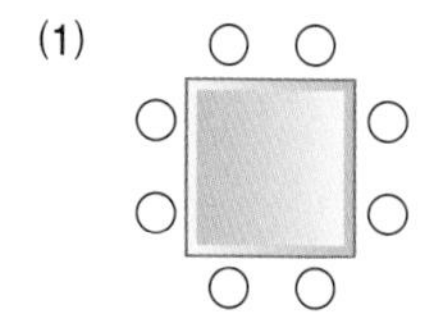

(2)

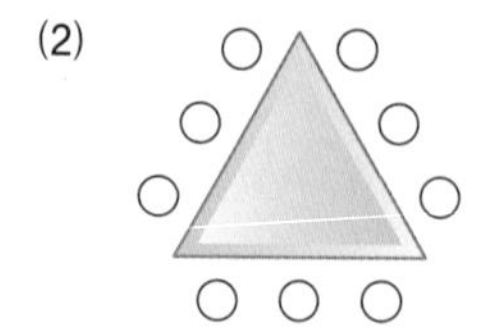

(3)

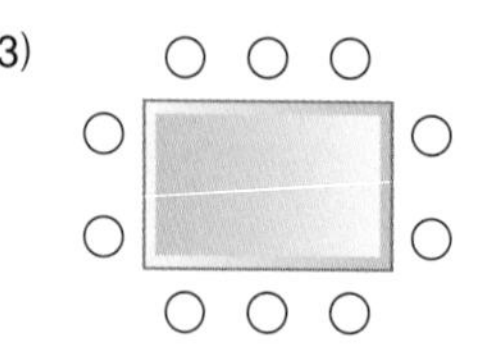

풍산자日 다각형 순열에서는 기준 위치가 하나가 아니다.
원순열의 수에 서로 다른 기준 위치의 수만큼 곱해 주자.

> 풀이 (1) 8명이 원형으로 둘러앉는 방법의 수는 $(8-1)!=7!=5040$
주어진 모양의 탁자에서는 원형으로 둘러앉는 한 가지 방법에 대하여
2가지의 서로 다른 경우가 존재하므로 구하는 방법의 수는
$5040\times2=$**10080**

(2) 9명이 원형으로 둘러앉는 방법의 수는 $(9-1)!=8!=40320$
그런데 주어진 모양의 탁자에서는 원형으로 둘러앉는 한 가지 방법에 대하여
3가지의 서로 다른 경우가 존재하므로 구하는 방법의 수는
$40320\times3=$**120960**

(3) 10명이 원형으로 둘러앉는 방법의 수는 $(10-1)!=9!=362880$
그런데 주어진 모양의 탁자에서는 원형으로 둘러앉는 한 가지 방법에 대하여
5가지의 서로 다른 경우가 존재하므로 구하는 방법의 수는
$362880\times5=$**1814400**

정답과 풀이 **3**쪽

유제 **014** **그림과 같은 모양의 탁자에 (1)은 8명이, (2)는 12명이 둘러앉는 방법의 수를 구하여라.**

(1)

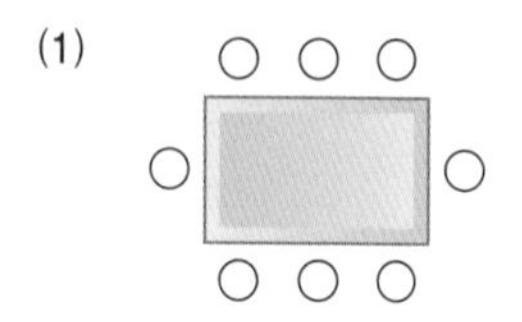

(2)

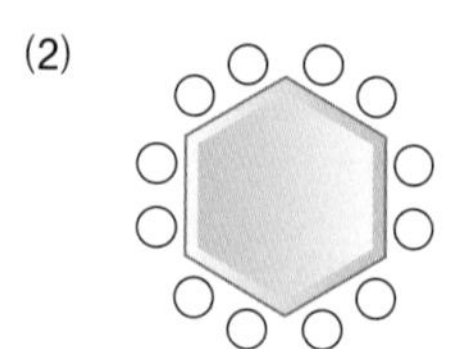

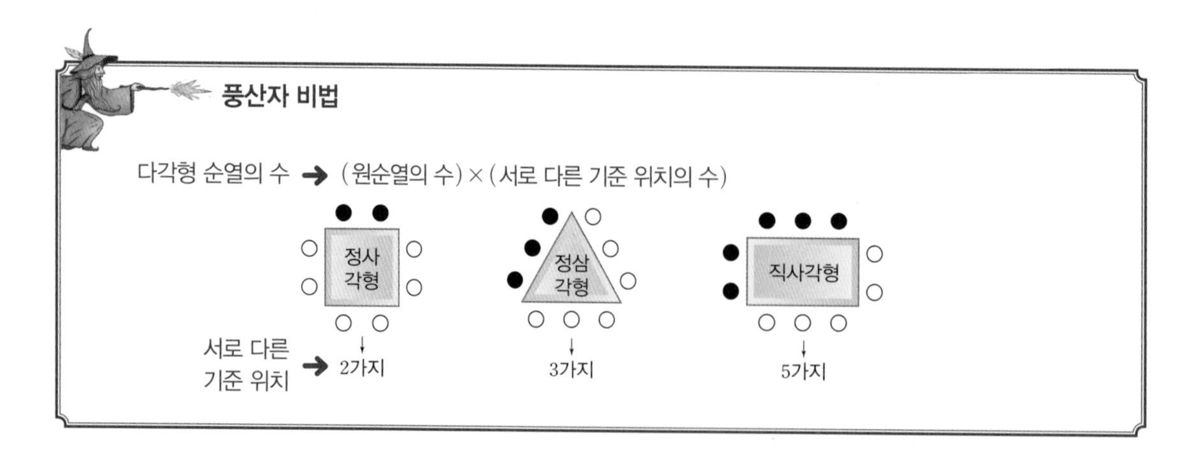

015 그림과 같이 크기가 같은 4개의 정삼각형으로 이루어진 영역을 빨강, 파랑, 노랑, 초록의 4가지 색을 모두 사용하여 색칠하는 방법의 수를 구하여라.

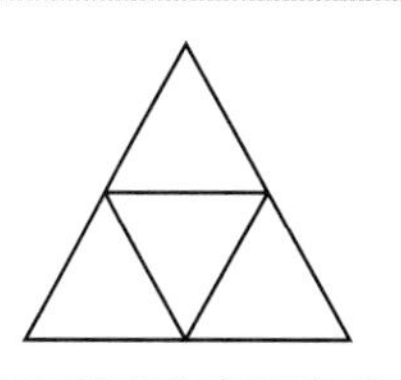

풍산자日 먼저 중앙의 삼각형을 칠한 후, 원순열을 이용하여 나머지 3개의 삼각형을 칠하면 된다.

> 풀이 중앙의 삼각형을 칠하는 방법은 4가지이고,
나머지 3개의 삼각형을 칠하는 방법의 수는 중앙에 칠한 색을 제외한 나머지 3가지 색을 원형으로 나열하는 원순열의 수와 같으므로 $(3-1)!=2!=2$
따라서 구하는 방법의 수는 $4\times2=\mathbf{8}$

정답과 풀이 3쪽

유제 **016** 그림과 같이 정사각형을 4등분한 영역을 서로 다른 4가지 색을 모두 사용하여 색칠하는 방법의 수를 구하여라.

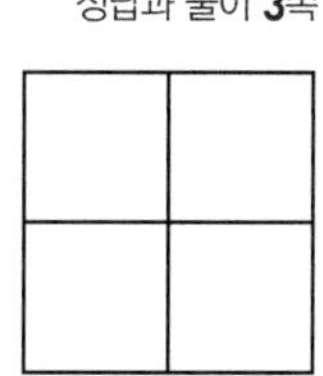

017 그림과 같이 5개의 영역으로 나누어진 원을 서로 다른 5가지 색을 모두 사용하여 색칠하는 방법의 수를 구하여라.
(단, 가운데 원을 제외한 4개의 도형은 모두 합동이다.)

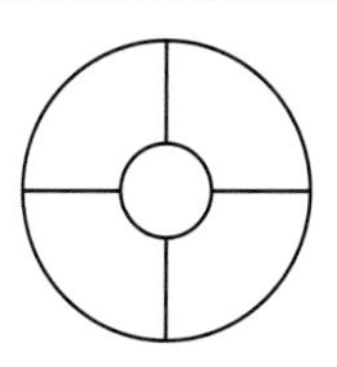

풍산자日 도형에 색칠하는 방법의 수
➡ 먼저 중앙이 되는 부분을 칠한 후, 원순열을 이용하여 나머지 부분을 칠하면 된다.

> 풀이 중앙의 원을 칠하는 방법은 5가지이고,
나머지 4개의 도형을 칠하는 방법의 수는 중앙에 칠한 색을 제외한 나머지 4가지 색을 원형으로 나열하는 원순열의 수와 같으므로 $(4-1)!=3!=6$
따라서 구하는 방법의 수는 $5\times6=\mathbf{30}$

정답과 풀이 3쪽

유제 **018** 그림과 같은 정사각뿔의 각 면을 서로 다른 5가지 색을 모두 사용하여 색칠하는 방법의 수를 구하여라.

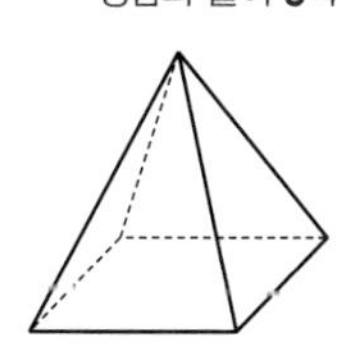

03 중복순열

중복순열은 중복하여 택하는 순열.

3개의 문자 a, b, c에서 2개를 택해 만든 순열과 중복순열은 다음과 같다.

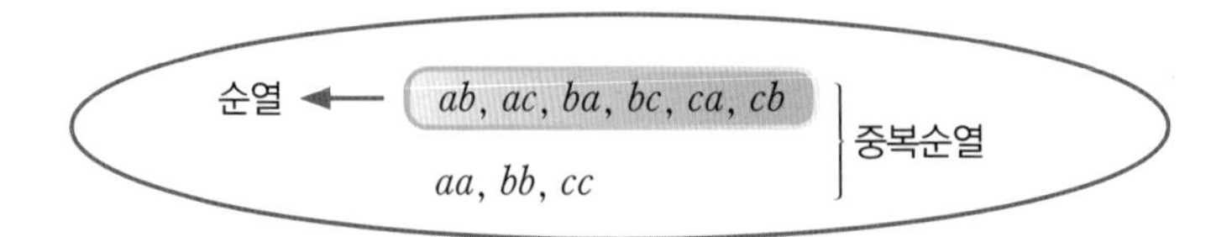

중복순열

(1) 서로 다른 n개에서 중복을 허락하여 r개를 택하는 순열을 중복순열이라 한다.
이 중복순열의 수를 ${}_n\Pi_r$로 나타낸다.

(2) 중복순열의 수: 서로 다른 n개에서 r개를 택하는 중복순열의 수는

$${}_n\Pi_r=\underbrace{n\times n\times n\times\cdots\times n}_{r\text{개}}=n^r$$

| 설명 | 중복순열에서는 택한 것을 또 택할 수 있으므로 n개에서 r개를 선택할 때,
첫 번째, 두 번째, 세 번째 ,⋯, r번째에 모두 n가지가 올 수 있다.

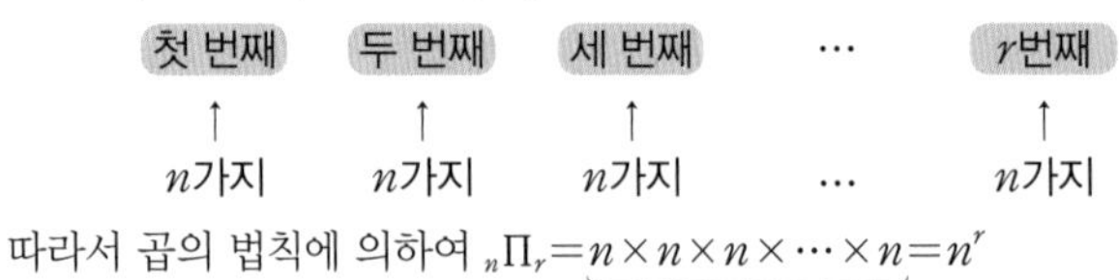

따라서 곱의 법칙에 의하여 ${}_n\Pi_r=\underbrace{n\times n\times n\times\cdots\times n}_{r\text{개}}=n^r$

${}_n\Pi_r$
중복 가능한 것의 개수 / 택하는 것의 개수

중복순열의 문제에서 중복을 허용한다는 말이 나와 있지 않아도 중복순열과 관련되었음을 알아낼 수 있어야 한다. 예를 들어 주머니 속에서 공을 뽑아 공에 적힌 숫자를 확인하고, 그 공을 다시 주머니에 넣은 다음 새로 공을 뽑는다면 이 상황 속에서 중복순열이 관련되었다는 점을 생각해야 한다.

한편 순열의 수 ${}_nP_r$에서는 서로 다른 것을 택하기 때문에 $n\geq r$이어야 하지만 중복순열의 수에서는 택한 것을 또 택할 수 있으므로 $n<r$일 수도 있다.

| 참고 | ${}_n\Pi_r$에서 Π는 곱을 뜻하는 product의 첫 글자 P에 해당하는 그리스 문자 π의 대문자로, '파이'라고 읽는다.

| 개념확인 | 4개의 숫자 1, 2, 3, 4에서 중복을 허락하여 만들 수 있는 세 자리 정수의 개수를 구하여라.

> 풀이 4개의 숫자 1, 2, 3, 4에서 중복을 허락하여 만들 수 있는 세 자리 정수는 ○○○의 꼴
> (i) 첫 번째 자리엔 1, 2, 3, 4의 4가지가 가능
> (ii) 같은 것을 다시 택할 수 있으므로 두 번째 자리에도 4가지가 가능
> (iii) 세 번째 자리에도 4가지가 가능
> 따라서 구하는 정수의 개수는 ${}_4\Pi_3=4^3=$**64**

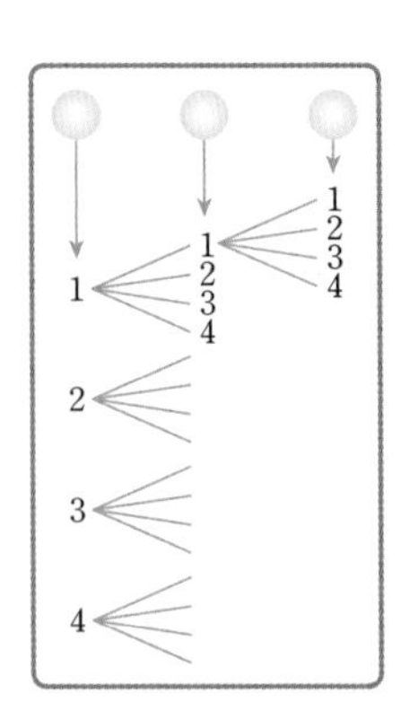

019 **다음 물음에 답하여라.**

(1) 5개의 숫자 1, 2, 3, 4, 5에서 서로 다른 세 숫자를 사용하여 만들 수 있는 세 자리 정수의 개수를 구하여라.

(2) 5개의 숫자 1, 2, 3, 4, 5에서 중복을 허락하여 만들 수 있는 세 자리 정수의 개수를 구하여라.

풍산자日 (1) 서로 다른 n개에서 서로 다른 것으로 r개를 택하여 일렬로 나열하면 ➡ ${}_n\mathrm{P}_r$

(2) 서로 다른 n개에서 중복을 허락하여 r개를 택하여 일렬로 나열하면 ➡ ${}_n\Pi_r$

> 풀이 (1) 서로 다른 5개에서 3개를 택하는 순열의 수와 같으므로 ${}_5\mathrm{P}_3=5\times4\times3=\mathbf{60}$

(2) 서로 다른 5개에서 3개를 택하는 중복순열의 수와 같으므로 ${}_5\Pi_3=5^3=\mathbf{125}$

정답과 풀이 **3쪽**

유제 **020** **3개의 숫자 1, 2, 3에서 중복을 허락하여 만들 수 있는 네 자리 정수의 개수를 구하여라.**

021 **다음 물음에 답하여라.**

(1) 5개의 숫자 0, 1, 2, 3, 4에서 서로 다른 세 숫자를 사용하여 만들 수 있는 세 자리 정수의 개수를 구하여라.

(2) 5개의 숫자 0, 1, 2, 3, 4에서 중복을 허락하여 만들 수 있는 세 자리 정수의 개수를 구하여라.

풍산자日 맨 앞자리에는 0이 올 수 없음에 유의한다.

> 풀이 (1) 백의 자리: 0이 올 수 없으므로 1, 2, 3, 4의 4가지가 올 수 있다.
십의 자리: 백의 자리에 온 수를 제외한 4가지가 올 수 있다.
일의 자리: 백의 자리, 십의 자리에 온 수를 제외한 3가지가 올 수 있다.
$\therefore\ 4\times4\times3=\mathbf{48}$

(2) 백의 자리: 0이 올 수 없으므로 1, 2, 3, 4의 4가지가 올 수 있다.
십의 자리: 중복을 허락하므로 5가지 모두 올 수 있다.
일의 자리: 중복을 허락하므로 5가지 모두 올 수 있다.
$\therefore\ 4\times5\times5=\mathbf{100}$

정답과 풀이 **3쪽**

유제 **022** **3개의 숫자 0, 1, 2에서 중복을 허락하여 만들 수 있는 네 자리 정수의 개수를 구하여라.**

023 모스 부호 ·과 −를 사용하여 신호를 만들 때, ·과 −에서 5개를 뽑아 만들 수 있는 신호의 수를 구하여라.

풍산자日 각각의 자리에는 ·과 − 중 하나를 선택하여 신호를 만들 수 있다.

> 풀이 서로 다른 2개에서 5개를 택하는 중복순열의 수와 같으므로
$_{2}\Pi_{5}=2^5=\mathbf{32}$

정답과 풀이 3쪽

유제 **024** 빨강, 노랑, 파랑의 세 가지 깃발이 있다. 이 깃발을 한 개씩 4번 들어 올려서 만들 수 있는 신호의 수를 구하여라.

025 두 집합 $X=\{a, b, c\}$, $Y=\{1, 2, 3, 4\}$에 대하여 다음을 구하여라.

(1) X에서 Y로의 일대일함수의 개수 (2) X에서 Y로의 함수의 개수

풍산자日 (1) Y의 원소 1, 2, 3, 4에서 서로 다른 3개를 택해 X의 원소 a, b, c의 짝으로 삼으면 일대일함수가 된다.
(2) Y의 원소 1, 2, 3, 4에서 중복을 허락하여 3개를 택해 X의 원소 a, b, c의 짝으로 삼으면 함수가 된다.

> 풀이 (1) 일대일함수의 개수는 서로 다른 4개에서 3개를 택하는 순열의 수와 같으므로
$_{4}P_{3}=4\times3\times2=\mathbf{24}$
(2) 함수의 개수는 서로 다른 4개에서 3개를 택하는 중복순열의 수와 같으므로
$_{4}\Pi_{3}=4^3=\mathbf{64}$

정답과 풀이 3쪽

유제 **026** 두 집합 $X=\{a, b\}$, $Y=\{1, 2, 3, 4, 5\}$에 대하여 다음을 구하여라.

(1) X에서 Y로의 일대일함수의 개수 (2) X에서 Y로의 함수의 개수

풍산자 비법

두 집합 X, Y에 대하여 $n(X)=r$, $n(Y)=m$일 때
X에서 Y로의 함수의 개수 ➔ $_{m}\Pi_{r}$(중복순열의 수), X에서 Y로의 일대일함수의 개수 ➔ $_{m}P_{r}$(순열의 수)

027 **세 명의 학생 a, b, c를 1반과 2반에 배정하는 방법의 수를 구하여라.**
(단, 한 명도 배정받지 않는 반이 있어도 좋다.)

풍산자曰 집합 $\{a, b, c\}$에서 집합 $\{1, 2\}$로의 함수의 개수 문제로 생각할 수 있다.

> 풀이 오른쪽 그림은 a를 2반에 배정하고, b, c를 1반에 배정하는 경우이다.
이와 같이 생각하면 다음의 문제와 같음을 알 수 있다.

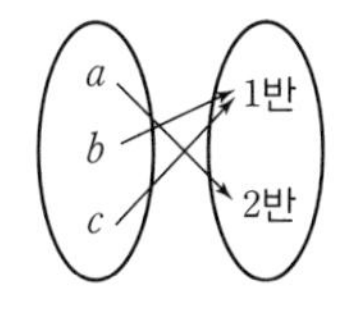

집합 $\{a, b, c\}$에서 집합 $\{1, 2\}$로의 함수의 개수는?

즉, 서로 다른 2개의 반에서 3개를 택하는 중복순열의 수와 같으므로
${}_2\Pi_3=2^3=\mathbf{8}$

정답과 풀이 **3**쪽

유제 **028** **서로 다른 편지 5통을 서로 다른 2개의 우체통에 넣는 방법의 수를 구하여라.**
(단, 한 통의 편지도 넣지 않는 우체통이 있어도 좋다.)

029 **4명의 여행자가 3곳의 호텔에 투숙하는 방법의 수를 구하여라.**
(단, 한 명도 투숙하지 않는 호텔이 있어도 좋다.)

풍산자曰 집합 $\{a, b, c, d\}$에서 집합 $\{1, 2, 3\}$으로의 함수의 개수 문제로 생각할 수 있다.

> 풀이 오른쪽 그림은 a, b가 호텔1에 투숙하고, c, d가 호텔3에 투숙하는 경우이다. 이와 같이 생각하면 다음의 문제와 같음을 알 수 있다.

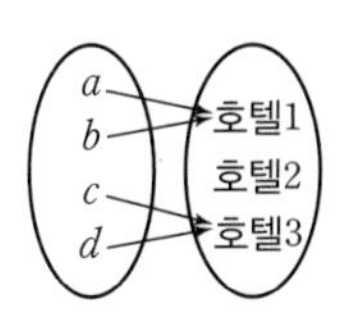

집합 $\{a, b, c, d\}$에서 집합 $\{1, 2, 3\}$으로의 함수의 개수는?

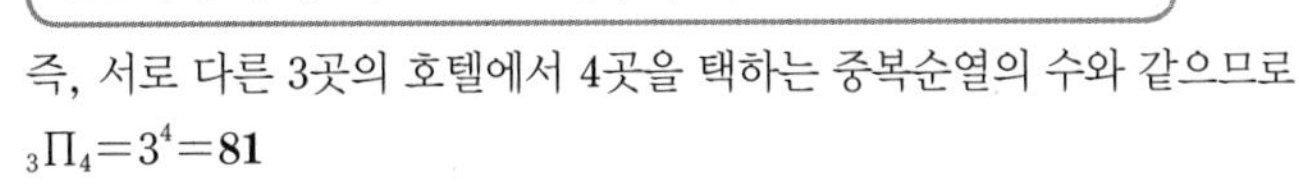

즉, 서로 다른 3곳의 호텔에서 4곳을 택하는 중복순열의 수와 같으므로
${}_3\Pi_4=3^4=\mathbf{81}$

정답과 풀이 **3**쪽

유제 **030** **6명의 선거인이 2명의 후보에게 기명 투표하는 방법의 수를 구하여라.**
(단, 기권이나 무효는 없는 것으로 한다.)

> 참고 투표할 때 투표하는 사람의 이름을 밝혀 적는 투표를 기명 투표라 하고 투표인의 이름을 밝히지 않는 투표를 무기명 투표라 한다. 무기명 투표는 후보별 득표수만 알 수 있다.

풍산자 비법

몇 명을 몇 군데에 배정하는 문제 ➔ 함수의 개수 문제의 변형 문제

04 같은 것이 있는 순열

지금까지의 순열은 서로 다른 n개에서 r개를 택하는 경우였다.
그렇다면 n개 중에서 같은 것이 있는 경우는 어떻게 할까?
이때 필요한 것이 '같은 것이 있는 순열'.

같은 것이 있는 순열 중요!

n개 중에서 같은 것이 각각 p개, q개, $\cdots$, r개씩 있을 때, n개를 모두 일렬로 나열하는 방법의 수는 다음과 같다.

$$\frac{n!}{p!q!\cdots r!} \text{ (단, } p+q+\cdots+r=n\text{)}$$

| 설명 | 같은 문자 a가 2개 있는 a, a, b를 일렬로 나열하는 순열을 일일이 생각해 보면 아래와 같이 3가지가 있다.

aab, aba, baa …… ㉠

이것을 분석하여 같은 것이 있는 순열 공식의 원리를 생각해 보자.
2개의 a를 구별하여 a_1, a_2라 하면 위의 각 경우에 대하여 $2!$개의 서로 다른 순열을 얻을 수 있다.

a_1a_2b, a_1ba_2, ba_1a_2,
a_2a_1b, a_2ba_1, ba_2a_1 …… ㉡

그런데 이것은 서로 다른 3개의 문자 a_1, a_2, b를 일렬로 나열하는 순열의 수 $3!$과 같으므로 다음이 성립함을 알 수 있다.

㉠$\times 2! =$㉡ $\quad \therefore$ ㉠$=\frac{3!}{2!}=3$

왜 $2!$로 나누어 주는지 이해할 수 있겠는가?
같은 문자 a가 2개이기 때문이다.

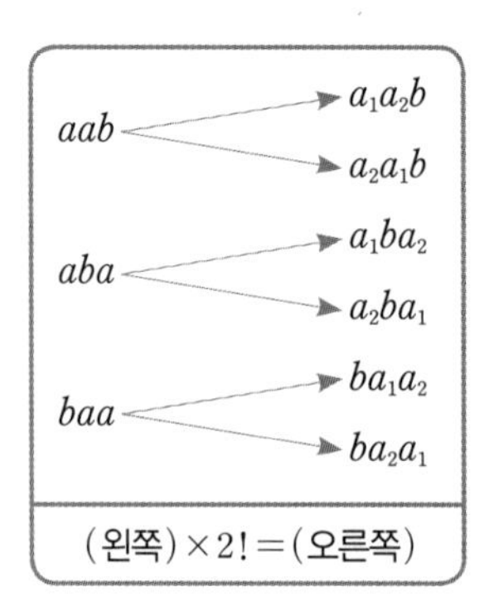

| 개념확인 | 다음 문자를 일렬로 나열하는 방법의 수를 구하여라.

(1) a, a, a, a, b, c (2) a, a, a, b, b, c (3) a, a, b, b, c, c

> 풀이

(1) a, a, a, a, b, c ➡ 같은 것이 4개 ➡ $\frac{6!}{4!}=\mathbf{30}$

(2) a, a, a, b, b, c ➡ 같은 것이 3개, 2개 ➡ $\frac{6!}{3!2!}=\mathbf{60}$

(3) a, a, b, b, c, c ➡ 같은 것이 2개, 2개, 2개 ➡ $\frac{6!}{2!2!2!}=\mathbf{90}$

大 원칙 같은 것이 있는 순열 ➡ $\frac{(\text{전체 개수})!}{(\text{같은 것의 개수})!}$

031 **다음 물음에 답하여라.**

(1) 5개의 숫자 1, 2, 3, 3, 3을 모두 써서 만들 수 있는 다섯 자리 정수의 개수를 구하여라.

(2) 5개의 숫자 1, 1, 1, 2, 2에서 4개의 숫자를 골라 만들 수 있는 네 자리 정수의 개수를 구하여라.

풍산자日 (1) 같은 것이 있는 순열을 이용한다.

(2) 먼저 5개의 숫자 중에서 4개의 숫자를 고르는 경우를 생각한다.

> 풀이 (1) 1, 2, 3, 3, 3을 일렬로 나열하는 경우의 수와 같으므로

$\frac{5!}{3!}=\mathbf{20}$

(2) 1, 1, 1, 2, 2에서 숫자 4개를 택하는 방법은 (1, 1, 1, 2), (1, 1, 2, 2)로 2가지 경우가 있다.

각각의 경우에 4개의 숫자로 만들 수 있는 네 자리 정수의 개수는

(i) (1, 1, 1, 2)의 경우: $\frac{4!}{3!}=4$

(ii) (1, 1, 2, 2)의 경우: $\frac{4!}{2!2!}=6$

(i), (ii)에서 구하는 네 자리 정수의 개수는 $4+6=\mathbf{10}$

정답과 풀이 **3**쪽

유제 **032** **6개의 숫자 1, 1, 1, 2, 2, 2에서 4개의 숫자를 골라 만들 수 있는 네 자리 정수의 개수를 구하여라.**

033 **5개의 숫자 0, 1, 1, 1, 2를 모두 써서 만들 수 있는 다섯 자리 정수의 개수를 구하여라.**

풍산자日 첫 번째 자리에 0이 올 수 없다. ➡ 전체 경우에서 0으로 시작하는 경우를 뺀다.

> 풀이 (i) 전체 경우의 수는 0, 1, 1, 1, 2를 일렬로 나열하는 경우의 수와 같으므로

$\frac{5!}{3!}=20$

(ii) 0으로 시작하는 경우의 수는 1, 1, 1, 2를 일렬로 나열하는 경우의 수와 같으므로

$\frac{4!}{3!}=4$

(i), (ii)에서 구하는 다섯 자리 정수의 개수는 $20-4=\mathbf{16}$

정답과 풀이 **4**쪽

유제 **034** **6개의 숫자 0, 1, 1, 2, 2, 2를 모두 써서 만들 수 있는 여섯 자리 정수의 개수를 구하여라.**

| 같은 것이 있는 문자의 나열 |

035 minimum의 7개의 문자를 모두 써서 일렬로 나열할 때, 다음을 구하여라.

(1) 모든 경우의 수

(2) 양 끝에 m이 오는 경우의 수

(3) m이 모두 이웃하는 경우의 수

풍산자日 (3)에서 3개의 m이 모두 이웃하는 경우는 3개의 m을 하나의 문자로 생각하고 나열하면 된다. 또한 3개의 m의 위치를 바꾸는 방법은 1가지뿐이므로 이웃하는 것끼리 자리를 바꾸어 주는 경우의 수를 곱할 필요가 없다.

> 풀이 (1) 7개의 문자 중에서 m이 3개, i가 2개이므로 구하는 경우의 수는 $\frac{7!}{3!2!}=\mathbf{420}$

(2) m□□□□□m과 같이 양 끝에 m을 놓은 후, 중간에 i, n, i, m, u를 일렬로 나열하면 되는데 이때 i가 2개이므로 구하는 경우의 수는 $\frac{5!}{2!}=\mathbf{60}$

(3) m, m, m이 이웃하므로 한 문자 M으로 바꾸어 생각하면 M, i, n, i, u를 일렬로 나열하면 되는데 이때 i가 2개이므로 구하는 경우의 수는 $\frac{5!}{2!}=\mathbf{60}$

정답과 풀이 4쪽

유제 **036** banana의 6개의 문자를 모두 써서 일렬로 나열할 때, 다음을 구하여라.

(1) 모든 경우의 수

(2) 양 끝에 a가 오는 경우의 수

(3) a가 모두 이웃하는 경우의 수

| 특정한 문자의 순서가 정해진 경우 |

037 a, b, c, d, e의 5개의 문자를 일렬로 나열할 때, c, d, e는 이 순서로 나열하는 경우의 수를 구하여라.

풍산자日 c, d, e의 순서가 고정되어 있으므로 c, d, e를 모두 x로 생각하여 5개의 문자 a, b, x, x, x를 일렬로 나열한 다음 세 개의 x자리에 c, d, e를 순서대로 바꾸어 넣으면 된다.

> 풀이 구하는 경우의 수는 5개의 문자 a, b, x, x, x를 일렬로 나열하는 경우의 수와 같으므로 $\frac{5!}{3!}=\mathbf{20}$

정답과 풀이 4쪽

유제 **038** a, b, c, d, e의 5개의 문자를 일렬로 나열할 때, c가 d보다 앞에 오는 경우의 수를 구하여라.

039 **그림과 같은 도로망이 있다. 다음을 구하여라.**

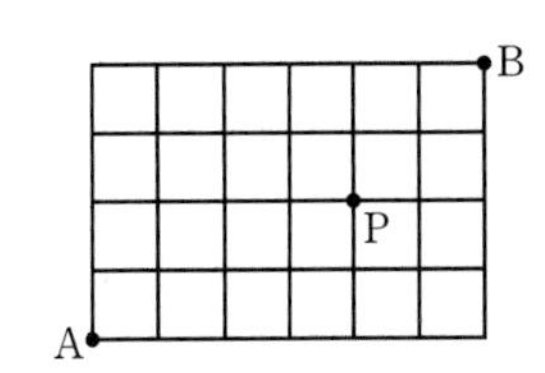

(1) A에서 B로 가는 최단 경로의 수

(2) A에서 P를 거쳐 B로 가는 최단 경로의 수

(3) A에서 P를 거치지 않고 B로 가는 최단 경로의 수

풍산자目 오른쪽 그림의 A에서 B까지 가는 최단 경로는 순서에 상관없이 오른쪽으로 3번, 위쪽으로 2번만 가면 된다.
즉, 오른쪽으로 한 칸 가는 것을 a, 위쪽으로 한 칸 가는 것을 b라 하면 가는 길은 모두 a, a, a, b, b의 순열.
다음 그림은 $aaabb$와 $ababa$에 해당하는 경로.

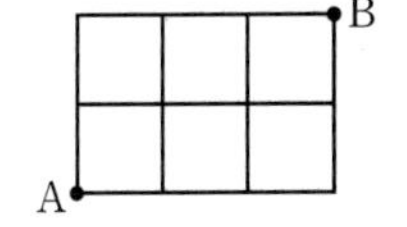

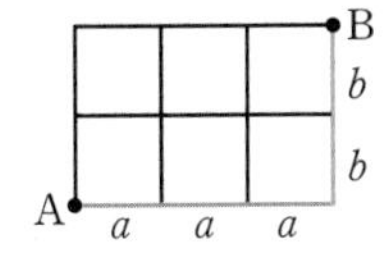

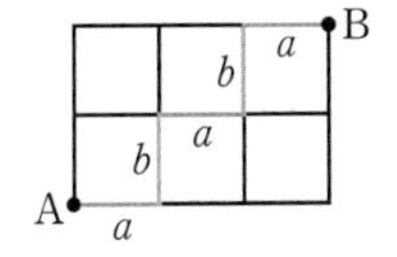

> 풀이 오른쪽으로 한 칸 가는 것을 a, 위쪽으로 한 칸 가는 것을 b라 하자.

(1) A에서 B로 가는 최단 경로의 수는
a, a, a, a, a, a, b, b, b, b를 일렬로 나열하는 경우의 수와 같으므로
$\frac{10!}{6!4!}=\mathbf{210}$

(2) A에서 P로 가는 최단 경로의 수는
a, a, a, a, b, b를 일렬로 나열하는 경우의 수와 같으므로 $\frac{6!}{4!2!}=15$
P에서 B로 가는 최단 경로의 수는
a, a, b, b를 일렬로 나열하는 경우의 수와 같으므로 $\frac{4!}{2!2!}=6$
따라서 A에서 P를 거쳐 B로 가는 최단 경로의 수는 $15\times6=\mathbf{90}$

(3) A에서 P를 거치지 않고 B로 가는 최단 경로의 수는 $210-90=\mathbf{120}$

정답과 풀이 **4**쪽

유제 **040** **그림과 같은 도로망이 있다. 다음을 구하여라.**

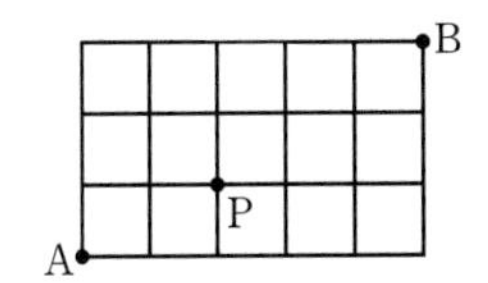

(1) A에서 B로 가는 최단 경로의 수

(2) A에서 P를 거쳐 B로 가는 최단 경로의 수

(3) A에서 P를 거치지 않고 B로 가는 최단 경로의 수

풍산자 비법

최단 경로 문제 ➔ 같은 것이 있는 순열 문제로 변형한다.

041 그림과 같은 도로망이 있다. A에서 B까지 가는 최단 경로의 수를 구하여라.

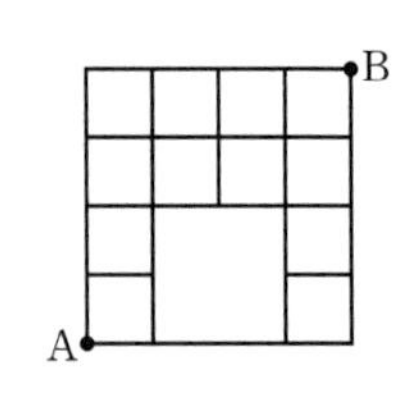

풍산자日 A에서 B까지 가기 위해 반드시 거쳐야 하는 점이 어디인지 생각해 본다.

> 풀이 [방법 1] 오른쪽 그림과 같이 선을 그어 경우를 나눈다.

(P를 지나는 경우)+(Q를 지나는 경우)+(S를 지나는 경우)

$=\left(1\times\frac{5!}{4!}\right)+\left(\frac{3!}{2!}\times\frac{5!}{3!\times2!}\right)+\left(1\times\frac{5!}{4!}\right)$

$=5+30+5=\mathbf{40}$

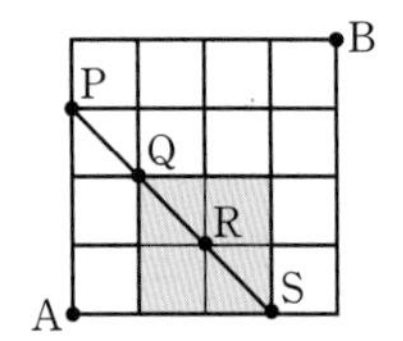

[방법 2] 전체 경우에서 R를 지나는 경우를 뺀다.

(전체 경우)−(R를 지나는 경우)

$=\left(\frac{8!}{4!\times4!}\right)-\left(\frac{3!}{2!}\times\frac{5!}{2!\times3!}\right)$

$=70-30=\mathbf{40}$

정답과 풀이 **4쪽**

유제 **042** 그림과 같은 도로망이 있다. A에서 B까지 가는 최단 경로의 수를 각각 구하여라.

(1)

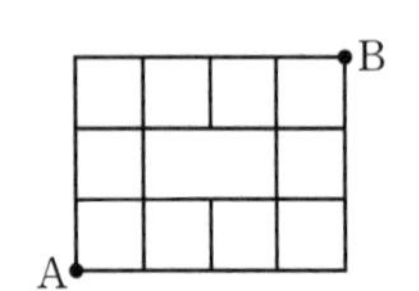

(2)

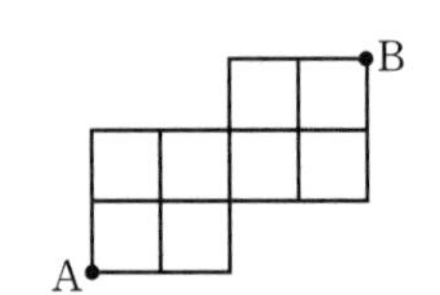

풍산자 비법

- 원순열: 서로 다른 n개를 원형으로 나열하는 것 ➔ $(n-1)!$
- 중복순열: 서로 다른 n개에서 중복을 허락하여 r개를 택하는 순열 ➔ ${}_n\Pi_r=\underbrace{n\times n\times n\times\cdots\times n}_{r\text{개}}=n^r$
- 같은 것이 있는 순열: n개 중에서 같은 것이 각각 p개, q개, $\cdots$, r개씩 있을 때, n개를 모두 일렬로 나열하는 방법의 수 ➔ $\frac{n!}{p!q!\cdots r!}$ (단, $p+q+\cdots+r=n$)

필수 확인 문제

* 더 많은 유형은 **풍산자필수유형 확률과 통계** 007쪽

정답과 풀이 5쪽

043

아버지와 어머니를 포함한 7명의 식구들이 원탁에 둘러앉아 식사를 하려고 한다. 이때 아버지와 어머니가 이웃하여 앉는 방법의 수를 구하여라.

044

서로 다른 4통의 편지를 3개의 우체통에 넣는 방법의 수를 구하여라. (단, 한 통의 편지도 넣지 않는 우체통이 있어도 좋다.)

045

success의 7개의 문자를 모두 써서 일렬로 나열한 것 중 양 끝이 s인 것의 개수를 구하여라.

046

두 집합 $X=\{1,\ 2,\ 3,\ 4\}$, $Y=\{5,\ 6,\ 7,\ 8\}$에 대하여 X에서 Y로의 함수의 개수를 a, X에서 Y로의 일대일대응의 개수를 b라 할 때, $a-b$의 값을 구하여라.

047

0, 1, 2, 3, 4, 5의 6개의 숫자를 중복하여 사용하는 것을 허용할 때, 만들 수 있는 세 자리 자연수의 개수를 구하여라. 또 이 세 자리 자연수 중에서 홀수의 개수를 구하여라.

048

그림과 같이 마름모 모양으로 연결된 도로망이 있다. 이 도로망을 따라 A지점에서 출발하여 C지점과 D지점을 지나지 않고 B지점까지 가는 최단 경로의 수를 구하여라.

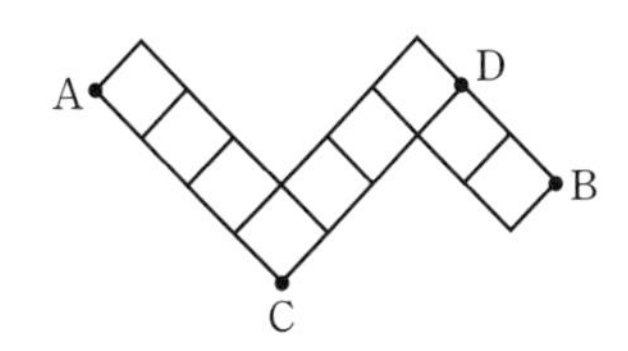

2 조합

01 조합

뽑는 것을 조합이라 하고, 뽑아서 나열하는 것을 순열이라 한다.
순열과 조합의 차이점은 순서의 고려 여부뿐.
즉, 조합에 순서를 주면 순열이 된다.

조합
서로 다른 n개에서 순서를 생각하지 않고 r개를 뽑는 것을 n개에서 r개를 택하는 조합이라 한다.
이 조합의 수를 ${}_n\mathrm{C}_r$로 나타내고, 다음과 같이 계산한다.

$${}_n\mathrm{C}_r=\frac{{}_n\mathrm{P}_r}{r!}=\frac{n(n-1)(n-2)\cdots(n-r+1)}{r!}\ (\text{단, } 0\le r\le n)$$

| 설명 | n개에서 r개를 뽑아서 일렬로 나열한 경우의 수, 즉 순열의 수를 모두 구한 후, 같은 것을 뽑아 나열한 경우들은 모두 1가지로 보면 된다. ➡ ${}_n\mathrm{P}_r$를 $r!$로 나눈다.
예를 들어 3개의 문자 a, b, c에서 2개를 택하는 조합의 수는 ${}_3\mathrm{C}_2$이다.
이때 택한 2개를 일렬로 나열하는 순열의 수를 생각하면 각각 $2!$가지씩의 경우가 생기므로 전체 순열의 수는 ${}_3\mathrm{C}_2\times2!$이다.
이것은 서로 다른 3개의 문자에서 2개를 택하는 순열의 수 ${}_3\mathrm{P}_2$와 같으므로

$${}_3\mathrm{C}_2\times2!={}_3\mathrm{P}_2\qquad\therefore\ {}_3\mathrm{C}_2=\frac{{}_3\mathrm{P}_2}{2!}$$

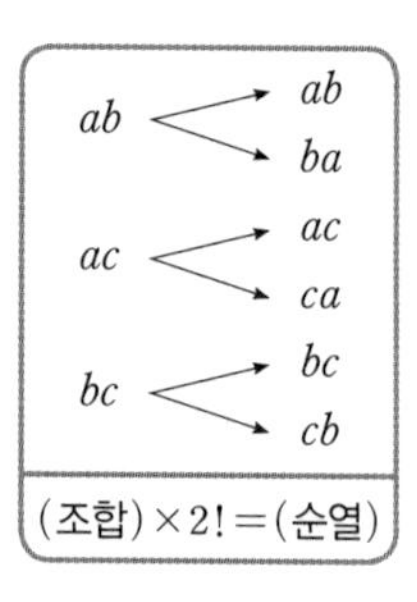

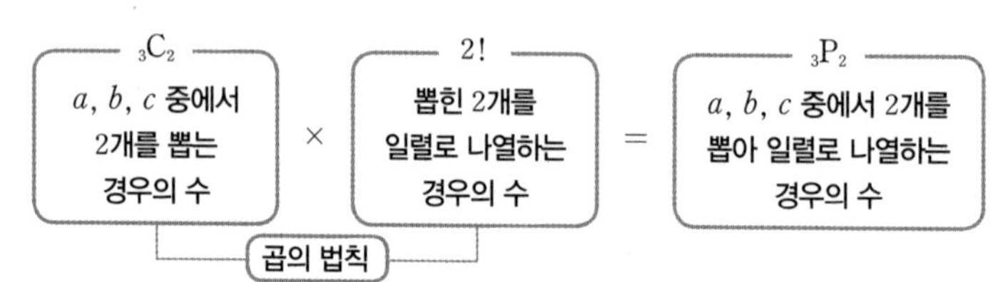

| 참고 | ${}_n\mathrm{C}_r=\frac{n!}{r!(n-r)!}$, ${}_n\mathrm{C}_0=1$, ${}_n\mathrm{C}_n=1$, ${}_n\mathrm{C}_1=n$, ${}_n\mathrm{C}_r={}_n\mathrm{C}_{n-r}$ (단, $0\le r\le n$)

| 개념확인 | 다음 값을 구하여라.

(1) ${}_{30}\mathrm{C}_0$ (2) ${}_8\mathrm{C}_3$ (3) ${}_{10}\mathrm{C}_{10}$ (4) ${}_{20}\mathrm{C}_{18}$

> 풀이

(1) ${}_{30}\mathrm{C}_0=\mathbf{1}$

(2) ${}_8\mathrm{C}_3=\frac{{}_8\mathrm{P}_3}{3!}=\frac{8\times7\times6}{3\times2\times1}=\mathbf{56}$

(3) ${}_{10}\mathrm{C}_{10}={}_{10}\mathrm{C}_0=\mathbf{1}$

(4) ${}_{20}\mathrm{C}_{18}={}_{20}\mathrm{C}_2=\frac{{}_{20}\mathrm{P}_2}{2!}=\frac{20\times19}{2\times1}=\mathbf{190}$

049 **다음 등식을 만족시키는 n 또는 r의 값을 모두 구하여라. (단, n, r는 자연수이다.)**

(1) ${}_{10}C_r={}_{10}C_4$

(2) ${}_nC_6={}_nC_8$

(3) ${}_nC_3=20$

(4) $12{}_nC_3=6{}_nP_2+{}_nP_3$

풍산자비 ${}_nC_x={}_nC_r$이면 ${}_nC_r={}_nC_{n-r}$이므로 $x=r$ 또는 $x=n-r$이다.

> 풀이

(1) ${}_{10}C_4={}_{10}C_6$이므로 $r=\mathbf{4}$ 또는 $r=\mathbf{6}$

(2) ${}_nC_6={}_nC_{n-6}$이므로 $n-6=8$ $\quad\therefore n=\mathbf{14}$

(3) ${}_nC_3=20$에서 $\dfrac{n(n-1)(n-2)}{3\times2\times1}=20$, $n(n-1)(n-2)=6\times5\times4$ $\quad\therefore n=\mathbf{6}$

(4) $12\times\dfrac{n(n-1)(n-2)}{3\times2\times1}=6n(n-1)+n(n-1)(n-2)$

그런데 $n\geq3$이므로 양변을 $n(n-1)$로 나누면 $2(n-2)=6+n-2$ $\quad\therefore n=\mathbf{8}$

정답과 풀이 **5**쪽

유제 **050** **다음 등식을 만족시키는 n 또는 r의 값을 구하여라. (단, n, r는 자연수이다.)**

(1) ${}_7C_r={}_7C_{r-3}$

(2) ${}_nC_4={}_nC_6$

(3) ${}_nC_2=10$

(4) ${}_nP_3=2{}_nC_2+{}_nP_2$

051 **다음을 구하여라.**

(1) 경찰관 6명과 소방관 4명 중에서 경찰관 4명과 소방관 2명을 뽑는 경우의 수

(2) 경찰관 6명과 소방관 4명 중에서 3명을 뽑을 때, 뽑힌 3명의 직업이 모두 같은 경우의 수

풍산자비 (1) 경찰관을 뽑고 소방관을 뽑아야 하므로 ➡ 곱한다.
(2) 모두 경찰관 또는 모두 소방관이어야 하므로 ➡ 더한다.

> 풀이

(1) 경찰관 6명 중에서 4명을 뽑는 경우의 수는 ${}_6C_4={}_6C_2=15$
소방관 4명 중에서 2명을 뽑는 경우의 수는 ${}_4C_2=6$
따라서 구하는 경우의 수는 $15\times6=\mathbf{90}$

(2) 경찰관 6명 중에서 3명을 뽑는 경우의 수는 ${}_6C_3=20$
소방관 4명 중에서 3명을 뽑는 경우의 수는 ${}_4C_3={}_4C_1=4$
따라서 구하는 경우의 수는 $20+4=\mathbf{24}$

정답과 풀이 **6**쪽

유제 **052** **다음을 구하여라.**

(1) 서로 다른 검은 공 7개와 흰 공 5개 중에서 검은 공 2개와 흰 공 2개를 뽑는 경우의 수

(2) 서로 다른 검은 공 7개와 흰 공 5개 중에서 4개의 공을 뽑을 때, 뽑힌 공이 모두 같은 색인 경우의 수

053 **9명의 학생 중에서 4명을 뽑을 때, 다음을 구하여라.**

(1) 특정한 2명이 모두 포함되는 경우의 수

(2) 특정한 2명이 모두 포함되지 않는 경우의 수

풍산자日 (1) 특정한 인원을 포함시키는 경우는 해당 인원을 미리 뽑아 놓고 나머지 인원을 구한다.

(2) 특정한 인원을 포함시키지 않는 경우는 전체에서 해당 인원을 제외하고 구한다.

> 풀이 (1) 특정한 2명을 미리 뽑아 놓고 나머지 7명에서 2명을 뽑으면 되므로 구하는 경우의 수는 ${}_7C_2=\mathbf{21}$

(2) 특정한 2명을 제외한 나머지 7명에서 4명을 뽑으면 되므로 구하는 경우의 수는 ${}_7C_4={}_7C_3=\mathbf{35}$

정답과 풀이 6쪽

유제 **054** **7가지 무지개 색 중에서 4가지 색을 뽑을 때, 다음을 구하여라.**

(1) 빨강과 노랑이 모두 포함되는 경우의 수

(2) 빨강과 노랑이 모두 포함되지 않는 경우의 수

055 **남자 9명과 여자 5명 중에서 3명을 뽑을 때, 다음을 구하여라.**

(1) 남자가 적어도 1명 포함되는 경우의 수

(2) 남자와 여자가 적어도 1명씩 포함되는 경우의 수

풍산자日 '적어도 ~'의 조건이 있으면 ➡ 반대를 생각한다.

(1) 전체 경우에서 '모두 여자'인 경우를 뺀다.

(2) 전체 경우에서 '모두 남자 또는 모두 여자'인 경우를 뺀다.

> 풀이 (1) 전체 14명 중에서 3명을 뽑는 경우의 수는 ${}_{14}C_3=364$
여자 5명 중에서 3명을 뽑는 경우의 수는 ${}_5C_3={}_5C_2=10$
따라서 구하는 경우의 수는 $364-10=\mathbf{354}$

(2) 전체 14명 중에서 3명을 뽑는 경우의 수는 ${}_{14}C_3=364$
남자 9명 중에서 3명을 뽑는 경우의 수는 ${}_9C_3=84$
여자 5명 중에서 3명을 뽑는 경우의 수는 ${}_5C_3={}_5C_2=10$
따라서 구하는 경우의 수는 $364-(84+10)=\mathbf{270}$

정답과 풀이 6쪽

유제 **056** **서로 다른 시집 5권과 소설책 4권 중에서 3권을 뽑을 때, 다음을 구하여라.**

(1) 시집이 적어도 1권 포함되는 경우의 수

(2) 시집과 소설책이 적어도 1권씩 포함되는 경우의 수

02 중복조합

중복조합은 중복하여 뽑는 조합.

3개의 문자 a, b, c에서 2개를 뽑는 조합과 중복조합은 다음과 같다.

조합 ➡ 중복을 허락하지 않는다.	중복조합 ➡ 중복을 허락한다.
ab, ac, bc	aa, ab, ac, bb, bc, cc

중복조합 중요!

(1) 서로 다른 n개에서 중복을 허락하여 r개를 택하는 조합을 중복조합이라 한다.
이 중복조합의 수를 ${}_n\mathrm{H}_r$로 나타낸다.

(2) 중복조합의 수: 서로 다른 n개에서 중복을 허락하여 r개를 택하는 중복조합의 수는

$${}_n\mathrm{H}_r = {}_{n+r-1}\mathrm{C}_r$$

| 설명 | 3개의 숫자 1, 2, 3에서 5개를 뽑는 조합을 크기 순서로 나열한 후 다음 대응을 생각해 보자.

2개의 기호 □를 사용하여 숫자 1, 2, 3을 구분한다.

기호 □를 칸막이라고 생각하면 좀 더 쉽게 이해할 수 있다.

[1단계] 숫자 2가 존재하는 경우 첫 번째 2의 왼쪽과 마지막 2의 오른쪽에 기호 □를 하나씩 넣는다.

[2단계] 1이 있고 2가 없을 경우 마지막 1의 오른쪽에 기호 □를 연달아 2개 넣는다.

[3단계] 1, 2가 없을 경우 첫 번째 3의 왼쪽에 기호 □를 연달아 2개 넣는다.

[4단계] 1, 2, 3을 기호 ○로 바꾼다.

위의 결과는 오른쪽과 같다.

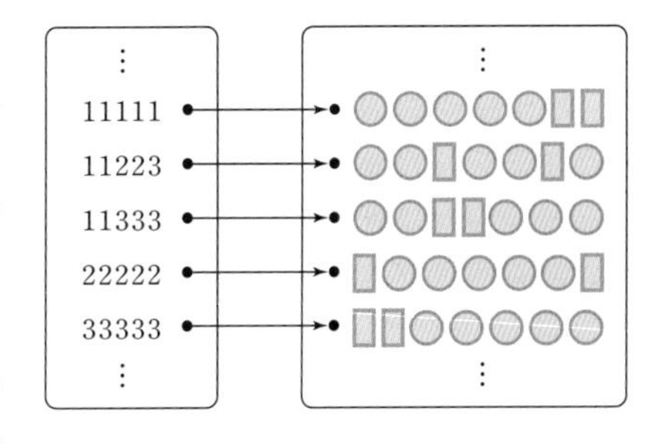

이 대응은 일대일대응이므로 두 집합의 원소의 개수는 서로 같다.

이때 오른쪽 집합은 7개의 자리에서 기호 ○가 들어갈 5개의 자리를 뽑는 조합과 같다.

여기서 기호 ○의 개수 5는 뽑는 수 5와 같고, 기호 □의 개수 2는 3개의 숫자 1, 2, 3을 구분하는 수 $3-1=2$와 같으며, 7개의 자리는 뽑는 수 5와 구분하는 수 2의 합 $5+(3-1)$과 같다.

일반적으로 서로 다른 n개에서 r개를 택하는 중복조합의 수는 r개의 ○와 $(n-1)$개의 □로 이루어진 같은 것이 있는 순열의 수와 같으므로 다음이 성립한다.

$${}_n\mathrm{H}_r = \frac{\{r+(n-1)\}!}{r!(n-1)!} = {}_{r+(n-1)}\mathrm{C}_r = {}_{n+r-1}\mathrm{C}_r$$

| 참고 | ${}_n\mathrm{H}_r$에서 H는 서로 같은 종류를 뜻하는 Homogeneous의 첫 글자이다.

| 개념확인 | 3개의 숫자 1, 2, 3 중에서 중복을 허락하여 4개의 수를 택하는 경우의 수를 구하여라.

> 풀이 서로 다른 3개의 숫자 중에서 중복을 허락하여 4개의 수를 택하는 경우의 수이므로
> ${}_3\mathrm{H}_4 = {}_{3+4-1}\mathrm{C}_4 = {}_6\mathrm{C}_4 = {}_6\mathrm{C}_2 = \mathbf{15}$

057 다음 값을 구하여라.

(1) ${}_4\mathrm{H}_0$ (2) ${}_3\mathrm{H}_2$ (3) ${}_2\mathrm{H}_4$ (4) ${}_5\mathrm{H}_5$

풍산자日 ${}_n\mathrm{H}_r={}_{r+(n-1)}\mathrm{C}_r={}_{n+r-1}\mathrm{C}_r$

> 풀이 (1) ${}_4\mathrm{H}_0={}_{4+0-1}\mathrm{C}_0={}_3\mathrm{C}_0=\mathbf{1}$
(2) ${}_3\mathrm{H}_2={}_{3+2-1}\mathrm{C}_2={}_4\mathrm{C}_2=\mathbf{6}$
(3) ${}_2\mathrm{H}_4={}_{2+4-1}\mathrm{C}_4={}_5\mathrm{C}_4={}_5\mathrm{C}_1=\mathbf{5}$
(4) ${}_5\mathrm{H}_5={}_{5+5-1}\mathrm{C}_5={}_9\mathrm{C}_5={}_9\mathrm{C}_4=\mathbf{126}$

정답과 풀이 **6**쪽

유제 **058** 다음 값을 구하여라.

(1) ${}_6\mathrm{H}_1$ (2) ${}_5\mathrm{H}_2$ (3) ${}_4\mathrm{H}_6$ (4) ${}_3\mathrm{H}_3$

059 다음 물음에 답하여라.

(1) 사과, 배, 귤의 3종류의 과일을 파는 가게에서 7개의 과일을 사는 방법의 수를 구하여라.
(2) 갑, 을 두 후보가 출마한 선거에서 9명의 유권자가 각각 한 명의 후보에게 무기명으로 투표하는 방법의 수를 구하여라. (단, 기권이나 무효는 없는 것으로 한다.)

풍산자日 기명 투표는 중복순열이고 무기명 투표는 중복조합이다.

> 풀이 (1) 7개의 과일을 산 결과를 상상해 보면 모두 사과 x개, 배 y개, 귤 z개$(x+y+z=7)$의 꼴이므로 서로 다른 3개에서 중복을 허락하여 7개를 택하는 중복조합의 수와 같다.
$\therefore\ {}_3\mathrm{H}_7={}_{3+7-1}\mathrm{C}_7={}_9\mathrm{C}_7={}_9\mathrm{C}_2=\mathbf{36}$
(2) 무기명으로 투표한 후 그 개표 결과를 상상해 보면 모두 갑 x표, 을 y표$(x+y=9)$의 꼴이므로 서로 다른 2개에서 중복을 허락하여 9개를 택하는 중복조합의 수와 같다.
$\therefore\ {}_2\mathrm{H}_9={}_{2+9-1}\mathrm{C}_9={}_{10}\mathrm{C}_9={}_{10}\mathrm{C}_1=\mathbf{10}$

정답과 풀이 **6**쪽

유제 **060** 다음 물음에 답하여라.

(1) 귤, 감, 사과, 배의 4종류의 과일을 파는 가게에서 5개의 과일을 사는 방법의 수를 구하여라.
(2) 갑, 을, 병 세 후보가 출마한 선거에서 8명의 유권자가 각각 한 명의 후보에게 무기명으로 투표하는 방법의 수를 구하여라. (단, 기권이나 무효는 없는 것으로 한다.)

061 $(a+b+c)^7$의 전개식에서 서로 다른 항의 개수를 구하여라.

풍산자日 $(a+b+c)^7$을 전개하여 동류항끼리 정리하면 각 항은 모두 $a^x b^y c^z (x+y+z=7)$의 꼴이다.

> 풀이 $(a+b+c)^7$의 전개식의 각 항은 모두 $a^x b^y c^z (x+y+z=7)$의 꼴이다.
$a^7=aaaaaaa$, $a^6b=aaaaaab$, $a^5bc=aaaaabc$, $a^3b^2c^2=aaabbcc$, $\cdots$
따라서 구하는 항의 개수는 3개의 문자 a, b, c에서 중복을 허락하여 7개를 뽑는 중복조합의 수와 같다.
$\therefore\ {}_3H_7={}_{3+7-1}C_7={}_9C_7={}_9C_2=\mathbf{36}$

정답과 풀이 **6**쪽

유제 **062** 다음 식의 전개식에서 서로 다른 항의 개수를 구하여라.

(1) $(a+b)^6$　　　(2) $(a+b+c)^5$

063 방정식 $x+y+z=6$에 대하여 다음을 구하여라.

(1) 음이 아닌 정수해의 순서쌍 (x, y, z)의 개수

(2) 양의 정수해의 순서쌍 (x, y, z)의 개수

풍산자日 (1) 주어진 방정식의 해를 x, y, z의 개수로 해석하면 음이 아닌 정수해의 개수는 3개의 문자 x, y, z에서 중복을 허락하여 6개를 뽑는 중복조합의 수와 같다.

(2) 양의 정수해는 x, y, z를 적어도 하나씩 포함하는 것이므로 x, y, z를 각각 1개씩 미리 뽑아 놓았다고 생각한 후 나머지 $(6-3)$개만 뽑으면 된다.

> 풀이 (1) 3개의 문자 x, y, z에서 중복을 허락하여 6개를 뽑는 중복조합의 수와 같으므로
${}_3H_6={}_{3+6-1}C_6={}_8C_6={}_8C_2=\mathbf{28}$

(2) 3개의 문자 x, y, z에서 중복을 허락하여 $(6-3)$개를 뽑는 중복조합의 수와 같으므로
${}_3H_{6-3}={}_3H_3={}_{3+3-1}C_3={}_5C_3={}_5C_2=\mathbf{10}$

정답과 풀이 **6**쪽

유제 **064** 방정식 $a+b+c+d=10$에 대하여 다음을 구하여라.

(1) 음이 아닌 정수해의 순서쌍 (a, b, c, d)의 개수

(2) 양의 정수해의 순서쌍 (a, b, c, d)의 개수

풍산자 비법

- $(a+b+c)^n$의 전개식에서 서로 다른 항의 개수 ➔ ${}_3H_n$
- 방정식 $x_1+x_2+x_3+\cdots+x_n=r$에 대하여
  ① 음이 아닌 정수해의 개수 ➔ ${}_nH_r$　　② 양의 정수해의 개수 ➔ ${}_nH_{r-n}$ (단, $n\le r$)

필수 확인 문제

* 더 많은 유형은 **풍산자필수유형 확률과 통계** 007쪽

정답과 풀이 7쪽

065

집합 $X=\{1, 2, 3\}$에서 집합 $Y=\{4, 5, 6, 7\}$로의 함수 f 중에서 다음 조건을 만족시키는 함수의 개수를 구하여라.

(1) $x_1 \neq x_2$이면 $f(x_1) \neq f(x_2)$

(2) $x_1 < x_2$이면 $f(x_1) < f(x_2)$

(3) $x_1 < x_2$이면 $f(x_1) \leq f(x_2)$

066

주사위를 5번 던져 n번째 나오는 눈의 수를 a_n $(n=1, 2, 3, 4, 5)$이라 할 때, 다음을 구하여라.

(1) $a_1 < a_2 < a_3 < a_4 < a_5$인 경우의 수

(2) $a_1 \leq a_2 \leq a_3 \leq a_4 \leq a_5$인 경우의 수

067

15만 원을 3회에 걸쳐 만 원 단위로 갚는 방법의 수를 구하여라.

(단, 각 회에 반드시 만 원 이상 갚는다.)

068

딸기 맛, 오렌지 맛, 레몬 맛, 포도 맛 사탕 중에서 중복을 허용하여 15개의 사탕을 선택하려고 한다. 딸기 맛은 4개 이상, 오렌지 맛은 3개 이상, 레몬 맛은 2개 이상, 포도 맛은 1개 이상을 선택하는 경우의 수를 구하여라.

069

빨간 공, 노란 공, 파란 공이 각각 8개씩 들어 있는 주머니에서 7개의 공을 꺼낼 때, 3가지 색의 공을 적어도 한 개씩 포함하여 꺼내는 방법의 수를 구하여라.

070

방정식 $x+y+z=10$을 만족시키는 음이 아닌 정수해의 순서쌍 (x, y, z)의 개수를 a, 양의 정수해의 순서쌍 (x, y, z)의 개수를 b라 할 때, $a-b$의 값을 구하여라.

중단원 마무리

▶ 원순열

원순열	서로 다른 n개를 원형으로 나열하는 순열 ➡ $(n-1)!$
다각형 순열	서로 다른 기준 위치가 몇 개인지 살펴본다. ➡ (기준 자리 수)$\times(n-1)!$

▶ 같은 것이 있는 순열

같은 것이 있는 순열	n개 중에서 같은 것이 각각 p개, q개, $\cdots$, r개씩 있을 때, n개를 일렬로 나열하는 순열 ➡ $\dfrac{n!}{p!q!\cdots r!}$ (단, $p+q+\cdots+r=n$)
최단 경로 문제	같은 것이 있는 순열 문제로 변형한다.

▶ 중복순열과 중복조합

중복순열	중복조합
서로 다른 n개에서 중복을 허락하여 r개를 택하는 순열 ➡ ${}_n\Pi_r=\underbrace{n\times n\times n\times\cdots\times n}_{r개}=n^r$, ${}_n\Pi_0=1$	서로 다른 n개에서 중복을 허락하여 r개를 택하는 조합 ➡ ${}_nH_r={}_{n+r-1}C_r$
① 함수 $f:X\to Y$에 대하여 $n(X)=x$, $n(Y)=y$일 때, 함수의 개수: ${}_y\Pi_x$, 일대일함수의 개수: ${}_yP_x$ ② 함수의 개수 문제의 변형 문제 ➡ 몇 명을 몇 군데에 배정하는 문제, 반배정, 우체통, 호텔 투숙, 기명 투표	① $(a+b+c)^n$의 전개식에서 서로 다른 항의 개수를 구한다. ② $x_1+x_2+\cdots+x_n=r$의 정수해의 개수를 구한다. ③ $x_1<x_2$이면 $f(x_1)\le f(x_2)$를 만족하는 함수의 개수를 구한다.

실전 연습문제

STEP 1

071

그림과 같은 정삼각형, 직사각형, 정육각형 모양의 탁자에 학생 6명이 둘러앉는 방법의 수를 차례로 a, b, c라 할 때, $a+b+c$의 값을 구하여라.

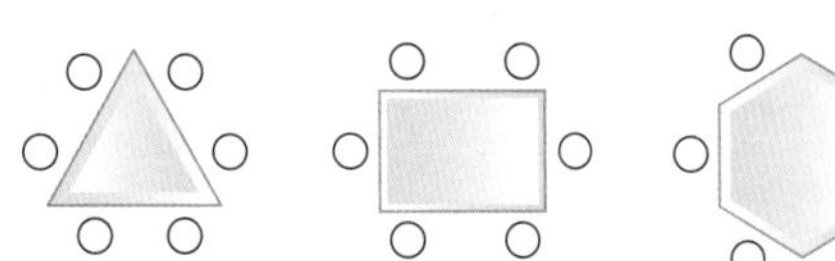
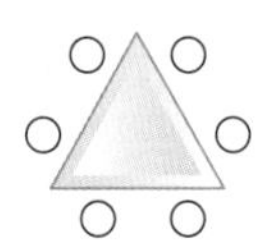
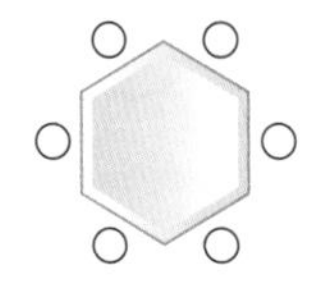

072

정육면체의 각 면에 1부터 6까지의 숫자를 적어 주사위를 만들 때, 서로 마주 보는 두 면의 숫자의 합이 7이 되는 방법의 수를 구하여라.

073

그림과 같이 최대 6개의 용기를 넣을 수 있는 원형의 실험 기구가 있다. 서로 다른 6개의 용기 A, B, C, D, E, F를 이 실험 기구에 모두 넣을 때, A와 B가 이웃하게 되는 경우의 수를 구하여라.
(단, 회전하여 일치하는 것은 같은 것으로 본다.)

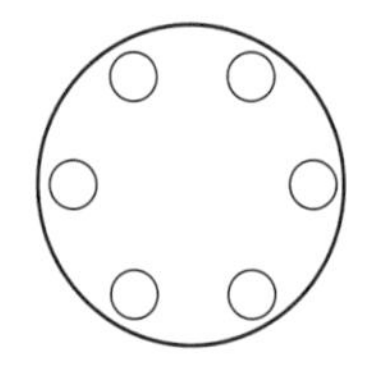

074

그림은 두 지점 A, B 사이에 같은 간격으로 이루어진 도로망을 나타낸 것이다.
A에서 $\overline{PQ}$를 지나지 않고 B로 가는 최단 경로의 수를 구하여라.

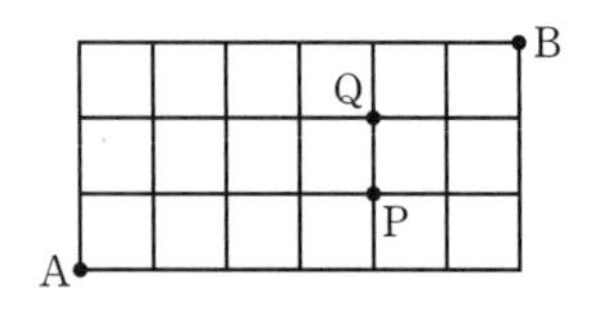

075

school의 6개의 문자를 모두 써서 일렬로 나열한 것 중에서 자음의 순서가 s, c, h, l인 것의 개수를 구하여라.

076

5개의 숫자 1, 2, 3, 4, 5 중에서 중복을 허락하여 4개를 택해 일렬로 나열하여 만든 네 자리의 자연수가 5의 배수인 경우의 수를 구하여라.

077

1부터 6까지의 자연수가 하나씩 적혀 있는 6장의 카드가 있다. 이 카드를 모두 한 번씩 사용하여 일렬로 나열할 때, 2가 적혀 있는 카드는 4가 적혀 있는 카드보다 왼쪽에 나열하고 홀수가 적혀 있는 카드는 작은 수부터 크기 순서로 왼쪽부터 나열하는 경우의 수를 구하여라.

078

다음 중 그 수가 다른 하나는?

① 똑같은 물건 10개를 서로 다른 상자 4개에 나누어 담는 방법의 수
(단, 빈 상자가 있을 수도 있다.)

② $x+y+z+w=10$을 만족시키는 음이 아닌 정수 x, y, z, w의 순서쌍 (x, y, z, w)의 개수

③ $(a+b+c+d)^{10}$의 전개식에서 서로 다른 항의 개수

④ 회원 10명인 어느 동아리 회장 선거에 4명이 출마하였다. 회원들이 무기명으로 투표하는 방법의 수
(단, 기권이나 무효는 없는 것으로 한다.)

⑤ 서로 다른 10통의 편지를 서로 다른 4개의 우체통에 넣는 방법의 수
(단, 빈 우체통이 있어도 된다.)

079

모스 부호 •과 −를 사용하여 신호를 만들 때, •과 −에서 1개 이상 4개 이하를 뽑아 만들 수 있는 신호의 개수를 구하여라.

080

2명의 후보가 출마한 선거에서 8명의 유권자가 각각 한 명의 후보에게 투표할 때, 무기명으로 투표하는 방법의 수를 a, 기명으로 투표하는 방법의 수를 b라 하자. 이때 $a+b$의 값을 구하여라.
(단, 기권이나 무효는 없는 것으로 한다.)

081

방정식 $x+y+z=4$를 만족시키는 -1 이상의 정수 x, y, z의 모든 순서쌍 (x, y, z)의 개수를 구하여라.

STEP 2

082

부등식 $x+y+z<5$를 만족시키는 양의 정수 x, y, z의 순서쌍 $(x,\ y,\ z)$의 개수를 구하여라.

083

방정식 $x+y+z+2u=10$을 만족시키는 자연수 x, y, z, u의 순서쌍 $(x,\ y,\ z,\ u)$의 개수를 구하여라.

084

서로 다른 3개의 상자에 흰 구슬 2개와 검은 구슬 5개를 나누어 넣으려고 한다. 이때 흰 구슬 2개를 두 상자에 나누어 넣고 빈 상자가 없도록 구슬을 넣는 경우의 수를 구하여라.

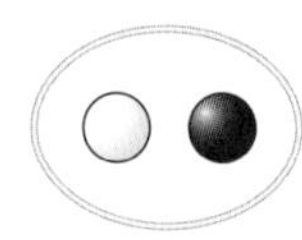
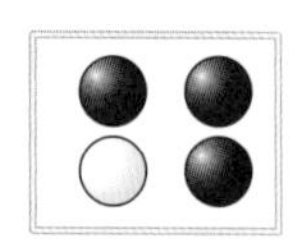

085

두 집합

$X=\{1,\ 2,\ 3,\ 4,\ 5\}$,

$Y=\{1,\ 2,\ 3,\ 4,\ 5,\ 6,\ 7,\ 8\}$

에 대하여 다음 조건을 만족시키는 함수 $f:X\rightarrow Y$의 개수를 구하여라.

> (가) $f(2)=3$
> (나) $x_1\in X$, $x_2\in X$일 때, $x_1<x_2$이면 $f(x_1)\le f(x_2)$이다.

086

그림과 같이 정사각형을 연결한 모양의 도로망에서 A지점을 출발하여 B지점 또는 C지점을 지나 D지점까지 최단 거리로 가는 경로의 수를 구하여라.

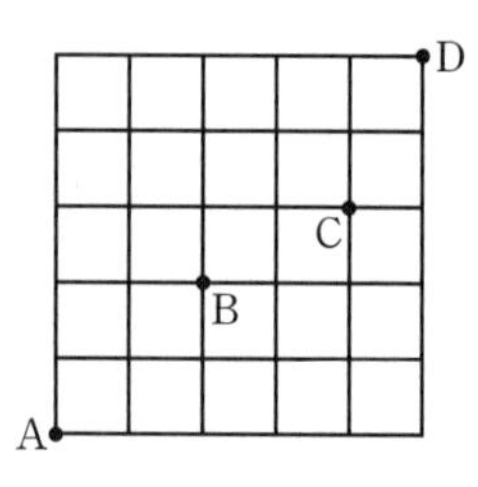

2 이항정리

이항정리란 바로 $(a+b)^n$을 전개하는 정리.
각 항의 계수인 이항계수는
아름다운 대칭성과 기묘한 성질들을 많이 갖는다.

1 이항정리

$$(a+b)^n = {}_n\mathrm{C}_0 a^n + {}_n\mathrm{C}_1 a^{n-1}b + {}_n\mathrm{C}_2 a^{n-2}b^2 + \cdots + {}_n\mathrm{C}_r a^{n-r}b^r + \cdots + {}_n\mathrm{C}_n b^n$$

2 이항계수의 성질

$${}_n\mathrm{C}_0 + {}_n\mathrm{C}_1 + {}_n\mathrm{C}_2 + \cdots + {}_n\mathrm{C}_n = 2^n$$

1 이항정리

01 이항정리

이항정리란 2항의 거듭제곱인 $(a+b)^n$을 전개하는 정리.

오른쪽 그림은 이미 익숙한 1, 2, 3제곱의 이항정리.

특히 세제곱의 이항정리에 주목하자.

규칙성 ➡ a의 차수는 하나씩 작아지고,

b의 차수는 하나씩 커진다.

$(a+b)^1=a+b$
$(a+b)^2=a^2+2ab+b^2$
$(a+b)^3=a^3+3a^2b+3ab^2+b^3$

이와 같은 규칙으로 n제곱을 전개하면

$(a+b)^n=\square a^n+\square a^{n-1}b+\cdots+\square a^{n-r}b^r+\cdots+\square b^n$의 형태.

각 항의 계수는 얼마일까?

이항정리 중요!

(1) n이 자연수일 때, $(a+b)^n$을 전개하면 다음과 같다.

$$(a+b)^n={}_nC_0a^n+{}_nC_1a^{n-1}b+{}_nC_2a^{n-2}b^2+\cdots+{}_nC_ra^{n-r}b^r+\cdots+{}_nC_nb^n$$

이 전개식을 **이항정리**라 하고, $\mathbf{{}_nC_ra^{n-r}b^r}$을 전개식의 일반항이라 한다.

(2) $(a+b)^n$의 전개식에서 각 항의 계수 ${}_nC_0$, ${}_nC_1$, ${}_nC_2$, $\cdots$, ${}_nC_r$, $\cdots$, ${}_nC_n$을 **이항계수**라 한다.

| 설명 |

(i) $(a+b)^3=(a+b)(a+b)(a+b)$를 전개하면

a^2b는 오른쪽과 같이 3번 나타난다.

이를 더해 a^2b의 계수가 3이 되는 것이다.

한편 aab, aba, baa는 a, a, b를 일렬로 나열한 경우이므로 $\dfrac{3!}{2!1!}=3$

$(a+b)\ (a+b)\ (a+b)$

$a \times a \times b=a^2b$
$a \times b \times a=a^2b$
$b \times a \times a=a^2b$
} $3a^2b$

(ii) 일반적으로 $(a+b)^n=\underbrace{(a+b)(a+b)\cdots(a+b)}_{n개}$를 전개하면

$a^pb^q(p+q=n)$은 $\underbrace{aa\cdots a}_{p개}\underbrace{bbb\cdots b}_{q개}$를 나열한 경우의 수인 $\dfrac{n!}{p!q!}$번 나타난다.

이를 더해 a^pb^q의 계수는 $\dfrac{n!}{p!q!}$이 된다.

따라서 $a^{n-r}b^r$의 계수는 $\dfrac{n!}{(n-r)!r!}={}_nC_r$이다.

| 개념확인 |

이항정리를 이용하여 $(a+b)^4$을 전개하여라.

> 풀이 $(a+b)^4={}_4C_0a^4+{}_4C_1a^3b+{}_4C_2a^2b^2+{}_4C_3ab^3+{}_4C_4b^4=\mathbf{a^4+4a^3b+6a^2b^2+4ab^3+b^4}$

087 **다음을 구하여라.**

(1) $(2a+b)^7$의 전개식에서 a^4b^3의 계수

(2) $\left(2x^2-\frac{1}{x}\right)^6$의 전개식에서 상수항

풍산자日 계수를 구하라는 문제 ➡ 먼저 일반항 공식을 이용하여 일반항을 구해 놓고 본다.

> 풀이 (1) $(2a+b)^7$의 전개식의 일반항은 ${}_7C_r(2a)^{7-r}b^r={}_7C_r2^{7-r}a^{7-r}b^r$

이때 a^4b^3항이 되려면 $7-r=4$ $\quad\therefore r=3$

따라서 a^4b^3의 계수는 ${}_7C_3\times2^{7-3}=35\times16=\mathbf{560}$

(2) $\left(2x^2-\frac{1}{x}\right)^6$의 전개식의 일반항은 ${}_6C_r(2x^2)^{6-r}\left(-\frac{1}{x}\right)^r={}_6C_r2^{6-r}(-1)^rx^{12-3r}$

이때 상수항이 되려면 $12-3r=0$ $\quad\therefore r=4$

따라서 상수항은 ${}_6C_4\times2^{6-4}\times(-1)^4=15\times4\times1=\mathbf{60}$

> 참고 풍산자 [확률과 통계]는 지수의 확장, 로그, 수열 등 [수학 I]의 내용도 포함하고 있습니다. 혹시 [수학 I]을 배우지 않은 학생은 이런 문제는 [수학 I] 학습 후 풀어보세요.

정답과 풀이 **10쪽**

유제 **088** **다음을 구하여라.**

(1) $(3a+b)^4$의 전개식에서 a^2b^2의 계수

(2) $\left(3x^2+\frac{1}{x}\right)^6$의 전개식에서 상수항

089 **$\left(mx-\frac{1}{x^2}\right)^4$의 전개식에서 $\frac{1}{x^2}$의 계수가 12일 때, 상수 m의 값을 모두 구하여라.**

풍산자日 전개식의 일반항을 구한 후 주어진 항의 차수를 비교하여 미지수를 구한다.

> 풀이 $\left(mx-\frac{1}{x^2}\right)^4$의 전개식의 일반항은 ${}_4C_r(mx)^{4-r}\left(-\frac{1}{x^2}\right)^r={}_4C_rm^{4-r}(-1)^rx^{4-3r}$

이때 $\frac{1}{x^2}$항이 되려면 $4-3r=-2$, $3r=6$ $\quad\therefore r=2$

그런데 $\frac{1}{x^2}$의 계수가 12이므로 ${}_4C_2m^{4-2}(-1)^2=12$, $m^2=2$

$\therefore m-\sqrt{2}$ 또는 $m=-\sqrt{2}$

정답과 풀이 **10쪽**

유제 **090** **$\left(mx^3+\frac{2}{x^2}\right)^4$의 전개식에서 x^2의 계수가 6일 때, 상수 m의 값을 모두 구하여라.**

091 $(1-2x)^4(1+x)^5$의 전개식에서 x^2의 계수를 구하여라.

풍산자日 각각의 일반항을 구해 곱하면 전체의 일반항이 된다.
이때 각 일반항의 변수는 반드시 다른 문자로 해야 한다.

> 풀이

$(1-2x)^4$의 전개식의 일반항은 ${}_4C_r 1^{4-r}(-2x)^r={}_4C_r(-2)^r x^r$
$(1+x)^5$의 전개식의 일반항은 ${}_5C_s 1^{5-s}x^s={}_5C_s x^s$
즉, $(1-2x)^4(1+x)^5$의 전개식의 일반항은 ${}_4C_r\,{}_5C_s(-2)^r x^{r+s}$
이때 x^2항이 되려면 $r+s=2$이어야 하고, 이것을 만족시키는 순서쌍 $(r,\ s)$는
$(0,\ 2)$ 또는 $(1,\ 1)$ 또는 $(2,\ 0)$ ⬅ $r\ge0,\ s\ge0$
따라서 x^2의 계수는
${}_4C_0\times{}_5C_2\times(-2)^0+{}_4C_1\times{}_5C_1\times(-2)^1+{}_4C_2\times{}_5C_0\times(-2)^2=10-40+24=\mathbf{-6}$

정답과 풀이 **10**쪽

유제 **092** $(1+x)^4(2+x)^5$의 전개식에서 x의 계수를 구하여라.

093 $(x^2+1)\left(x+\frac{1}{x}\right)^{10}$의 전개식에서 상수항을 구하여라.

풍산자日 분배법칙을 이용하여 두 조각을 낸 후 각각의 상수항을 구해 더하면 된다.

> 풀이

[1단계] 분배법칙을 쓰면

$$(x^2+1)\left(x+\frac{1}{x}\right)^{10}=x^2\left(x+\frac{1}{x}\right)^{10}+\left(x+\frac{1}{x}\right)^{10}$$

$\left(x+\frac{1}{x}\right)^{10}$의 전개식의 일반항은 ${}_{10}C_r x^{10-r}\left(\frac{1}{x}\right)^r={}_{10}C_r x^{10-2r}$

[2단계] 앞쪽이 상수항이 되려면 $10-2r=-2$
$\therefore r=6$

[3단계] 뒤쪽이 상수항이 되려면 $10-2r=0$
$\therefore r=5$

[4단계] 두 값을 대입하여 더하면 끝.
$\therefore {}_{10}C_6+{}_{10}C_5={}_{10}C_4+{}_{10}C_5=210+252=\mathbf{462}$

$x^2\times\left(x+\frac{1}{x}\right)^{10}+\left(x+\frac{1}{x}\right)^{10}$
↓ $x^2\times x^{-2}=x^0$ ↓ x^0

정답과 풀이 **11**쪽

유제 **094** $(x+1)\left(x-\frac{1}{x}\right)^{10}$의 전개식에서 x^2의 계수를 구하여라.

한걸음 더

02 다항정리

이항정리 ➡ 2항의 거듭제곱인 $(a+b)^n$을 전개하는 정리.

삼항정리 ➡ 3항의 거듭제곱인 $(a+b+c)^n$을 전개하는 정리.

3개 이상의 항으로 이루어진 식의 거듭제곱을 전개할 때에도 이항정리와 같은 원리를 이용하여 일반항을 구할 수 있다.

다항정리

n이 자연수일 때, $(a+b+c)^n$의 전개식의 일반항은 다음과 같다.

$$\frac{n!}{p!q!r!}a^p b^q c^r \text{ (단, } p+q+r=n,\ p\geq0,\ q\geq0,\ r\geq0)$$

| 설명 | 다항정리를 유도하기 위해 이항정리를 살짝 변형해 보자.

이항정리의 일반항에 ${}_n\mathrm{C}_r=\frac{n!}{r!(n-r)!}$을 대입한 후, $n-r=p$, $r=q$로 놓으면

$$ {}_n\mathrm{C}_r a^{n-r}b^r=\frac{n!}{r!(n-r)!}a^{n-r}b^r=\frac{n!}{p!q!}a^p b^q$$

따라서 $(a+b)^n$의 전개식의 일반항은 다음과 같이 나타낼 수 있다.

$$\frac{n!}{p!q!}a^p b^q \text{ (단, } p+q=n,\ p\geq0,\ q\geq0)$$

변형된 이항정리를 두 번 쓰면 다항정리를 유도할 수 있다.

(i) $\{a+(b+c)\}^n$의 일반항은

$$\frac{n!}{p!s!}a^p(b+c)^s \text{ (단, } p+s=n,\ p\geq0,\ s\geq0) \quad \cdots\cdots ㉠$$

(ii) $(b+c)^s$의 일반항은

$$\frac{s!}{q!r!}b^q c^r \text{ (단, } q+r=s,\ q\geq0,\ r\geq0) \quad \cdots\cdots ㉡$$

따라서 ㉡을 ㉠에 대입하여 정리하면 $(a+b+c)^n$의 전개식의 일반항은 다음과 같다.

$$\frac{n!}{p!q!r!}a^p b^q c^r \text{ (단, } p+q+r=n,\ p\geq0,\ q\geq0,\ r\geq0)$$

| 개념확인 | $(a+b+c)^9$의 전개식에서 $a^2b^3c^4$의 계수를 구하여라.

> 풀이 $(a+b+c)^9$의 전개식의 일반항은 $\frac{9!}{p!q!r!}a^p b^q c^r$ (단, $p+q+r=9$)

위의 식에서 $a^2b^3c^4$항은 $p=2$, $q=3$, $r=4$일 때이므로

$a^2b^3c^4$의 계수는 $\frac{9!}{2!3!4!}=\mathbf{1260}$

095 $(a-2b+c)^7$의 전개식에서 $a^2b^3c^2$의 계수를 구하여라.

풍산자 $(a+b+c)^n$의 전개식의 일반항 ➡ $\frac{n!}{p!q!r!}a^pb^qc^r$

(단, $p+q+r=n$, $p\geq0$, $q\geq0$, $r\geq0$)

> 풀이 $(a-2b+c)^7$의 전개식의 일반항은

$\frac{7!}{p!q!r!}a^p(-2b)^qc^r=\frac{7!}{p!q!r!}\times(-2)^q\times a^pb^qc^r$

여기서 $a^2b^3c^2$항이 되려면 $p=2$, $q=3$, $r=2$

따라서 구하는 계수는 $\frac{7!}{2!3!2!}\times(-2)^3=\mathbf{-1680}$

정답과 풀이 **11**쪽

유제 **096** $(a-b+2c)^6$의 전개식에서 ab^2c^3의 계수를 구하여라.

097 $(x^2-x+1)^5$의 전개식에서 x^3의 계수를 구하여라.

풍산자 다항정리의 일반항 공식을 보면 $p+q+r=n$이라는 단서가 있다.
이 문제와 같이 괄호 안의 식에 상수항이 있을 때는 이 단서가 중요한 역할을 한다.

> 풀이 $(x^2-x+1)^5$의 전개식의 일반항은

$\frac{5!}{p!q!r!}(x^2)^p\times(-x)^q\times1^r=\frac{5!}{p!q!r!}(-1)^qx^{2p+q}$

여기서 x^3항이 되려면 $2p+q=3$

$\therefore$ $p=0$, $q=3$ 또는 $p=1$, $q=1$ ⬅ $p\geq0$, $q\geq0$

이때 $p+q+r=5$이므로

$p=0$, $q=3$일 때, $r=2$

$p=1$, $q=1$일 때, $r=3$

따라서 구하는 계수는

$\frac{5!}{0!3!2!}\times(-1)^3+\frac{5!}{1!1!3!}\times(-1)^1=-10+(-20)=\mathbf{-30}$

정답과 풀이 **11**쪽

유제 **098** $(x^2+x+1)^6$의 전개식에서 x^5의 계수를 구하여라.

필수 확인 문제

＊더 많은 유형은 **풍산자필수유형 확률과 통계** 020쪽

정답과 풀이 11쪽

099

$\left(2x^3-\frac{1}{x}\right)^5$의 전개식에서 x^3의 계수를 구하여라.

100

$\left(x-\frac{a}{x^2}\right)^6$의 전개식에서 상수항이 60일 때, 양수 a의 값을 구하여라.

101

$\left(ax-\frac{1}{x}\right)^4$의 전개식에서 x^2의 계수가 32일 때, 실수 a의 값을 구하여라.

102

$(1+2x)^6(1-x)$의 전개식에서 x^3의 계수를 구하여라.

103

$\left(x+\frac{1}{x}+1\right)^5$의 전개식에서 상수항을 구하여라.

104

$(x+x^2+x^3)^3$의 전개식에서 x^5의 계수를 구하여라.

2 이항계수의 성질

01 파스칼의 삼각형

이항계수는 조화로운 대칭성과 기묘한 성질들을 많이 갖는다.

그 중의 백미는 천재 수학자 파스칼이 가지고 놀던 다음과 같은 파스칼의 삼각형.

파스칼의 삼각형

$n=0, 1, 2, 3, \cdots$일 때, $(a+b)^n$의 전개식에서 이항계수를 차례로 나열하면 다음과 같다.

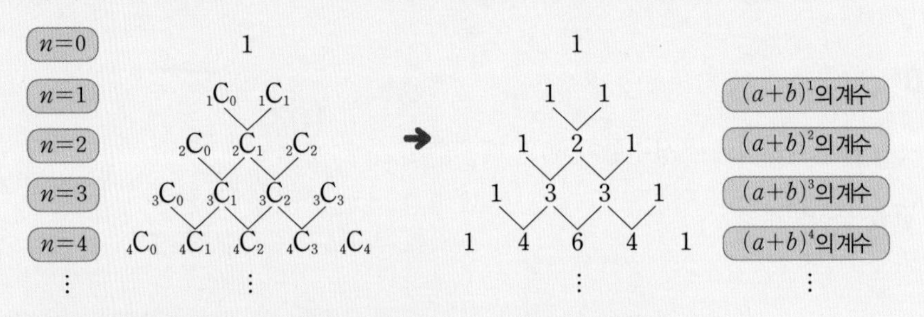

이와 같이 **이항계수를 삼각형 모양으로 나열한 것**을 **파스칼의 삼각형**이라 한다.

(1) 이항계수의 이웃하는 두 수를 더하면 그 다음 단계의 이항계수가 된다.

⇨ ${}_nC_r={}_{n-1}C_{r-1}+{}_{n-1}C_r$

(2) 이항계수의 배열은 좌우 대칭이다.

⇨ ${}_nC_r={}_nC_{n-r}$

| 설명 | 파스칼의 삼각형은 네제곱, 다섯제곱 등과 같이 직접 전개하기 복잡할 때 빛을 발한다.

세제곱의 계수 중 이웃한 두 수끼리 더해 내려오고, 양 끝에 1을 적으면 바로 네제곱의 계수.

$(a+b)^3=a^3+3a^2b+3ab^2+b^3$

$(a+b)^4=a^4+4a^3b+6a^2b^2+4ab^3+b^4$

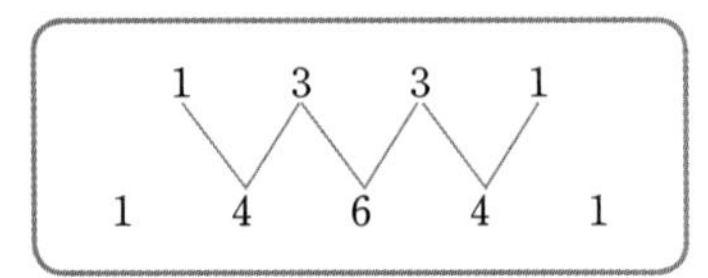

이항정리에서 n제곱의 계수가 ${}_nC_0$, ${}_nC_1$, $\cdots$, ${}_nC_n$임에 착안하면 결국 다음과 같은 결론을 얻는다.

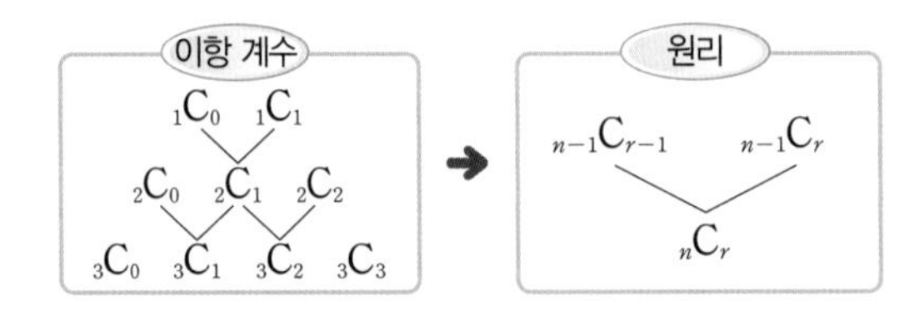

大 원칙 ${}_{n-1}C_{r-1}+{}_{n-1}C_r={}_nC_r$가 파스칼의 삼각형의 근본 원리!

105 **오른쪽 파스칼의 삼각형을 이용하여**

$${}_2C_0+{}_3C_1+{}_4C_2+{}_5C_3+\cdots+{}_{10}C_8$$

의 값과 같은 것을 고르면?

① ${}_{10}C_6$　② ${}_{10}C_7$　③ ${}_{11}C_6$
④ ${}_{11}C_7$　⑤ ${}_{11}C_8$

$${}_1C_0 \quad {}_1C_1$$
$${}_2C_0 \quad {}_2C_1 \quad {}_2C_2$$
$${}_3C_0 \quad {}_3C_1 \quad {}_3C_2 \quad {}_3C_3$$
$${}_4C_0 \quad {}_4C_1 \quad {}_4C_2 \quad {}_4C_3 \quad {}_4C_4$$
$${}_5C_0 \quad {}_5C_1 \quad {}_5C_2 \quad {}_5C_3 \quad {}_5C_4 \quad {}_5C_5$$
$$\vdots$$

풍산자日 핵심 아이디어는 ${}_2C_0={}_3C_0$이라는 것.
그 다음은 파스칼의 삼각형으로 일사천리.

> 풀이 ${}_2C_0={}_3C_0$이고, ${}_nC_r={}_{n-1}C_{r-1}+{}_{n-1}C_r$이므로
파스칼의 삼각형을 이용하면

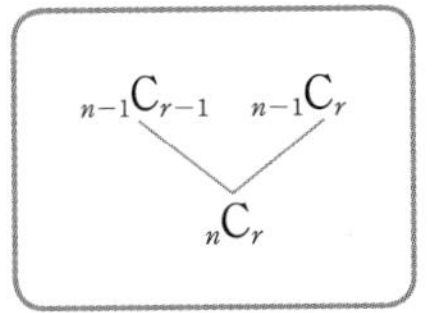

$${}_2C_0+{}_3C_1+{}_4C_2+{}_5C_3+\cdots+{}_{10}C_8$$
$$=\underline{{}_3C_0+{}_3C_1}+{}_4C_2+{}_5C_3+\cdots+{}_{10}C_8$$
$$=\underline{{}_4C_1+{}_4C_2}+{}_5C_3+\cdots+{}_{10}C_8$$
$$=\underline{{}_5C_2+{}_5C_3}+\cdots+{}_{10}C_8$$
$$\vdots$$
$$=\underline{{}_{10}C_7+{}_{10}C_8}$$
$$={}_{11}C_8$$

따라서 주어진 식의 값은 ⑤와 같다.

> 참고 파스칼의 삼각형에서 한 줄 내려가면 전체의 개수가 1씩 커지고, ↙ 방향의 대각선으로 내려가면 뽑는 개수가 같다.
즉, ${}_nC_r={}_{n-1}C_{r-1}+{}_{n-1}C_r$가 성립한다.
이런 성질을 확장시키면 다음과 같이 ${}_nC_r$를 해석할 수 있다.

> 일반적으로 서로 다른 n개 중에서 r개를 뽑는 경우의 수 ${}_nC_r$는
> r개 중에서 어떤 특정한 하나를 포함하는 경우의 수인 ${}_{n-1}C_{r-1}$과
> 포함하지 않는 경우의 수인 ${}_{n-1}C_r$의 합으로 나타낼 수 있다.

정답과 풀이 12쪽

유제 106 **오른쪽 파스칼의 삼각형을 이용하여**

$${}_2C_2+{}_3C_2+{}_4C_2+{}_5C_2+\cdots+{}_{10}C_2$$

의 값과 같은 것을 고르면?

① ${}_{10}C_3$　② ${}_{10}C_4$　③ ${}_{11}C_2$
④ ${}_{11}C_3$　⑤ ${}_{11}C_4$

$${}_1C_0 \quad {}_1C_1$$
$${}_2C_0 \quad {}_2C_1 \quad {}_2C_2$$
$${}_3C_0 \quad {}_3C_1 \quad {}_3C_2 \quad {}_3C_3$$
$${}_4C_0 \quad {}_4C_1 \quad {}_4C_2 \quad {}_4C_3 \quad {}_4C_4$$
$${}_5C_0 \quad {}_5C_1 \quad {}_5C_2 \quad {}_5C_3 \quad {}_5C_4 \quad {}_5C_5$$
$$\vdots$$

02 이항계수의 성질

이항정리로 $(1+x)^n$을 전개하면 다음과 같은 식을 얻는다.

$$(1+x)^n={}_nC_0+{}_nC_1x+{}_nC_2x^2+\cdots+{}_nC_nx^n$$

이른바 이항계수 문제의 킬러 공식과 같은 다양한 등식이 이 식에서 파생된다.

이항계수의 성질 중요!

(1) ${}_nC_0+{}_nC_1+{}_nC_2+\cdots+{}_nC_n=2^n$

(2) ${}_nC_0-{}_nC_1+{}_nC_2-\cdots+(-1)^n{}_nC_n=0$

(3) ${}_nC_0+{}_nC_2+{}_nC_4+\cdots={}_nC_1+{}_nC_3+{}_nC_5+\cdots=2^{n-1}$

(4) ${}_nC_1+2{}_nC_2+3{}_nC_3+\cdots+n{}_nC_n=n\times2^{n-1}$

| 증명 | 이항정리를 이용하여 $(1+x)^n$을 전개하면

$(1+x)^n={}_nC_0+{}_nC_1x+{}_nC_2x^2+\cdots+{}_nC_nx^n$ …… ㉠

(1) ㉠의 양변에 $x=1$을 대입하면

$2^n={}_nC_0+{}_nC_1+{}_nC_2+\cdots+{}_nC_n$ …… ㉡

(2) ㉠의 양변에 $x=-1$을 대입하면

$0={}_nC_0-{}_nC_1+{}_nC_2-\cdots+(-1)^n{}_nC_n$ …… ㉢

(3) ㉡+㉢을 한 후 2로 나누면 다음과 같이 짝수 번째 항의 합을 얻는다.

$2^n=2{}_nC_0+2{}_nC_2+2{}_nC_4+\cdots$

$\therefore\ {}_nC_0+{}_nC_2+{}_nC_4+\cdots=2^{n-1}$

㉡−㉢을 한 후 2로 나누면 다음과 같이 홀수 번째 항의 합을 얻는다.

$2^n=2{}_nC_1+2{}_nC_3+2{}_nC_5+\cdots$

$\therefore\ {}_nC_1+{}_nC_3+{}_nC_5+\cdots=2^{n-1}$

(4) $k{}_nC_k=k\times\dfrac{n!}{k!(n-k)!}=\dfrac{n!}{(k-1)!(n-k)!}$

$=n\times\dfrac{(n-1)!}{(k-1)!(n-k)!}=n{}_{n-1}C_{k-1}$ (단, $k\ge1$)

이므로 $k{}_nC_k=n{}_{n-1}C_{k-1}$이 성립한다.

이때 $k{}_nC_k=n{}_{n-1}C_{k-1}$에서 ${}_nC_1=n{}_{n-1}C_0$, $2{}_nC_2=n{}_{n-1}C_1$, $\cdots$, $n{}_nC_n=n{}_{n-1}C_{n-1}$이므로

${}_nC_1+2{}_nC_2+3{}_nC_3+\cdots+n{}_nC_n=n({}_{n-1}C_0+{}_{n-1}C_1+{}_{n-1}C_2+\cdots+{}_{n-1}C_{n-1})$ …… ㉣

등식 $(1+x)^n={}_nC_0+{}_nC_1x+{}_nC_2x^2+\cdots+{}_nC_nx^n$에 $x=1$과 n 대신 $n-1$을 대입하면

$2^{n-1}={}_{n-1}C_0+{}_{n-1}C_1+{}_{n-1}C_2+\cdots+{}_{n-1}C_{n-1}$ …… ㉤

㉤을 ㉣에 대입하면

${}_nC_1+2{}_nC_2+3{}_nC_3+\cdots+n{}_nC_n=n\times2^{n-1}$

大 원칙

(1) 이항계수의 총합 ➡ ${}_nC_0+{}_nC_1+{}_nC_2+\cdots+{}_nC_n=2^n$

(2) (짝수 번째 항의 합)=(홀수 번째 항의 합)=(전체의 절반)

107 다음 물음에 답하여라.

(1) 부등식 $1000<{}_nC_1+{}_nC_2+{}_nC_3+\cdots+{}_nC_n<2000$을 만족시키는 자연수 n의 값을 구하여라.

(2) $\log_2\left(\sum_{k=50}^{99}{}_{99}C_k\right)$의 값을 구하여라.

(3) ${}_nC_0+{}_nC_2+{}_nC_4+\cdots+{}_nC_n=128$을 만족시키는 자연수 n의 값을 구하여라.

풍산자티 ${}_nC_0+{}_nC_1+{}_nC_2+\cdots+{}_nC_n=2^n$

${}_nC_0+{}_nC_2+{}_nC_4+\cdots={}_nC_1+{}_nC_3+{}_nC_5+\cdots=2^{n-1}$

(1) ${}_nC_0+{}_nC_1+{}_nC_2+\cdots+{}_nC_n=2^n$이고, ${}_nC_0=1$이므로

${}_nC_1+{}_nC_2+{}_nC_3+\cdots+{}_nC_n=2^n-1$

즉, 주어진 부등식은

$1000<2^n-1<2000$

$\therefore\ 1001<2^n<2001$

그런데 $2^9=512$, $2^{10}=1024$, $2^{11}=2048$이므로

$n=\mathbf{10}$

(2) ${}_{99}C_0+{}_{99}C_1+{}_{99}C_2+\cdots+{}_{99}C_{99}=2^{99}$이므로

$${}_{99}C_0+{}_{99}C_1+{}_{99}C_2+\cdots+{}_{99}C_{49}={}_{99}C_{50}+{}_{99}C_{51}+{}_{99}C_{52}+\cdots+{}_{99}C_{99}=\frac{1}{2}\times2^{99}=2^{98}$$

따라서 $\sum_{k=50}^{99}{}_{99}C_k=2^{98}$이므로

$\log_2\left(\sum_{k=50}^{99}{}_{99}C_k\right)=\log_2 2^{98}=98\log_2 2=\mathbf{98}$

(3) ${}_nC_0+{}_nC_2+{}_nC_4+\cdots+{}_nC_n=2^{n-1}$이므로

$2^{n-1}=128=2^7$, $n-1=7$

$\therefore\ n=8$

정답과 풀이 **12**쪽

유제 **108** 다음 물음에 답하여라.

(1) 부등식 $500<{}_nC_1+{}_nC_2+{}_nC_3+\cdots+{}_nC_n<1000$을 만족시키는 자연수 n의 값을 구하여라.

(2) $\log_2\left(\sum_{k=0}^{9}{}_{19}C_k\right)$의 값을 구하여라.

(3) $\log_2({}_{99}C_1+{}_{99}C_3+{}_{99}C_5+\cdots+{}_{99}C_{99})$의 값을 구하여라.

필수 확인 문제

* 더 많은 유형은 **풍산자필수유형 확률과 통계** 020쪽

정답과 풀이 12쪽

109

다음 파스칼의 삼각형을 이용하여

$${}_{1}C_{0}+{}_{2}C_{1}+{}_{3}C_{2}+{}_{4}C_{3}+\cdots+{}_{10}C_{9}$$

의 값과 같은 것을 고르면?

$${}_{1}C_{0} \quad {}_{1}C_{1}$$
$${}_{2}C_{0} \quad {}_{2}C_{1} \quad {}_{2}C_{2}$$
$${}_{3}C_{0} \quad {}_{3}C_{1} \quad {}_{3}C_{2} \quad {}_{3}C_{3}$$
$${}_{4}C_{0} \quad {}_{4}C_{1} \quad {}_{4}C_{2} \quad {}_{4}C_{3} \quad {}_{4}C_{4}$$
$${}_{5}C_{0} \quad {}_{5}C_{1} \quad {}_{5}C_{2} \quad {}_{5}C_{3} \quad {}_{5}C_{4} \quad {}_{5}C_{5}$$
$$\vdots$$

① ${}_{11}C_{6}$　② ${}_{11}C_{7}$　③ ${}_{11}C_{8}$　④ ${}_{11}C_{9}$　⑤ ${}_{11}C_{10}$

110

$\log_2({}_{17}C_{1}+{}_{17}C_{3}+{}_{17}C_{5}+\cdots+{}_{17}C_{17})$의 값을 구하여라.

111

$\log_2({}_{n}C_{0}+{}_{n}C_{1}\times 3+{}_{n}C_{2}\times 3^2+\cdots+{}_{n}C_{n}\times 3^n)=100$을 만족시키는 자연수 n의 값을 구하여라.

112

다음 중 옳지 않은 것은?

① $\sum_{r=0}^{49} {}_{99}C_{r}=2^{98}$　② $\sum_{r=0}^{49} {}_{99}C_{2r}=2^{98}$

③ $\sum_{r=1}^{n} {}_{n}C_{r}=2^{n}$　④ $\sum_{r=0}^{n} 2^{r}\,{}_{n}C_{r}=3^{n}$

⑤ $\sum_{r=0}^{n} {}_{n}C_{r}\,3^{n-r}7^{r}=10^{n}$

113

〈보기〉에서 옳은 것만을 있는 대로 골라라.

보기

ㄱ. ${}_{7}C_{0}+{}_{7}C_{1}+{}_{7}C_{2}+\cdots+{}_{7}C_{7}=2^{7}$

ㄴ. ${}_{6}C_{0}-{}_{6}C_{1}+{}_{6}C_{2}-{}_{6}C_{3}+{}_{6}C_{4}-{}_{6}C_{5}+{}_{6}C_{6}=2^{5}$

ㄷ. ${}_{8}C_{5}+{}_{8}C_{6}+{}_{8}C_{7}+{}_{8}C_{8}=2^{7}$

114

다음 식의 값을 구하여라.

(1) $\sum_{n=0}^{10}\left(\sum_{r=0}^{n} {}_{n}C_{r}\right)$

(2) $\log_4\left(\sum_{r=0}^{5} {}_{11}C_{2r}\right)$

(3) $\log_{\frac{1}{2}}\left(\sum_{r=0}^{16} {}_{33}C_{r}\right)$

중단원 마무리

▶ 이항정리

이항정리	① $(a+b)^n={}_nC_0a^n+{}_nC_1a^{n-1}b+{}_nC_2a^{n-2}b^2+\cdots+{}_nC_ra^{n-r}b^r+\cdots+{}_nC_nb^n$ ② 전개식의 일반항: ${}_nC_ra^{n-r}b^r$
다항정리	$(a+b+c)^n$의 전개식의 일반항은 $\dfrac{n!}{p!q!r!}a^pb^qc^r$ (단, $p+q+r=n$, $p\geq0$, $q\geq0$, $r\geq0$)

▶ 파스칼의 삼각형

이항정리	계수	이항계수	원리
$(a+b)^1=a+b$ $(a+b)^2=a^2+2ab+b^2$ $(a+b)^3=a^3+3a^2b+3ab^2+b^3$	1 1 1 2 1 1 3 3 1	${}_1C_0$ ${}_1C_1$ ${}_2C_0$ ${}_2C_1$ ${}_2C_2$ ${}_3C_0$ ${}_3C_1$ ${}_3C_2$ ${}_3C_3$	${}_{n-1}C_{r-1}$ ${}_{n-1}C_r$ ${}_nC_r$

▶ 이항계수의 성질

$(1+x)^n$의 전개식	$(1+x)^n={}_nC_0+{}_nC_1x+{}_nC_2x^2+\cdots+{}_nC_nx^n$
이항계수의 성질	(1) ${}_nC_0+{}_nC_1+{}_nC_2+\cdots+{}_nC_n=2^n$ (2) ${}_nC_0-{}_nC_1+{}_nC_2-\cdots+(-1)^n{}_nC_n=0$ (3) ${}_nC_0+{}_nC_2+{}_nC_4+\cdots={}_nC_1+{}_nC_3+{}_nC_5+\cdots=2^{n-1}$ (4) ${}_nC_1+2{}_nC_2+3{}_nC_3+\cdots+n{}_nC_n=n\times2^{n-1}$

실전 연습문제

STEP 1

115

$(1+ax)^7$의 전개식에서 x의 계수가 14일 때, x^2의 계수를 구하여라. (단, a는 상수이다.)

116

$(x+a)^5$의 전개식에서 x^3의 계수와 x^4의 계수가 같을 때, 양수 a의 값을 구하여라.

117

$\left(2x^3+\dfrac{a}{x^2}\right)^4$의 전개식에서 x^2의 계수가 12일 때, a^2의 값을 구하여라. (단, a는 0이 아닌 상수이다.)

118

다음 물음에 답하여라.

(1) $(1-x)^{10}(2-x)^3$의 전개식에서 x의 계수를 구하여라.

(2) $(2x^2+3)\left(x+\dfrac{1}{x}\right)^4$의 전개식에서 상수항을 구하여라.

119

$(1+x)+(1+x)^2+(1+x)^3+\cdots+(1+x)^{10}$의 전개식에서 x의 계수를 구하여라.

120

$\left(x^2+\dfrac{2}{x}\right)^6$의 전개식에서 x^r의 계수를 a_r라 할 때, $\dfrac{a_3}{a_0}$의 값은?

① $\dfrac{10}{3}$ ② $\dfrac{8}{3}$ ③ 2

④ $\dfrac{4}{3}$ ⑤ $\dfrac{2}{3}$

121

서로 다른 종류의 21봉지의 과자에서 11봉지 이상을 택하여 선물 세트를 만들려고 한다. 선물 세트를 만드는 방법의 수는?

① 2^{10} ② 2^{11} ③ 2^{12}
④ 2^{20} ⑤ 2^{21}

122

$({}_{50}C_0)^2+({}_{50}C_1)^2+({}_{50}C_2)^2+\cdots+({}_{50}C_{50})^2$의 값을 ${}_nC_r$의 꼴로 나타내어라.

(단, $n\geq r$이고, n, r는 자연수이다.)

123

11^{10}을 100으로 나누었을 때의 나머지는?

① 1 ② 3 ③ 7
④ 9 ⑤ 11

124

다음과 같은 이항계수의 배열에서 모든 수의 합은?

$$\begin{array}{c} {}_1C_0 \quad {}_1C_1 \\ {}_2C_0 \quad {}_2C_1 \quad {}_2C_2 \\ {}_3C_0 \quad {}_3C_1 \quad {}_3C_2 \quad {}_3C_3 \\ \vdots \\ {}_{10}C_0 \quad {}_{10}C_1 \quad \cdots \quad {}_{10}C_9 \quad {}_{10}C_{10} \end{array}$$

① 2000 ② 2046 ③ 2077
④ 3045 ⑤ 3085

STEP 2

125

p가 소수일 때, $\left(x+\frac{p}{x}\right)^n$의 전개식에서 상수항이 160이다. 두 수 n, p의 곱 np의 값을 구하여라.

(단, n은 자연수이다.)

실전 연습문제

정답과 풀이 15쪽

126

자연수 n에 대하여

$$f(n)=\sum_{k=1}^{n}({}_{2k}C_1+{}_{2k}C_3+{}_{2k}C_5+\cdots+{}_{2k}C_{2k-1})$$

일 때, $f(5)$의 값을 구하여라.

127

${}_3H_0+{}_3H_1+{}_3H_2+{}_3H_3+{}_3H_4+{}_3H_5$의 값을 구하여라.

128

다음 그림과 같이 수를 배열한 것을 파스칼의 삼각형이라 한다. 색칠한 부분의 모든 수의 합은?

$${}_1C_0 \quad {}_1C_1$$
$${}_2C_0 \quad {}_2C_1 \quad {}_2C_2$$
$${}_3C_0 \quad {}_3C_1 \quad {}_3C_2 \quad {}_3C_3$$
$$\vdots$$
$${}_{10}C_0 \quad {}_{10}C_1 \quad \cdots \quad {}_{10}C_9 \quad {}_{10}C_{10}$$

① 27　② 36　③ 63
④ 72　⑤ 81

129

오늘부터 13^7일째 되는 날이 금요일이라 하면 14^7일째 되는 날은 무슨 요일인지 구하여라.

130

집합 $A=\{a_1, a_2, a_3, a_4, a_5, \cdots, a_{100}\}$의 부분집합 중에서 원소의 개수가 홀수인 부분집합의 개수를 구하여라.

131

$N=59^5+5\times59^4+10\times59^3+10\times59^2+5\times59+1$ 일 때, N의 약수의 개수를 구하여라.

확률

확률을 연구한 기특한 형제, 베르누이

스위스의 베르누이 가문은 수학과 과학의 역사에서 뛰어난 업적을 남긴 가문이다.

야코프 베르누이는 수학적 확률을 최초로 연구한 수학자로 조합론을 연구하고 확률론을 처음으로 체계화하였다.

그 조카인 니콜라스 베르누이도 '추측술'이라는 책을 통해 확률 이론의 기초를 세운 것으로 평가된다. 통계학과 확률론에서 다루는 '큰 수의 법칙', '베르누이 분포', '베르누이 정리' 등이 모두 이 책에서 나온 것이다.

확률의 뜻과 활용

내일 비가 올 확률은 20%입니다.
내년 우리나라의 경제 성장률은 3%입니다.
뉴스에서 들을 수 있는 익숙한 문장들. 모두 가능성의 정도를 예측하는 확률이다.

1 확률의 뜻

$$\mathrm{P}(A)=\frac{n(A)}{n(S)}$$

2 확률의 활용

$$\mathrm{P}(A\cup B)$$
$$=\mathrm{P}(A)+\mathrm{P}(B)-\mathrm{P}(A\cap B)$$

1 확률의 뜻

01 시행과 사건

'주사위를 던진다.', '동전을 던진다.'와 같은 확률 실험을 **시행**이라 한다.

즉, 주사위나 동전을 던지는 것처럼 같은 조건에서 여러 번 반복할 수 있고 그 결과가 우연에 의하여 결정되는 실험이나 관찰을 시행이라 한다.

표본공간과 사건

(1) **표본공간**: 어떤 시행에서 일어날 수 있는 결과 전체의 집합

(2) **사건**: 표본공간의 부분집합

(3) **근원사건**: 표본공간의 부분집합 중에서 단 한 개의 원소로만 이루어진 집합

(4) **전사건**: 반드시 일어나는 사건, 즉 표본공간

(5) **공사건**: 결코 일어나지 않는 사건, 즉 공집합 $\varnothing$

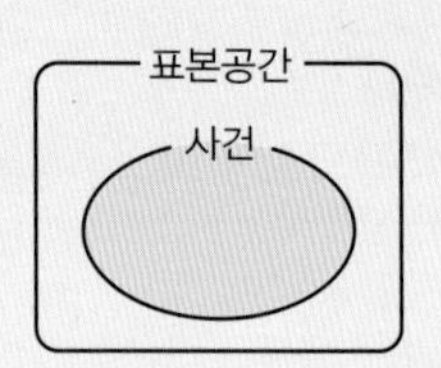

| 설명 | 한 개의 주사위를 던지는 시행에서

표본공간 S는 $S=\{1, 2, 3, 4, 5, 6\}$

근원사건은 $\{1\}$, $\{2\}$, $\{3\}$, $\{4\}$, $\{5\}$, $\{6\}$

홀수의 눈이 나오는 사건을 A라 하면 $A=\{1, 3, 5\}$

반드시 일어나는 사건인 전사건은 $\{1, 2, 3, 4, 5, 6\}$

7의 눈이 나오는 사건과 같이 결코 일어나지 않는 사건, 즉 공사건은 $\varnothing$

집합에서 배운 합집합, 교집합, 여집합, 서로소와 같은 개념이 확률에서는 어떻게 표현되는지 알아보자.

합사건, 곱사건, 여사건, 배반사건

표본공간 S의 두 사건 A, B에 대하여

(1) **A, B의 합사건**: A 또는 B가 일어나는 사건, $\boldsymbol{A\cup B}$

(2) **A, B의 곱사건**: A와 B가 동시에 일어나는 사건, $\boldsymbol{A\cap B}$

(3) **A의 여사건**: 사건 A가 일어나지 않는 사건, $\boldsymbol{A^C}$

(4) **배반사건**: 어떤 시행에서 두 사건 A, B가 동시에 일어나지 않을 때, 즉 $A\cap B=\varnothing$일 때, 이 두 사건을 서로 배반사건이라 한다.

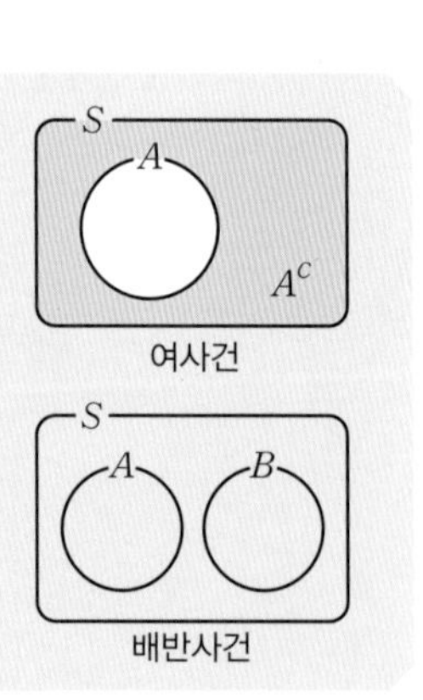

| 설명 | 사건 A와 그 여사건 A^C에 대하여 $A\cap A^C=\varnothing$이므로 두 사건 A, A^C은 서로 배반사건이다.

132 한 개의 주사위를 던지는 시행에서 2의 배수의 눈이 나오는 사건을 A, 3의 배수의 눈이 나오는 사건을 B라 할 때, 다음을 구하여라.

(1) $A\cup B$　　(2) $A\cap B$　　(3) A^C

풍산자日 표본공간은 일어날 수 있는 결과 전체의 집합, 사건은 표본공간의 부분집합!

> 풀이 표본공간을 S라 하면 $S=\{1, 2, 3, 4, 5, 6\}$, $A=\{2, 4, 6\}$, $B=\{3, 6\}$

(1) $A\cup B=\{\mathbf{2,\ 3,\ 4,\ 6}\}$

(2) $A\cap B=\{\mathbf{6}\}$

(3) $A^C=\{\mathbf{1,\ 3,\ 5}\}$

정답과 풀이 16쪽

유제 133 1부터 5까지의 자연수가 하나씩 적힌 5장의 카드 중 한 장의 카드를 뽑는 시행에서 3 이하의 수가 적힌 카드를 뽑는 사건을 A, 짝수가 적힌 카드를 뽑는 사건을 B라 할 때, 다음을 구하여라.

(1) $A\cup B$　　(2) $A\cap B$　　(3) A^C

134 1부터 10까지의 자연수가 하나씩 적힌 10장의 카드 중에서 한 장의 카드를 뽑을 때, 다음 세 사건 A, B, C 중 서로 배반사건인 두 사건을 찾아라.

A: 소수가 적힌 카드가 나오는 사건
B: 4의 약수가 적힌 카드가 나오는 사건
C: 3의 배수가 적힌 카드가 나오는 사건

풍산자日 세 사건 A, B, C를 구한다. ➡ 교집합이 공집합이 되는 두 사건을 찾는다.

> 풀이 $A=\{2, 3, 5, 7\}$, $B=\{1, 2, 4\}$, $C=\{3, 6, 9\}$에서

$A\cap B=\{2\}$, $B\cap C=\varnothing$, $C\cap A=\{3\}$

따라서 서로 배반사건인 두 사건은 $\boldsymbol{B}$와 $\boldsymbol{C}$이다.

정답과 풀이 16쪽

유제 135 한 개의 주사위를 던질 때, 짝수의 눈이 나오는 사건을 A, 5 이상의 눈이 나오는 사건을 B, 홀수의 눈이 나오는 사건을 C라 하자. 이때 서로 배반사건인 두 사건을 말하여라.

02 확률의 뜻

'주사위를 던진다.'와 같은 실험에서 어떤 사건이 일어날 가능성을 확률이라 한다.

중학교 때 배웠다. ➡ $(\text{확률}) = \dfrac{(\text{해당 경우})}{(\text{전체 경우})}$

어떤 시행에서 사건 A가 일어날 가능성을 수로 나타내는 것을 사건 A가 일어날 확률이라 하고, $\mathbf{P}(A)$로 나타낸다.

확률에는 수학적 확률과 통계적 확률이 있다.

수학적 확률이란 수학적으로 계산한 확률. 중학교 때부터 우리가 공부해 왔던 보통의 확률.

통계적 확률이란 통계 조사에서 나타난 확률.

확률 중요!

(1) **수학적 확률**

어떤 시행에서 표본공간 S의 각 근원사건이 일어날 가능성이 같을 때, 사건 A가 일어날 확률 $\mathrm{P}(A)$는

$$\mathrm{P}(A)=\frac{n(A)}{n(S)}=\frac{(\text{사건 } A\text{가 일어나는 경우의 수})}{(\text{일어날 수 있는 모든 경우의 수})}$$

이다. 이와 같이 정의된 확률을 수학적 확률이라 한다.

(2) **통계적 확률**

같은 시행을 n번 반복하여 사건 A가 일어난 횟수를 r_n이라 할 때, n이 한없이 커짐에 따라 상대도수 $\dfrac{r_n}{n}$이 일정한 값 p에 가까워지면 p를 사건 A의 통계적 확률이라 한다.

| 설명 | 현재 우리가 공부하는 $\dfrac{(\text{해당 경우})}{(\text{전체 경우})}$라는 진짜배기 확률을 수학적 확률이라 한다.

하지만 모든 확률을 수학적으로 계산할 수는 없다.

한국인이 60살 이상 살 확률은?

이에 대한 수학적 확률을 계산하기 위해서는 한국인의 DNA와 환경에 대한 완벽한 분석이 필요하다.

그러나 거의 불가능하다.

그래서 통계 조사를 한다. 통계 조사를 해서 얻은 확률을 통계적 확률이라 한다.

똑똑한 수학자들이 밝혀낸 통계적 확률과 수학적 확률의 놀라운 관계가 있다.

큰 수의 법칙 ➡ 통계 조사의 시행 횟수가 커지면 통계적 확률은 수학적 확률에 가까워진다.

예를 들어 한 개의 동전을 던질 때, 앞면이 나올 수학적 확률은 $\dfrac{1}{2}$이다.

그러면 동전을 2번 던지면 앞면이 반드시 1번 나올까? 꼭 그렇진 않다.

그러나 동전을 2000번 던지면 앞면은 대략 1000번 가까이 나온다.

설마 앞면만 계속 나오거나 뒷면만 계속 나오게 할 수 있을까?

이처럼 큰 수의 법칙은 통계 조사의 실효성을 이론적으로 뒷받침해 준다.

136 서로 다른 두 개의 주사위를 동시에 던질 때, 나오는 두 눈의 수의 합이 7일 확률을 구하여라.

풍산자日 확률이란 $\frac{(\text{해당 경우의 수})}{(\text{전체 경우의 수})}$이므로 확률을 구한다는 것은 경우의 수를 두 번 세는 것이다.

> 풀이 (i) 두 개의 주사위를 동시에 던질 때, 일어날 수 있는 모든 경우의 수는
$6\times6=36$
(ii) 나오는 두 눈의 수의 합이 7인 경우는
$(1, 6), (2, 5), (3, 4), (4, 3), (5, 2), (6, 1)$로 6가지
(i), (ii)에서 구하는 확률은 $\frac{6}{36}=\mathbf{\frac{1}{6}}$

정답과 풀이 **16**쪽

유제 **137** 세 개의 주사위를 동시에 던질 때, 나오는 세 눈의 수가 모두 같을 확률을 구하여라.

138 서로 다른 두 개의 주사위를 동시에 던질 때, 나오는 두 눈의 수의 곱이 12의 배수일 확률을 구하여라.

풍산자日 확률을 구하는 것은 경우의 수를 두 번 세는 것! 경우의 수만 잘 세면 확률은 만사형통.

> 풀이 (i) 두 개의 주사위를 동시에 던질 때, 일어날 수 있는 모든 경우의 수는
$6\times6=36$
(ii) 나오는 두 눈의 수의 곱이 12의 배수인 경우는 12 또는 24 또는 36이다.
두 눈의 수의 곱이 12인 경우: $(2, 6), (3, 4), (4, 3), (6, 2)$로 4가지
두 눈의 수의 곱이 24인 경우: $(4, 6), (6, 4)$로 2가지
두 눈의 수의 곱이 36인 경우: $(6, 6)$으로 1가지
즉, 두 눈의 수의 곱이 12의 배수인 경우의 수는 $4+2+1=7$
(i), (ii)에서 구하는 확률은 $\mathbf{\frac{7}{36}}$

정답과 풀이 **16**쪽

유제 **139** 서로 다른 두 개의 주사위를 동시에 던질 때, 나오는 두 눈의 수의 차가 4 이상일 확률을 구하여라.

140 **다음 물음에 답하여라.**

(1) A, B, C, D, E의 5명이 한 줄로 설 때, A는 맨 앞에, B는 맨 뒤에 설 확률을 구하여라.

(2) 남학생 4명, 여학생 3명이 한 줄로 설 때, 여학생 3명이 이웃할 확률을 구하여라.

풍산자曰 경우의 수 문제의 양대 산맥이 순열과 조합이듯 확률 문제의 양대 산맥도 순열과 조합.
순열이든 조합이든 확률 계산의 기본은 $\frac{(\text{해당 경우})}{(\text{전체 경우})}$

> 풀이 (1) (i) 5명이 한 줄로 서는 모든 경우의 수는 $5!$

(ii) A는 맨 앞에, B는 맨 뒤에 서는 경우의 수는 A, B를 제외한 나머지 3명이 한 줄로 서는 경우의 수와 같으므로 $3!$

고정 고정
A B
나머지 3명

(i), (ii)에서 구하는 확률은 $\frac{3!}{5!}=\mathbf{\frac{1}{20}}$

(2) (i) 7명이 한 줄로 서는 모든 경우의 수는 $7!$

(ii) 여학생 3명이 이웃하는 경우의 수는 여학생 3명을 한 덩어리로 생각하여 세운 후 여학생 3명끼리 자리를 바꾸는 경우의 수와 같으므로 $5!\times3!$

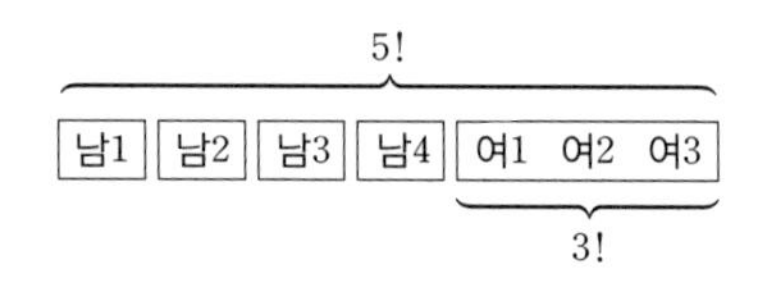

(i), (ii)에서 구하는 확률은 $\frac{5!\times3!}{7!}=\mathbf{\frac{1}{7}}$

정답과 풀이 16쪽

유제 **141** **다음 물음에 답하여라.**

(1) triangle의 8개의 문자를 일렬로 나열할 때, t가 맨 처음에, l이 맨 나중에 올 확률을 구하여라.

(2) 한국인 2명, 중국인 3명, 일본인 2명이 한 줄로 설 때, 한국인은 한국인끼리, 중국인은 중국인끼리 이웃할 확률을 구하여라.

142 **남학생 5명, 여학생 3명이 원탁에 둘러앉을 때, 여학생 3명이 이웃할 확률을 구하여라.**

풍산자曰 한 줄로 설 때는 순열을 생각하고, 원탁에 둘러앉을 때는 원순열을 생각한다.

> 풀이 (i) 8명이 원탁에 둘러앉는 모든 경우의 수는 $(8-1)!=7!$

(ii) 여학생 3명이 이웃하는 경우의 수는 여학생 3명을 한 덩어리로 생각하여 원탁에 앉힌 후 여학생 3명끼리 자리를 바꾸는 경우의 수와 같으므로 $(6-1)!\times3!=5!\times3!$

(i), (ii)에서 구하는 확률은 $\frac{5!\times3!}{7!}=\mathbf{\frac{1}{7}}$

정답과 풀이 16쪽

유제 **143** **네 쌍의 부부가 원탁에 둘러앉을 때, 각 남편은 모두 자신의 아내와 이웃할 확률을 구하여라.**

144 **흰 공 5개, 검은 공 3개가 들어 있는 주머니에서 4개의 공을 동시에 꺼낼 때, 다음을 구하여라.**

(1) 모두 흰 공이 나올 확률

(2) 흰 공 3개, 검은 공 1개가 나올 확률

풍산자日 공을 꺼낼 때 꺼내는 공의 순서는 생각하지 않으므로 조합의 수와 같다.

> 풀이 전체 8개의 공에서 4개의 공을 동시에 꺼내는 모든 경우의 수는 ${}_8C_4=70$

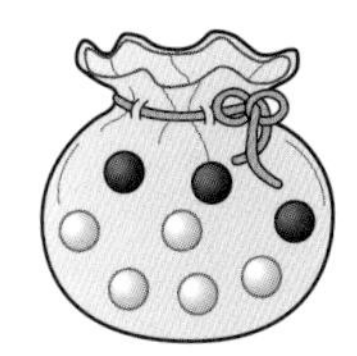

(1) 모두 흰 공인 경우의 수는 흰 공 5개에서 4개를 꺼내는 경우의 수이므로 ${}_5C_4=5$

따라서 구하는 확률은 $\frac{5}{70}=\mathbf{\frac{1}{14}}$

(2) 흰 공이 3개, 검은 공이 1개인 경우의 수는 흰 공 5개에서 3개를 꺼내고, 검은 공 3개에서 1개를 꺼내는 경우의 수이므로

${}_5C_3\times{}_3C_1=10\times3=30$

따라서 구하는 확률은 $\frac{30}{70}=\mathbf{\frac{3}{7}}$

정답과 풀이 **16**쪽

유제 **145** **흰 공 4개, 검은 공 6개가 들어 있는 주머니에서 4개의 공을 동시에 꺼낼 때, 흰 공 2개, 검은 공 2개가 나올 확률을 구하여라.**

146 **10개의 제품 중에서 불량품이 3개 있다. 이 중에서 2개를 동시에 뽑을 때, 1개만 불량품일 확률을 구하여라.**

풍산자日 제비를 뽑을 때 순서를 생각하지 않으므로 조합을 이용한다.

> 풀이 (i) 10개의 제품 중에서 2개를 뽑는 모든 경우의 수는 ${}_{10}C_2=45$

(ii) 1개만 불량품인 경우의 수는 정상 제품 7개에서 1개를 뽑고, 불량품 3개에서 1개를 뽑는 경우의 수이므로

${}_7C_1\times{}_3C_1=7\times3=21$

(i), (ii)에서 구하는 확률은 $\frac{21}{45}=\mathbf{\frac{7}{15}}$

정답과 풀이 **17**쪽

유제 **147** **20개의 제비 중에서 당첨 제비가 5개 있다. 이 중에서 3개의 제비를 동시에 뽑을 때, 2개만 당첨될 확률을 구하여라.**

148 오른쪽 표는 어느 해 우리나라에서 출생한 남녀 각 10만 명의 연령별 생존자 수를 나타낸 생명표의 일부이다. 다음을 구하여라.

(1) 40세의 남자가 앞으로 20년 동안 생존할 확률

(2) 20세의 여자가 앞으로 40년 동안 생존할 확률

연령(세)	남자(명)	여자(명)
0	100000	100000
20	97000	98000
40	88000	89000
60	79000	83000

풍산자日 $(\text{통계적 확률})=\dfrac{(\text{사건 } A\text{가 일어난 횟수})}{(\text{전체 시행 횟수})}$

> 풀이 (1) 40세의 남자 88000명 중 60세까지 생존한 남자는 79000명이므로 구하는 확률은

$\dfrac{79000}{88000}=\mathbf{\dfrac{79}{88}}$

(2) 20세의 여자 98000명 중 60세까지 생존한 여자는 83000명이므로 구하는 확률은

$\dfrac{83000}{98000}=\mathbf{\dfrac{83}{98}}$

정답과 풀이 17쪽

유제 **149** 어떤 식물의 씨앗을 1000개 심었더니 그중에서 890개가 발아하였다. 같은 조건에서 한 개의 씨앗을 심었을 때, 이 씨앗이 발아할 확률을 구하여라.

150 주머니 속에 흰 공과 검은 공이 합하여 모두 8개 들어 있다. 이 주머니에서 공을 2개씩 꺼내어 보고 다시 넣는 시행을 반복하였더니 4번에 3번 꼴로 2개 모두 흰 공이었다고 한다. 주머니 속에 흰 공은 몇 개 들어 있다고 볼 수 있는지 구하여라.

풍산자日 n번에 r번 꼴로 사건 A가 일어났다면 사건 A의 통계적 확률은 $\dfrac{r}{n}$이다.

> 풀이 흰 공이 n개 들어 있다고 하면 2개 모두 흰 공이 나올 확률은 $\dfrac{{}_n\mathrm{C}_2}{{}_8\mathrm{C}_2}$이므로

$\dfrac{{}_n\mathrm{C}_2}{{}_8\mathrm{C}_2}=\dfrac{3}{4}$, ${}_n\mathrm{C}_2=\dfrac{3}{4}\times{}_8\mathrm{C}_2$, $\dfrac{n(n-1)}{2}=\dfrac{3}{4}\times\dfrac{8\times7}{2}$

$n^2-n-42=0$, $(n-7)(n+6)=0$

그런데 $n\ge2$이므로 $n=7$

따라서 주머니 속에 흰 공은 **7개** 들어 있다고 볼 수 있다.

정답과 풀이 17쪽

유제 **151** 주머니 속에 흰 공과 검은 공이 합하여 모두 6개 들어 있다. 이 주머니에서 공을 2개씩 꺼내어 보고 다시 넣는 시행을 반복하였더니 5번에 1번 꼴로 2개 모두 검은 공이었다고 한다. 주머니 속에 검은 공은 몇 개 들어 있다고 볼 수 있는지 구하여라.

152 **그림과 같이 반지름의 길이가 5인 원이 있다. 이 원 안에 임의의 점 P를 택할 때, 중심 O와의 거리가 $2 \le \overline{OP} \le 3$일 확률을 구하여라.**

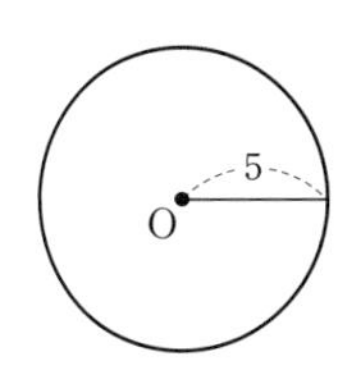

풍산자曰 주사위나 주머니 문제와 달리, 경우가 길이나 넓이로 나타나는 괴상한 문제.
도형 위에서 깝쭉대는 이른바 기하학적 확률 문제.
이때는 $\frac{(\text{해당 길이})}{(\text{전체 길이})}$ 또는 $\frac{(\text{해당 넓이})}{(\text{전체 넓이})}$를 계산한다.

> 풀이 전체 경우는 반지름의 길이가 5인 원 전체.
해당 경우는 반지름의 길이가 2인 원과
반지름의 길이가 3인 원 사이의 색칠한 부분.

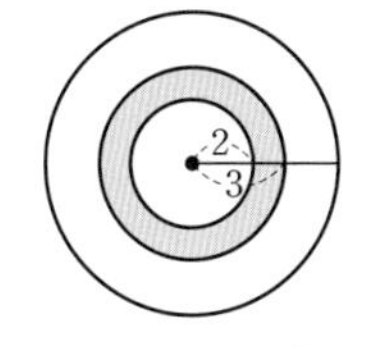

$$\therefore (\text{구하는 확률}) = \frac{(\text{해당 넓이})}{(\text{전체 넓이})}$$
$$= \frac{(\text{반지름의 길이가 3인 원의 넓이}) - (\text{반지름의 길이가 2인 원의 넓이})}{(\text{반지름의 길이가 5인 원의 넓이})}$$
$$= \frac{\pi \times 3^2 - \pi \times 2^2}{\pi \times 5^2} = \mathbf{\frac{1}{5}}$$

정답과 풀이 **17**쪽

유제 **153** **다음을 구하여라.**

(1) 그림과 같이 반지름의 길이가 1인 원이 있다. 이 원 안에 임의의 점 $P(x, y)$를 택할 때 $|x-y| \le 1$일 확률을 구하여라.

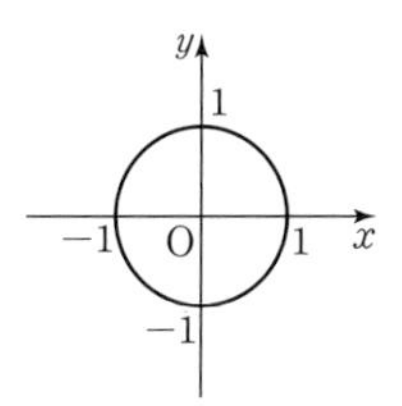

(2) 그림과 같이 한 변의 길이가 10인 정사각형 ABCD가 있다. 이 정사각형 안에 임의의 점 P를 택할 때, $\triangle ABP$가 둔각삼각형이 될 확률을 구하여라.

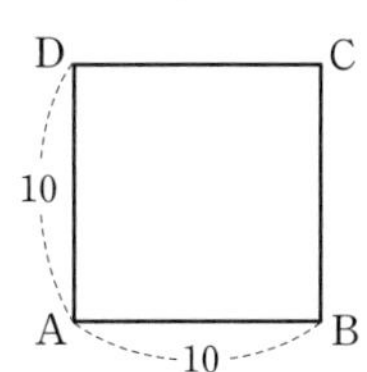

풍산자 비법

모든 확률 문제는 '어찌어찌할 때, 어찌어찌할 확률을 구하여라.'와 같은 형태.

➔ 여기서 '~때'까지가 전체 경우이고, '~때' 다음이 해당 경우이다.

필수 확인 문제

* 더 많은 유형은 **풍산자필수유형 확률과 통계** 031쪽

정답과 풀이 18쪽

154

한 개의 주사위를 두 번 던질 때, 두 번째 나오는 눈의 수가 첫 번째 나오는 눈의 수보다 클 확률을 구하여라.

155

한 개의 주사위를 두 번 던져서 나오는 눈의 수를 차례대로 a, b라 할 때, $a^2+b^2=2ab$일 확률을 구하여라.

156

6개의 문자 B, A, N, A, N, A를 일렬로 나열할 때, 2개의 N이 서로 이웃할 확률을 구하여라.

157

다음 물음에 답하여라.

(1) 10개의 제비 중에서 당첨 제비가 6개 있다. 이 중에서 4개의 제비를 뽑을 때, 모두 당첨될 확률을 구하여라.

(2) 흰 구슬 4개, 검은 구슬 5개가 들어 있는 주머니에서 3개의 구슬을 꺼낼 때, 흰 구슬 1개와 검은 구슬 2개가 나올 확률을 구하여라.

158

2부터 9까지의 자연수가 하나씩 적힌 8개의 공이 들어 있는 주머니에서 임의로 2개의 공을 동시에 꺼낼 때, 한 개의 공에 적힌 수가 다른 공에 적힌 수의 약수일 확률을 구하여라.

159

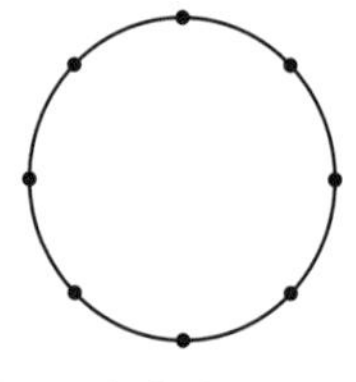

그림과 같이 원주 위를 8등분한 8개의 점이 있다. 이 중에서 세 점을 꼭짓점으로 하는 삼각형을 만들 때, 이 삼각형이 직각이등변삼각형이 될 확률을 구하여라.

2 확률의 활용

01 확률의 덧셈정리

각 경우가 일어날 가능성이 모두 같은 정도로 기대되는 시행에서 성립하는 확률의 기본적인 성질을 알아보자.

확률의 기본 성질

(1) 임의의 사건 A에 대하여 $\mathbf{0 \le P(A) \le 1}$

(2) 전사건 S에 대하여 $\mathbf{P(S)=1}$ ⇐ 반드시 일어날 때

(3) 공사건 $\varnothing$에 대하여 $\mathbf{P(\varnothing)=0}$ ⇐ 절대로 일어나지 않을 때

| 증명 | (1) 표본공간 S의 임의의 사건 A에 대하여 $\varnothing \subset A \subset S$이므로 $0 \le n(A) \le n(S)$

위의 부등식의 각 변을 $n(S)$로 나누면 $0 \le \dfrac{n(A)}{n(S)} \le 1$ $\quad \therefore 0 \le \mathrm{P}(A) \le 1$

(2) 전사건 S의 확률은 $\mathrm{P}(S)=\dfrac{n(S)}{n(S)}=1$

(3) 공사건 $\varnothing$의 확률은 $\mathrm{P}(\varnothing)=\dfrac{n(\varnothing)}{n(S)}=0$

$A \cup B$의 확률을 계산하는 다음과 같은 공식을 확률의 덧셈정리라 한다.

확률의 덧셈정리 중요!

(1) 두 사건 A, B에 대하여 사건 A 또는 B가 일어날 확률은

$$\mathbf{P(A \cup B)=P(A)+P(B)-P(A \cap B)}$$

(2) 두 사건 A, B가 서로 배반사건, 즉 $A \cap B=\varnothing$이면

$$\mathbf{P(A \cup B)=P(A)+P(B)}$$

| 증명 | (1) 표본공간 S의 임의의 두 사건 A, B에 대하여

$n(A \cup B)=n(A)+n(B)-n(A \cap B)$

위의 식의 양변을 $n(S)$로 나누면

$$\frac{n(A \cup B)}{n(S)}=\frac{n(A)}{n(S)}+\frac{n(B)}{n(S)}-\frac{n(A \cap B)}{n(S)}$$

$\therefore \mathrm{P}(A \cup B)=\mathrm{P}(A)+\mathrm{P}(B)-\mathrm{P}(A \cap B)$

(2) 두 사건 A, B가 서로 배반사건이면 $n(A \cap B)=0$, 즉 $\mathrm{P}(A \cap B)=0$이므로

$\mathrm{P}(A \cup B)=\mathrm{P}(A)+\mathrm{P}(B)$

한걸음 더

일반적으로 n개의 사건 A_1, A_2, A_3, $\cdots$, A_n이 서로 배반사건이면 다음이 성립한다.

$\mathrm{P}(A_1 \cup A_2 \cup A_3 \cup \cdots \cup A_n)=\mathrm{P}(A_1)+\mathrm{P}(A_2)+\mathrm{P}(A_3)+\cdots+\mathrm{P}(A_n)$

160 1부터 20까지의 자연수가 하나씩 적힌 20장의 카드 중에서 한 장의 카드를 뽑을 때, 3의 배수 또는 4의 배수가 적힌 카드가 나올 확률을 구하여라.

풍산자日 3의 배수 또는 4의 배수 ➡ '또는'으로 연결된 사건의 확률은 확률의 덧셈정리를 사용.

> 풀이

3의 배수인 사건을 A, 4의 배수인 사건을 B라 하면
$A=\{3, 6, 9, 12, 15, 18\}$, $B=\{4, 8, 12, 16, 20\}$, $A\cap B=\{12\}$
따라서 $n(A)=6$, $n(B)=5$, $n(A\cap B)=1$이므로
$$\mathrm{P}(A\cup B)=\mathrm{P}(A)+\mathrm{P}(B)-\mathrm{P}(A\cap B)=\frac{6}{20}+\frac{5}{20}-\frac{1}{20}=\mathbf{\frac{1}{2}}$$

정답과 풀이 **18쪽**

유제 **161** 1부터 10까지의 자연수가 하나씩 적힌 10장의 카드 중에서 한 장의 카드를 뽑을 때, 2의 배수 또는 5의 배수가 적힌 카드가 나올 확률을 구하여라.

162 흰 공 4개, 붉은 공 3개, 검은 공 2개가 들어 있는 주머니에서 2개의 공을 동시에 꺼낼 때, 2개 모두 같은 색의 공이 나올 확률을 구하여라.

풍산자日 모두 같은 색의 공 ➡ 모두 흰 공 또는 모두 붉은 공 또는 모두 검은 공

> 풀이

모두 흰 공인 사건을 A, 모두 붉은 공인 사건을 B, 모두 검은 공인 사건을 C라 하면
$$\mathrm{P}(A)=\frac{{}_4\mathrm{C}_2}{{}_9\mathrm{C}_2},\ \mathrm{P}(B)=\frac{{}_3\mathrm{C}_2}{{}_9\mathrm{C}_2},\ \mathrm{P}(C)=\frac{{}_2\mathrm{C}_2}{{}_9\mathrm{C}_2}$$
이때 세 사건 A, B, C는 동시에 일어나지 않으므로 서로 배반사건이다.
따라서 구하는 확률은
$$\mathrm{P}(A\cup B\cup C)=\mathrm{P}(A)+\mathrm{P}(B)+\mathrm{P}(C)=\frac{{}_4\mathrm{C}_2}{{}_9\mathrm{C}_2}+\frac{{}_3\mathrm{C}_2}{{}_9\mathrm{C}_2}+\frac{{}_2\mathrm{C}_2}{{}_9\mathrm{C}_2}=\frac{6}{36}+\frac{3}{36}+\frac{1}{36}=\mathbf{\frac{5}{18}}$$

정답과 풀이 **18쪽**

유제 **163** 흰 공 2개, 검은 공 3개, 붉은 공 5개가 들어 있는 주머니에서 2개의 공을 동시에 꺼낼 때, 2개 모두 같은 색의 공이 나올 확률을 구하여라.

풍산자 비법

'또는'으로 연결되는 사건의 확률을 구할 때 확률의 덧셈정리가 사용된다.

- 일반적인 사건의 경우 ➔ $\mathrm{P}(A\cup B)=\mathrm{P}(A)+\mathrm{P}(B)-\mathrm{P}(A\cap B)$
- 배반사건의 경우 ➔ $\mathrm{P}(A\cup B)=\mathrm{P}(A)+\mathrm{P}(B)$

02 여사건의 확률

영희가 시험에 합격할 확률이 30 %라 하면 불합격할 확률은 70 %이다.
일반적으로 다음이 성립한다.

여사건의 확률 중요!

임의의 사건 A와 그 여사건 A^C에 대하여

$$\mathbf{P}(A^C)=1-\mathbf{P}(A)$$

| 증명 | 표본공간 S의 임의의 사건 A와 그 여사건 A^C에 대하여

$n(A)+n(A^C)=n(S)$

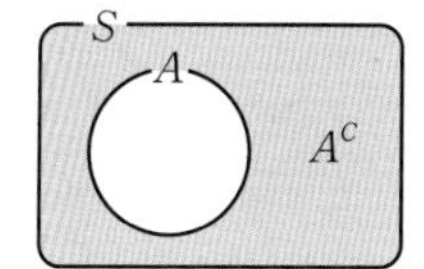

위의 식의 양변을 $n(S)$로 나누면 $\dfrac{n(A)}{n(S)}+\dfrac{n(A^C)}{n(S)}=1$

따라서 $\mathrm{P}(A)+\mathrm{P}(A^C)=1$이므로

$\mathrm{P}(A^C)=1-\mathrm{P}(A)$

大 원칙 '적어도 ~인' 사건의 확률 ➡ 여사건의 확률을 이용한다.

| 여사건의 확률 (1) |

164 **10개의 제비 중 3개의 당첨 제비가 들어 있는 상자에서 3개의 제비를 동시에 꺼낼 때, 적어도 한 개가 당첨 제비일 확률을 구하여라.**

풍산자日 ('적어도 ~인' 사건의 확률)$=1-$(반대인 사건의 확률)

> 풀이 '적어도 한 개가 당첨 제비인 사건'의 여사건은 '3개 모두 당첨 제비가 아닌 사건'이다.

3개 모두 당첨 제비가 아닐 확률은 $\dfrac{{}_7\mathrm{C}_3}{{}_{10}\mathrm{C}_3}=\dfrac{7}{24}$

따라서 적어도 한 개가 당첨 제비일 확률은 $1-\dfrac{7}{24}=\mathbf{\dfrac{17}{24}}$

정답과 풀이 19쪽

유제 **165** **8개의 제품 중 2개의 불량품이 들어 있는 상자에서 3개의 제품을 동시에 꺼낼 때, 적어도 한 개가 불량품일 확률을 구하여라.**

166 1부터 10까지의 자연수가 하나씩 적힌 10장의 카드가 있다. 이 중에서 2장의 카드를 동시에 뽑을 때, 카드에 적힌 두 수의 곱이 짝수일 확률을 구하여라.

풍산자日 어떤 사건의 경우의 수를 직접 구하는 것보다 여사건의 경우의 수를 구하는 것이 쉬울 때
➡ 여사건의 확률을 이용한다.

> 풀이 '두 수의 곱이 짝수인 사건'의 여사건은 '두 수의 곱이 홀수인 사건'이다.
두 수의 곱이 홀수일 확률은 두 수가 모두 홀수인 경우의 확률이므로

$$\frac{{}_5C_2}{{}_{10}C_2}=\frac{2}{9}$$

따라서 두 수의 곱이 짝수일 확률은 $1-\frac{2}{9}=\mathbf{\frac{7}{9}}$

(짝수)×(짝수)=(짝수)
(짝수)×(홀수)=(짝수)
(홀수)×(짝수)=(짝수)
(홀수)×(홀수)=(홀수)

정답과 풀이 **19쪽**

유제 **167** 1부터 20까지의 자연수가 하나씩 적힌 20장의 카드가 있다. 이 중에서 3장의 카드를 동시에 뽑을 때, 카드에 적힌 세 수의 곱이 짝수일 확률을 구하여라.

168 1부터 50까지의 자연수가 하나씩 적힌 50장의 카드가 있다. 이 중에서 한 장의 카드를 뽑을 때, 카드에 적힌 수가 4의 배수도 5의 배수도 아닐 확률을 구하여라.

풍산자日 $P(A^C\cap B^C)=P((A\cup B)^C)$ ➡ 여사건의 확률을 이용 ➡ $1-P(A\cup B)$

> 풀이 카드에 적힌 수가 4의 배수인 사건을 A, 5의 배수인 사건을 B라 하면
카드에 적힌 수가 4의 배수도 5의 배수도 아닐 확률은
$P(A^C\cap B^C)=P((A\cup B)^C)=1-P(A\cup B)$

이때 $P(A)=\frac{12}{50}$, $P(B)=\frac{10}{50}$, $P(A\cap B)=\frac{2}{50}$이므로

$P(A\cup B)=P(A)+P(B)-P(A\cap B)=\frac{12}{50}+\frac{10}{50}-\frac{2}{50}=\frac{2}{5}$

따라서 구하는 확률은 $1-\frac{2}{5}=\mathbf{\frac{3}{5}}$

정답과 풀이 **19쪽**

유제 **169** 1부터 20까지의 자연수가 하나씩 적힌 20장의 카드가 있다. 이 중에서 한 장의 카드를 뽑을 때, 카드에 적힌 수가 2의 배수도 3의 배수도 아닐 확률을 구하여라.

필수 확인 문제

* 더 많은 유형은 **풍산자필수유형 확률과 통계** 031쪽

정답과 풀이 19쪽

170

다음 설명 중 옳지 않은 것은?

(단, A, B는 표본공간 S에서의 사건이다.)

① $0 \le \mathrm{P}(A) \le 1$

② $\mathrm{P}(S)=1$

③ $\mathrm{P}(\varnothing)=0$

④ $\mathrm{P}(A \cup B)=\mathrm{P}(A)+\mathrm{P}(B)$

⑤ $\mathrm{P}(A)+\mathrm{P}(A^C)=1$

171

학생 9명의 혈액형을 조사하였더니 A형, B형, O형인 학생이 각각 2명, 3명, 4명이었다. 이 9명의 학생 중에서 임의로 2명을 동시에 뽑을 때, 혈액형이 같은 학생이 뽑힐 확률을 구하여라.

172

흰 공이 2개, 검은 공이 8개 들어 있는 주머니에서 2개의 공을 동시에 꺼낼 때, 적어도 한 개가 흰 공일 확률을 구하여라.

173

흰 바둑돌 7개와 검은 바둑돌 3개가 들어 있는 바둑통에서 3개의 바둑돌을 동시에 꺼낼 때, 흰 바둑돌이 2개 이하일 확률을 구하여라.

174

어느 학급의 학생 35명 중 대학수학능력시험 사회탐구 영역에서 한국 지리를 선택한 학생은 22명이고 세계 지리를 선택한 학생은 17명이다. 또, 한국 지리와 세계 지리 중 어느 것도 선택하지 않은 학생은 4명이다. 이 학급에서 임의로 한 명의 학생을 뽑을 때, 이 학생이 한국 지리와 세계 지리를 모두 선택한 학생일 확률을 구하여라.

175

사건 전체의 집합 S의 두 사건 A, B는 서로 배반사건이고, $A \cup B=S$, $\mathrm{P}(B)=3\mathrm{P}(A)$일 때, $\mathrm{P}(B)$의 값을 구하여라.

중단원 마무리

▶ 확률

확률의 정의	① 수학적 확률: $\mathrm{P}(A)=\frac{n(A)}{n(S)}=\frac{(\text{해당 경우})}{(\text{전체 경우})}$ ② 통계적 확률: 통계 조사를 해서 얻은 확률 ③ 기하학적 확률: $\mathrm{P}(A)=\frac{(\text{해당 영역의 크기})}{(\text{전체 영역의 크기})}$
확률의 성질	① 임의의 사건 A에 대하여 $0\le\mathrm{P}(A)\le1$ ② $\mathrm{P}(A)=1$이면 사건 A는 반드시 일어난다. ③ $\mathrm{P}(A)=0$이면 사건 A는 절대로 일어나지 않는다.

▶ 확률의 덧셈정리와 여사건의 확률

확률의 덧셈정리	$\mathrm{P}(A\cup B)=\mathrm{P}(A)+\mathrm{P}(B)-\mathrm{P}(A\cap B)$
여사건의 확률	$\mathrm{P}(A^C)=1-\mathrm{P}(A)$, '적어도 ~인' 하면 여사건의 확률을 이용한다.

▶ 배반사건, 여사건의 비교

	배반사건	여사건
정의	두 사건이 서로 배반사건: $A\cap B=\varnothing$	사건 A의 여사건: A^C
벤다이어그램	A, B	S, A, A^C
의미	두 사건이 동시에 일어나지 않는다.	사건 A가 일어나지 않는다.
확률	$\mathrm{P}(A\cup B)=\mathrm{P}(A)+\mathrm{P}(B)$	$\mathrm{P}(A^C)=1-\mathrm{P}(A)$

실전 연습문제

정답과 풀이 20쪽

STEP1

176
한 개의 주사위를 두 번 던져서 첫 번째 나오는 눈의 수를 a, 두 번째 나오는 눈의 수를 b라 하자. 이때 일차방정식 $ax-b=0$이 2 이상의 해를 가질 확률을 구하여라.

177
집합 $A=\{a_1, a_2, a_3, a_4, a_5, a_6\}$의 모든 부분집합 중에서 하나의 부분집합을 임의로 택할 때, a_1이 그 부분집합의 원소일 확률을 구하여라.

178
남학생 6명과 여학생 3명이 원탁에 둘러앉을 때, 어느 여학생끼리도 서로 이웃하지 않을 확률을 구하여라.

179
0, 1, 2, 3의 4개의 숫자에서 중복을 허락하여 3개의 숫자를 임의로 택해 세 자리의 정수를 만들 때, 어느 자리에도 숫자 3이 쓰이지 않은 정수일 확률을 구하여라.

180
어느 강의실에 15개의 좌석이 일렬로 놓여 있다. 5명이 이 좌석에 앉을 때 어느 누구도 서로 이웃하지 않게 앉을 확률을 구하여라.

181
10개의 제비가 들어 있는 주머니에서 2개의 제비를 꺼내어 보고 다시 넣는 시행을 반복하였더니 9번에 2번 꼴로 2개 모두 당첨 제비였다고 한다. 이때 주머니 속에 들어 있는 당첨 제비의 개수를 구하여라.

실전 연습문제

182

그림과 같이 한 원 위에 8개의 점이 같은 간격으로 놓여 있다. 이들 중 임의로 3개의 점을 택하여 삼각형을 만들 때, 직각삼각형이 될 확률을 구하여라.

183

두 사건 A, B에 대하여 $\mathrm{P}(A\cup B)=\frac{2}{3}$,

$\mathrm{P}(A\cap B^{C})=\mathrm{P}(A^{C}\cap B)=\frac{1}{6}$일 때, $\mathrm{P}(A\cap B)$의 값은? (단, A^{C}은 A의 여사건이다.)

① $\frac{1}{12}$　② $\frac{1}{6}$　③ $\frac{1}{4}$
④ $\frac{1}{3}$　⑤ $\frac{5}{12}$

184

8개의 문자 S, U, P, E, R, M, A, N을 일렬로 나열할 때, 적어도 한쪽 끝에 모음이 올 확률을 구하여라.

185

흰 공이 3개, 검은 공이 n개 들어 있는 주머니에서 2개의 공을 동시에 꺼낼 때, 적어도 한 개가 검은 공일 확률은 $\frac{7}{10}$이다. 이때 n의 값을 구하여라.

186

집합 $\{a, b, c\}$의 부분집합 중에서 중복을 허용하여 임의로 두 집합을 택하여 A, B라 할 때, $A\cap B=\varnothing$일 확률을 구하여라.

STEP 2

187

그림과 같이 1, 2, 3, 4, 5, 6의 숫자가 한 면에만 하나씩 적혀 있는 6장의 카드가 일렬로 놓여 있다. 주사위 한 개를 던져서 나온 눈의 수가 2 이하이면 가장 작은 숫자가 적혀 있는 카드 1장을 뒤집고, 3 이상이면 가장 작은 숫자가 적혀 있는 카드부터 차례로 2장의 카드를 뒤집는 시행을 한다. 3번째 시행에서 4가 적혀 있는 카드가 뒤집어질 확률을 구하여라.

(단, 모든 카드는 한 번만 뒤집는다.)

188

그림과 같이 8등분한 원판의 각 영역에 1부터 8까지의 자연수가 하나씩 적혀 있다. 이 원판을 회전시킨 후 화살을 2번 쏘았을 때, 화살이 꽂힌 영역에 적힌 두 수의 차가 3보다 클 확률을 구하여라. (단, 화살은 반드시 원판 내부에 꽂히며, 경계선에 꽂히지 않는다.)

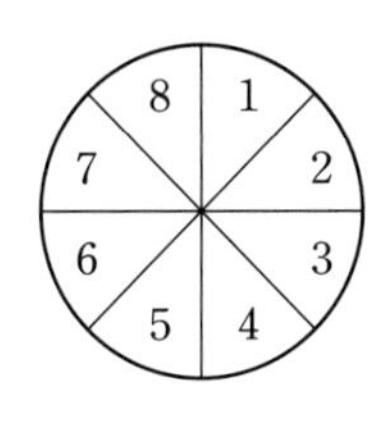

189

1학년 4명, 2학년 3명, 3학년 2명이 모인 어느 모임에서 학생들은 자신과 학년이 다른 모든 학생들과 악수를 하였다. 이 모임에서 임의로 3명의 학생을 택했을 때, 3명이 모두 서로 악수를 나눈 사람일 확률을 구하여라.

190

한 개의 주사위를 두 번 던질 때, 나오는 눈의 수를 차례로 m, n이라 하자. $i^m \times (-i)^n$의 값이 1이 될 확률을 구하여라. (단, $i=\sqrt{-1}$)

191

상자 A에는 흰 공 10개가 들어 있고, 상자 B에는 검은 공 10개가 들어 있다.
다음과 같이 [실행 1]부터 [실행 3]까지 할 때, 상자 B의 흰 공의 개수가 홀수일 확률을 구하여라.

[실행 1] 상자 A에서 임의로 2개의 공을 동시에 꺼내어 상자 B에 넣는다.
[실행 2] 상자 B에서 임의로 2개의 공을 동시에 꺼내어 상자 A에 넣는다.
[실행 3] 상자 A에서 임의로 2개의 공을 동시에 꺼내어 상자 B에 넣는다.

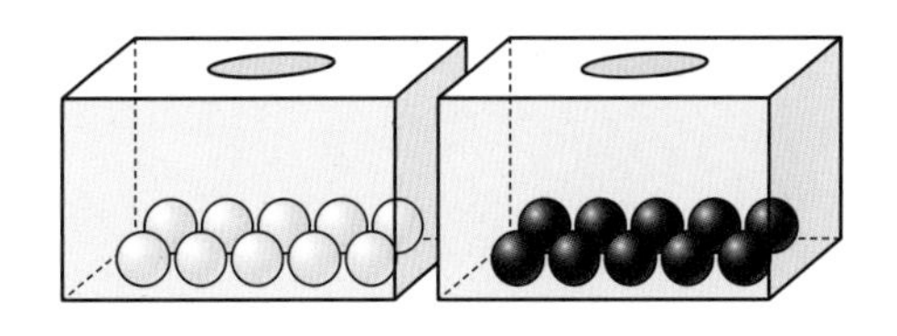

192

그림과 같이 한 모서리의 길이가 1인 정육면체의 꼭짓점 중에서 임의로 두 점을 택할 때, 두 점을 이은 선분의 길이가 $\frac{3}{2}$보다 클 확률을 구하여라.

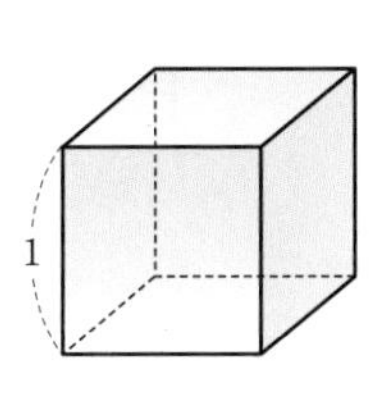

2 조건부확률

두 사건 A, B에 대하여 사건 B가 일어날 확률과
사건 A가 일어났다고 가정할 때, 사건 B가 일어날 확률은 다르다.
뒤의 것이 조건부확률이다.

1 조건부확률

$$\mathrm{P}(B|A)=\frac{\mathrm{P}(A\cap B)}{\mathrm{P}(A)}$$

2 사건의 독립과 종속

$$\mathrm{P}(B|A)=\mathrm{P}(B|A^{C})=\mathrm{P}(B)$$

$$\mathrm{P}(B|A)\neq\mathrm{P}(B|A^{C})$$

1 조건부확률

01 조건부확률

오른쪽 표는 어느 학교의 2학년 1반과 2반의 남녀 분포를 나타낸 것이다. 다음과 같은 질문을 생각해 보자.

	남	여	합계
1반	10	30	40
2반	20	40	60
합계	30	70	100

- 이 학교에서 한 명을 뽑을 때, 1반의 남학생일 확률은?
- 임의로 뽑은 한 명의 학생이 1반일 때, 그 학생이 남학생일 확률은?

첫 번째 질문은 전체 학생 중 1반의 남학생의 비율을 물었고, 두 번째 질문은 1반의 학생 중 1반의 남학생의 비율을 물었다.

확률을 $\dfrac{(\text{해당 경우})}{(\text{전체 경우})}$로 생각할 때, 두 질문의 (해당 경우)는 서로 같지만 (전체 경우)는 다르다. 즉, 표본공간이 다르다.

이처럼 조건이 주어져 새로운 표본공간이 나타나는 경우의 확률에 대해 알아보자.

조건부확률 중요!

두 사건 A, B에 대하여 확률이 0이 아닌 **사건 A가 일어났다고 가정할 때, 사건 B가 일어날 확률**을 사건 A가 일어났을 때의 사건 B의 조건부확률이라 하고, $\mathrm{P}(B|A)$로 나타낸다. 이때 $\mathrm{P}(B|A)$는 다음과 같다.

$$\mathbf{P}(B|A)=\frac{\mathbf{P}(A\cap B)}{\mathbf{P}(A)}\ (\text{단, } \mathrm{P}(A)>0)$$

| 설명 | $\mathrm{P}(A)$와 $\mathrm{P}(A\cap B)$는 표본공간 S에 대하여 각각 사건 A와 사건 $A\cap B$가 일어날 확률이다.
그러나 조건부확률 $\mathrm{P}(B|A)$에서는 표본공간을 A로 축소하여 새로운 표본공간으로 생각한다.
즉, $\mathrm{P}(B|A)$는 A를 새로운 표본공간으로 생각하였을 때 B가 일어날 확률을 의미한다.

$\mathrm{P}(A)=\dfrac{n(A)}{n(S)}$	$\mathrm{P}(A\cap B)=\dfrac{n(A\cap B)}{n(S)}$	$\mathrm{P}(B\|A)=\dfrac{n(A\cap B)}{n(A)}$
전체에서 A의 비율	전체에서 $A\cap B$의 비율	A 안에서 B의 비율
S, A, B	S, A, B	S, A, B

$$\therefore \mathrm{P}(B|A)=\frac{n(A\cap B)}{n(A)}=\frac{\frac{n(A\cap B)}{n(S)}}{\frac{n(A)}{n(S)}}=\frac{\mathrm{P}(A\cap B)}{\mathrm{P}(A)}$$

193 두 사건 A, B에 대하여 $\mathrm{P}(A)=0.5$, $\mathrm{P}(B)=0.7$, $\mathrm{P}(B|A)=0.4$일 때, $\mathrm{P}(A|B)$를 구하여라.

풍산자日 먼저 $\mathrm{P}(B|A)=\dfrac{\mathrm{P}(A\cap B)}{\mathrm{P}(A)}$를 이용하여 $\mathrm{P}(A\cap B)$를 구한다.

➡ $\mathrm{P}(A|B)=\dfrac{\mathrm{P}(A\cap B)}{\mathrm{P}(B)}$를 이용한다.

> 풀이 (i) $\mathrm{P}(B|A)=\dfrac{\mathrm{P}(A\cap B)}{\mathrm{P}(A)}$에서 $0.4=\dfrac{\mathrm{P}(A\cap B)}{0.5}$

$\therefore \mathrm{P}(A\cap B)=0.2$

(ii) $\mathrm{P}(A|B)=\dfrac{\mathrm{P}(A\cap B)}{\mathrm{P}(B)}=\dfrac{0.2}{0.7}=\dfrac{2}{7}$

정답과 풀이 23쪽

유제 **194** 두 사건 A, B에 대하여 $\mathrm{P}(A)=0.2$, $\mathrm{P}(B)=0.3$, $\mathrm{P}(B|A)=0.5$일 때, $\mathrm{P}(A|B)$를 구하여라.

195 한 개의 주사위를 던져서 홀수의 눈이 나왔을 때, 그것이 소수일 확률을 구하여라.

풍산자日 $\mathrm{P}(B|A)$ ➡ A라는 조건하에 B의 확률 ➡ A 안에서의 $A\cap B$의 비율

> 풀이 홀수의 눈이 나오는 사건을 A, 소수의 눈이 나오는 사건을 B라 하면

$A=\{1, 3, 5\}$, $B=\{2, 3, 5\}$, $A\cap B=\{3, 5\}$

따라서 홀수의 눈이 나왔을 때, 그것이 소수일 확률은

$$\mathrm{P}(B|A)=\frac{\mathrm{P}(A\cap B)}{\mathrm{P}(A)}=\frac{\frac{2}{6}}{\frac{3}{6}}=\frac{2}{3}$$

> 다른 풀이 홀수의 눈이 나오는 경우는 1, 3, 5로 3가지이고, 이 중에서 소수인 경우는 3, 5로 2가지 이므로

$$\mathrm{P}(B|A)=\frac{n(A\cap B)}{n(A)}=\frac{2}{3}$$

정답과 풀이 23쪽

유제 **196** 한 개의 주사위를 던져서 6의 약수의 눈이 나왔을 때, 그것이 짝수일 확률을 구하여라.

197 오른쪽 표는 두 방과 후 수업 A, B를 신청한 학생 50명에 대하여 남녀의 수를 조사한 것이다. 이 중에서 임의로 한 명을 뽑았더니 여학생이었을 때, 그 사람이 방과 후 수업 A를 신청한 학생일 확률을 구하여라.

	남	여	계
A	12	8	20
B	18	12	30
계	30	20	50

풍산자日 사건 A가 일어났다는 조건 하에서 사건 B가 일어날 확률 ➡ $\mathrm{P}(B|A)$를 구한다.

> 풀이

임의로 뽑은 한 명이 방과 후 수업 A를 신청한 사건을 A, 여학생인 사건을 F라 하면

$\mathrm{P}(A\cap F)=\frac{8}{50}$, $\mathrm{P}(F)=\frac{20}{50}$

따라서 구하는 확률은 $\mathrm{P}(A|F)=\frac{\mathrm{P}(A\cap F)}{\mathrm{P}(F)}=\frac{\frac{8}{50}}{\frac{20}{50}}=\mathbf{\frac{2}{5}}$

정답과 풀이 23쪽

유제 **198** 오른쪽 표는 어느 고등학교 학생 60명을 대상으로 수학과 영어 중 선호하는 과목을 조사한 것이다. 60명의 학생 중 임의로 뽑은 한 학생이 여학생일 때, 수학을 선호할 확률을 구하여라.

	수학	영어	합계
남학생	18	14	32
여학생	12	16	28
합계	30	30	60

199 어느 고등학교 학생 중 50 %는 남학생이고, 안경을 쓴 남학생은 전체의 30 %이다. 이 고등학교 학생 중 임의로 뽑은 한 학생이 남학생이었을 때, 그 학생이 안경을 쓴 학생일 확률을 구하여라.

풍산자日 '~일 때 ~일 확률' 하면 ➡ 조건부확률을 생각한다.

> 풀이

남학생을 뽑는 사건을 A, 안경을 쓴 학생을 뽑는 사건을 B라 하면
안경을 쓴 남학생을 뽑는 사건은 $A\cap B$이므로

$\mathrm{P}(A)=\frac{50}{100}$, $\mathrm{P}(A\cap B)=\frac{30}{100}$

따라서 임의로 뽑은 한 학생이 남학생이었을 때, 그 학생이 안경을 쓴 학생일 확률은

$\mathrm{P}(B|A)=\frac{\mathrm{P}(A\cap B)}{\mathrm{P}(A)}=\frac{\frac{30}{100}}{\frac{50}{100}}=\mathbf{\frac{3}{5}}$

정답과 풀이 23쪽

유제 **200** 어느 고등학교에서 학생들의 혈액형을 조사해 보니 A형이 전체의 32 %이었고, A형인 여학생은 전체의 16 %이었다. 이 고등학교 학생 중 임의로 뽑은 한 학생의 혈액형이 A형이었을 때, 그 학생이 여학생일 확률을 구하여라.

02 확률의 곱셈정리

조건부확률 $\mathrm{P}(B|A)=\dfrac{\mathrm{P}(A\cap B)}{\mathrm{P}(A)}$를 살짝 건드리면 다음과 같은 식이 나온다.

이른바 $A\cap B$의 확률을 계산하는 곱셈정리.

확률의 곱셈정리

두 사건 A, B에 대하여 $\mathrm{P}(A)>0$, $\mathrm{P}(B)>0$일 때, 사건 $A\cap B$가 일어날 확률은

$$\mathbf{P}(\boldsymbol{A}\cap\boldsymbol{B})=\mathbf{P}(\boldsymbol{A})\mathbf{P}(\boldsymbol{B}|\boldsymbol{A})=\mathbf{P}(\boldsymbol{B})\mathbf{P}(\boldsymbol{A}|\boldsymbol{B})$$

| 설명 | $\mathrm{P}(A)>0$, $\mathrm{P}(B)>0$일 때, 조건부확률 $\mathrm{P}(B|A)$, $\mathrm{P}(A|B)$에 대하여

$\mathrm{P}(B|A)=\dfrac{\mathrm{P}(A\cap B)}{\mathrm{P}(A)}$, $\mathrm{P}(A|B)=\dfrac{\mathrm{P}(A\cap B)}{\mathrm{P}(B)}$

이므로 다음이 성립한다.

$\mathrm{P}(A\cap B)=\mathrm{P}(A)\mathrm{P}(B|A)=\mathrm{P}(B)\mathrm{P}(A|B)$

| 참고 | 확률의 덧셈정리는 합사건 $A\cup B$의 확률을 계산하는 공식이고, 확률의 곱셈정리는 곱사건 $A\cap B$의 확률을 계산하는 공식이다.

- 확률의 덧셈정리: $\mathrm{P}(A\cup B)=\mathrm{P}(A)+\mathrm{P}(B)-\mathrm{P}(A\cap B)$
- 확률의 곱셈정리: $\mathrm{P}(A\cap B)=\mathrm{P}(A)\mathrm{P}(B|A)$

| 개념확인 | 10개의 초콜릿 중 6개는 땅콩이 들어 있고 4개는 아몬드가 들어 있다. 이 중에서 두 개를 차례로 먹을 때, 첫 번째는 땅콩이 들어 있는 초콜릿을, 두 번째는 아몬드가 들어 있는 초콜릿을 먹을 확률을 구하여라. (단, 초콜릿에는 땅콩과 아몬드 중 한 가지만 들어 있다.)

> 풀이 [방법1] 땅콩을 먹고, 그 후 아몬드를 먹는다.

땅콩을 먹을 확률은 $\dfrac{6}{10}$이고, 아몬드를 먹을 확률은 $\dfrac{4}{9}$이다.

따라서 구하는 확률은 $\dfrac{6}{10}\times\dfrac{4}{9}=\mathbf{\dfrac{4}{15}}$

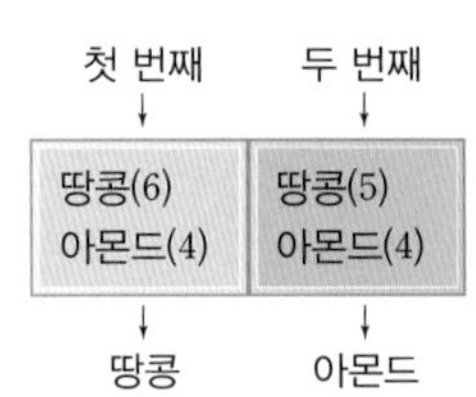

[방법2] 땅콩을 먹는 사건을 A, 그 후 아몬드를 먹는 사건을 B라 하면 구하는 확률은 $\mathrm{P}(A\cap B)$

$\therefore\ \mathrm{P}(A\cap B)=\underline{\mathrm{P}(A)}\ \underline{\mathrm{P}(B|A)}=\dfrac{6}{10}\times\dfrac{4}{9}=\mathbf{\dfrac{4}{15}}$

(땅콩을 먹을 확률) (땅콩을 먹었다는 가정 하에 아몬드를 먹을 확률)

여기서 잠깐. [방법1]과 [방법2] 중 어느게 좋을까?

당연히 [방법1]. 기호는 같은 얘기를 헷갈리게만 할 뿐.

그러나 곱셈정리를 통하여 왜 곱하는지에 대한 엄밀한 이해를 할 수 있다.

201 흰 공 6개, 검은 공 4개가 들어 있는 주머니에서 임의로 한 개씩 2개의 공을 꺼낼 때, 2개 모두 흰 공일 확률을 구하여라. (단, 꺼낸 공은 다시 넣지 않는다.)

풍산자日 두 사건 A, B가 동시에 일어날 확률 ➡ $\mathrm{P}(A\cap B)=\mathrm{P}(A)\mathrm{P}(B|A)=\mathrm{P}(B)\mathrm{P}(A|B)$

> 풀이 첫 번째에 흰 공이 나오는 사건을 A, 두 번째에 흰 공이 나오는 사건을 B라 하면

첫 번째에 흰 공을 꺼낼 확률은 $\mathrm{P}(A)=\frac{6}{10}$

첫 번째에 흰 공을 꺼냈을 때, 두 번째에 흰 공을 꺼낼 확률은 $\mathrm{P}(B|A)=\frac{5}{9}$

따라서 구하는 확률은 $\mathrm{P}(A\cap B)=\mathrm{P}(A)\mathrm{P}(B|A)=\frac{6}{10}\times\frac{5}{9}=\mathbf{\frac{1}{3}}$

정답과 풀이 23쪽

유제 **202** 뒷면이 파란색인 카드 3장과 뒷면이 노란색인 카드 5장 중에서 뒷면이 노란색인 카드를 선택하면 탈락하는 게임이 있다. 갑, 을의 순서로 임의로 1개씩 뒤집을 때, 두 사람 모두 탈락할 확률을 구하여라. (단, 뒤집은 카드는 그대로 둔다.)

203 어떤 야구팀은 비가 내릴 때 경기에서 이길 확률이 0.5이고, 비가 내리지 않을 때 경기에서 이길 확률이 0.7이라 한다. 내일 비가 내릴 확률이 0.2일 때, 이 팀이 내일 경기에서 이길 확률을 구하여라.

풍산자日 확률이 0이 아닌 두 사건 A, E에 대하여 두 사건 $A\cap E$와 $A^C\cap E$는 서로 배반사건.

즉, $E=(A\cap E)\cup(A^C\cap E)$와 확률의 덧셈정리에 의하여

$\mathrm{P}(E)=\mathrm{P}(A\cap E)+\mathrm{P}(A^C\cap E)$

> 풀이 내일 비가 내리는 사건을 A, 내일 경기에서 이기는 사건을 E라 하면

내일 비가 내리지 않는 사건은 A^C이므로

$\mathrm{P}(A)=0.2$, $\mathrm{P}(A^C)=0.8$, $\mathrm{P}(E|A)=0.5$, $\mathrm{P}(E|A^C)=0.7$

따라서 구하는 확률은

$\mathrm{P}(E)=\mathrm{P}(A\cap E)+\mathrm{P}(A^C\cap E)=\mathrm{P}(A)\mathrm{P}(E|A)+\mathrm{P}(A^C)\mathrm{P}(E|A^C)$

$=0.2\times0.5+0.8\times0.7=\mathbf{0.66}$

정답과 풀이 23쪽

유제 **204** 어떤 의사가 암에 걸린 사람을 암에 걸렸다고 진단할 확률은 90%이고, 암에 걸리지 않은 사람을 암에 걸렸다고 오진할 확률은 5%이다. 암에 걸린 사람의 비율이 20%인 집단에서 임의로 한 사람을 택하여 이 의사가 진단했을 때, 그 사람을 암에 걸렸다고 진단할 확률을 구하여라.

205 어느 회사에서는 같은 제품을 두 공장 A와 B에서 생산하는데 A공장과 B공장의 생산량은 각각 전체 제품의 30%와 70%이고, 불량률은 각각 2%와 5%라 한다. 두 공장에서 생산된 제품 중 한 개를 임의로 택할 때, 다음을 구하여라.

(1) 그 제품이 불량품일 확률

(2) 그 제품이 불량품일 때, A공장에서 생산되었을 확률

풍산자日 (제품이 불량일 확률)=(A공장에서 불량품이 나올 확률)+(B공장에서 불량품이 나올 확률)

> 풀이 두 공장 A와 B에서 생산된 제품인 사건을 각각 A, B라 하고, 제품이 불량품인 사건을 E라 하면

$\mathrm{P}(A)=0.3$, $\mathrm{P}(B)=0.7$, $\mathrm{P}(E|A)=0.02$, $\mathrm{P}(E|B)=0.05$

(1) 두 공장에서 생산된 제품 중 한 개를 선택할 때, 그 제품이 불량품일 확률은

(i) A공장에서 생산된 제품 중 불량품인 사건은 $A\cap E$이고 확률은

$\mathrm{P}(A\cap E)=\mathrm{P}(A)\mathrm{P}(E|A)=0.3\times0.02=0.006$

(ii) B공장에서 생산된 제품 중 불량품인 사건은 $B\cap E$이고 확률은

$\mathrm{P}(B\cap E)=\mathrm{P}(B)\mathrm{P}(E|B)=0.7\times0.05=0.035$

따라서 (i), (ii)가 서로 배반사건이므로 구하는 확률은

$\mathrm{P}(E)=\mathrm{P}(A\cap E)+\mathrm{P}(B\cap E)$

$=0.006+0.035=\mathbf{0.041}$

(2) 선택된 제품이 불량품이었을 때, A공장에서 생산되었을 확률은

$$\mathrm{P}(A|E)=\frac{\mathrm{P}(A\cap E)}{\mathrm{P}(E)}=\frac{0.006}{0.041}=\mathbf{\frac{6}{41}}$$

정답과 풀이 **23**쪽

유제 **206** 주머니 A에는 딸기맛 사탕 6개와 레몬맛 사탕 4개가 들어 있고, 주머니 B에는 딸기맛 사탕 3개와 레몬맛 사탕 5개가 들어 있다. 한 주머니를 임의로 선택하여 꺼낸 사탕이 레몬맛이었을 때, 그 사탕이 주머니 A에 들어 있던 사탕일 확률을 구하여라.

풍산자 비법

조건부확률만 잘 알고 있으면 확률의 곱셈정리는 거저먹기.

- $\mathrm{P}(B|A)=\frac{\mathrm{P}(A\cap B)}{\mathrm{P}(A)}$ ➜ $\mathrm{P}(A\cap B)=\mathrm{P}(A)\mathrm{P}(B|A)$
- $\mathrm{P}(A|B)=\frac{\mathrm{P}(A\cap B)}{\mathrm{P}(B)}$ ➜ $\mathrm{P}(A\cap B)=\mathrm{P}(B)\mathrm{P}(A|B)$

필수 확인 문제

* 더 많은 유형은 **풍산자필수유형 확률과 통계** 044쪽

정답과 풀이 24쪽

207

표본공간 S의 두 사건 A, B에 대하여 $\mathrm{P}(A)=\frac{1}{3}$, $\mathrm{P}(B)=\frac{1}{2}$, $\mathrm{P}(A\cup B)=\frac{3}{4}$일, 때 $\mathrm{P}(B|A)$의 값을 구하여라.

208

어느 수험생이 1차 시험에 합격할 확률이 $\frac{1}{5}$이고, 1차와 2차 시험에 모두 합격할 확률이 $\frac{1}{20}$이다. 이 수험생이 1차 시험에 합격하였을 때, 2차 시험에 합격할 확률을 구하여라.

209

A주머니에는 흰 공 2개, 검은 공 3개가 들어 있고, B주머니에는 흰 공 3개, 검은 공 3개가 들어 있다. 두 주머니 중 하나를 선택한 후 선택한 주머니에서 한 개의 공을 꺼냈더니 흰 공이었다. 이 공이 A주머니에서 나왔을 확률을 구하여라. (단, 주머니 A, B를 선택할 확률은 각각 $\frac{2}{3}$, $\frac{1}{3}$이다.)

210

한 가지 제품만을 생산하는 어느 공장에서 세 개의 생산 라인 A, B, C는 각각 전체 제품의 50 %, 30 %, 20 %를 생산하고, 그중 각각 1 %, 3 %, 2 %는 불량품이라 한다. 이 공장의 제품 중 임의로 하나를 뽑아 검사하니 불량품이었을 때, 이 제품이 A생산 라인에서 생산되었을 확률을 구하여라.

211

어느 학급 학생 30명은 다음 표와 같이 배드민턴과 탁구 중에서 한 종목을 선택하여 수업을 받는다고 한다. 이 학급 학생 중에서 임의로 택한 한 명이 배드민턴 수업을 받는다고 할 때, 그 학생이 남학생일 확률을 구하여라.

	배드민턴	탁구
여학생 수	9	6
남학생 수	11	4

212

어느 마을에서 비가 올 확률을 조사해 보니, 비가 온 다음 날에 비가 올 확률은 $\frac{1}{3}$이고, 비가 오지 않은 날의 다음 날에 비가 올 확률은 $\frac{1}{4}$이라 한다. 이 지역에서 월요일에 비가 왔을 때, 같은 주 목요일에 비가 올 확률을 구하여라.

2 사건의 독립과 종속

01 사건의 독립과 종속

한 개의 주사위를 던져서 짝수의 눈이 나오는 사건을 A, 1 또는 2의 눈이 나오는 사건을 B라 하면 $A=\{2, 4, 6\}$, $B=\{1, 2\}$, $A\cap B=\{2\}$, $A^C\cap B=\{1\}$이므로

$$\mathrm{P}(B|A)=\frac{\mathrm{P}(B\cap A)}{\mathrm{P}(A)}=\frac{\frac{1}{6}}{\frac{1}{2}}=\frac{1}{3}=\mathrm{P}(B),\ \mathrm{P}(B|A^C)=\frac{\mathrm{P}(B\cap A^C)}{\mathrm{P}(A^C)}=\frac{\frac{1}{6}}{\frac{1}{2}}=\frac{1}{3}=\mathrm{P}(B)$$

위의 두 수식의 의미는 사건 A가 일어나든 말든 사건 B가 일어날 확률은 똑같다는 것.

사건의 독립과 종속

(1) **독립**: 두 사건 A, B에 대하여 사건 A가 일어나거나 일어나지 않는 것이 사건 B가 일어날 확률에 **영향을 주지 않을 때**, 사건 A와 B는 서로 **독립**이라 한다. 즉

$$\mathbf{P}(B|A)=\mathbf{P}(B|A^C)=\mathbf{P}(B)$$

(2) **종속**: 두 사건 A, B에 대하여 사건 A가 일어나거나 일어나지 않는 것이 사건 B가 일어날 확률에 **영향을 줄 때**, 사건 A와 B는 서로 **종속**이라 한다. 즉

$$\mathbf{P}(B|A)\neq\mathbf{P}(B|A^C)$$

| 설명 | 독립인 사건이란 서로 영향을 주지 않는 사건이고, 종속인 사건이란 서로 영향을 주는 사건이다.
두 사건 A, B가 서로 독립이면 A^C과 B, A와 B^C, A^C과 B^C도 각각 서로 독립이다.

독립인 사건의 곱셈정리 중요!

두 사건 A, B가 서로 독립이기 위한 필요충분조건은

$$\mathbf{P}(A\cap B)=\mathbf{P}(A)\mathbf{P}(B)\ (\text{단, } \mathrm{P}(A)>0,\ \mathrm{P}(B)>0)$$

| 설명 | 두 사건 A, B가 서로 독립일 때, $\mathrm{P}(B|A)=\mathrm{P}(B)$이므로

$\mathrm{P}(A\cap B)=\mathrm{P}(A)\mathrm{P}(B|A)=\mathrm{P}(A)P(B)$

교집합이 군더더기 없이 곱하기로 변한다는 이른바 독립인 사건의 곱셈정리.

대부분의 독립인 사건의 문제는 이 식으로 처리된다.

독립, 종속에 대한 문제를 만나면 일단 $\mathrm{P}(A\cap B)=\mathrm{P}(A)\mathrm{P}(B)$가 성립하는지부터 따져 본다.

大 원칙 | 두 사건 A, B가 서로 독립
➡ $\mathrm{P}(B|A)=\mathrm{P}(B|A^C)=\mathrm{P}(B)$
➡ A가 일어나든 일어나지 않든 B의 확률은 불변.
➡ 독립일 때는 바(|) 뒷부분을 지울 수 있다.

한걸음 더

두 사건 A, B가 서로 독립이면 A^C과 B, A와 B^C, A^C과 B^C도 각각 서로 독립

(1) 두 사건 A, B가 서로 독립일 때, **A^C과 B도 서로 독립**이다.

$\mathrm{P}(A^C\cap B)=\mathrm{P}(B-A)=\mathrm{P}(B)-\mathrm{P}(A\cap B)=\mathrm{P}(B)-\mathrm{P}(A)\mathrm{P}(B)$
$=\mathrm{P}(B)\{1-\mathrm{P}(A)\}=\mathrm{P}(B)\mathrm{P}(A^C)$

즉, $\mathrm{P}(A^C\cap B)=\mathrm{P}(A^C)\mathrm{P}(B)$이므로 두 사건 A^C과 B는 서로 독립이다.

(2) 두 사건 A, B가 서로 독립일 때, **A와 B^C도 서로 독립**이다.

$\mathrm{P}(A\cap B^C)=\mathrm{P}(A-B)=\mathrm{P}(A)-\mathrm{P}(A\cap B)=\mathrm{P}(A)-\mathrm{P}(A)\mathrm{P}(B)$
$=\mathrm{P}(A)\{1-\mathrm{P}(B)\}=\mathrm{P}(A)\mathrm{P}(B^C)$

즉, $\mathrm{P}(A\cap B^C)=\mathrm{P}(A)\mathrm{P}(B^C)$이므로 두 사건 A와 B^C은 서로 독립이다.

(3) 두 사건 A, B가 서로 독립일 때, **A^C과 B^C도 서로 독립**이다.

$\mathrm{P}(A^C\cap B^C)=\mathrm{P}((A\cup B)^C)=1-\mathrm{P}(A\cup B)$
$=1-\{\mathrm{P}(A)+\mathrm{P}(B)-\mathrm{P}(A\cap B)\}$
$=1-\mathrm{P}(A)-\mathrm{P}(B)+\mathrm{P}(A)\mathrm{P}(B)$
$=\{1-\mathrm{P}(A)\}\{1-\mathrm{P}(B)\}=\mathrm{P}(A^C)\mathrm{P}(B^C)$

즉, $\mathrm{P}(A^C\cap B^C)=\mathrm{P}(A^C)\mathrm{P}(B^C)$이므로 두 사건 A^C과 B^C은 서로 독립이다.

배반사건과 독립의 비교

배반사건과 독립은 어투가 비슷할 뿐 의미는 전혀 다르다.
여기서 한번 확실하게 정리해 두자.

	배반사건	독립
정의	$A\cap B=\varnothing$	$\mathrm{P}(B\mid A)=\mathrm{P}(B\mid A^C)=\mathrm{P}(B)$
의미	동시에 일어나지 않는다.	서로 영향을 주지 않는다.
덧셈정리와 곱셈정리	$\mathrm{P}(A\cup B)=\mathrm{P}(A)+\mathrm{P}(B)$	$\mathrm{P}(A\cap B)=\mathrm{P}(A)\mathrm{P}(B)$
판단 방법	$A\cap B=\varnothing$이면 두 사건 A, B는 서로 배반사건이다.	$\mathrm{P}(A\cap B)=\mathrm{P}(A)\mathrm{P}(B)$이면 두 사건 A, B는 서로 독립이다.

[예] 오전 7시 정각에 내가 세수를 하는 사건과 대통령이 밥을 먹을 사건
➡ 영향을 주지는 않지만 동시에 일어날 수는 있다.
➡ 독립이지만 배반사건은 아니다.

배반사건과 독립은 비슷한 게 아니라 오히려 적대적이다.
다음과 같은 의외의 정리가 성립한다.

두 사건 A, B에 대하여 $\mathrm{P}(A)\neq 0$, $\mathrm{P}(B)\neq 0$일 때
(1) 두 사건 A, B가 서로 배반사건이면 A, B는 서로 독립이 아니다.
(2) 두 사건 A, B가 서로 독립이면 A, B는 서로 배반사건이 아니다.

| 증명 | 위의 정리 (1), (2)는 대우 관계이므로 (1)만 증명하면 된다.
두 사건 A, B가 서로 배반사건이면 $A\cap B=\varnothing$ $\quad\therefore \mathrm{P}(A\cap B)=0$
그런데 $\mathrm{P}(A)\neq 0$, $\mathrm{P}(B)\neq 0$이므로 $\mathrm{P}(A)P(B)\neq 0$
$\therefore \mathrm{P}(A\cap B)\neq \mathrm{P}(A)\mathrm{P}(B)$ ➡ 다르므로 독립이 아니다.

213 한 개의 주사위를 던져서 홀수의 눈이 나오는 사건을 A, 3 또는 4의 눈이 나오는 사건을 B, 소수의 눈이 나오는 사건을 C라 할 때, 다음 두 사건이 서로 독립인지 종속인지 말하여라.

(1) 사건 A와 B (2) 사건 A와 C (3) 사건 B와 C

풍산자日 두 사건 A, B의 독립과 종속을 판정하려면 $P(A\cap B)=P(A)P(B)$가 성립하는지만 알아보면 된다.

> 풀이 $A=\{1, 3, 5\}$, $B=\{3, 4\}$, $C=\{2, 3, 5\}$이므로

$A\cap B=\{3\}$, $A\cap C=\{3, 5\}$, $B\cap C=\{3\}$

(1) $P(A)=\frac{1}{2}$, $P(B)=\frac{1}{3}$, $P(A\cap B)=\frac{1}{6}$이므로 $P(A\cap B)=P(A)P(B)$

따라서 두 사건 A와 B는 서로 **독립**이다.

(2) $P(A)=\frac{1}{2}$, $P(C)=\frac{1}{2}$, $P(A\cap C)=\frac{1}{3}$이므로 $P(A\cap C)\neq P(A)P(C)$

따라서 두 사건 A와 C는 서로 **종속**이다.

(3) $P(B)=\frac{1}{3}$, $P(C)=\frac{1}{2}$, $P(B\cap C)=\frac{1}{6}$이므로 $P(B\cap C)=P(B)P(C)$

따라서 두 사건 B와 C는 서로 **독립**이다.

정답과 풀이 25쪽

유제 **214** 1부터 10까지의 자연수가 하나씩 적힌 10장의 카드 중에서 한 장의 카드를 뽑을 때, 카드에 적힌 수가 짝수인 사건을 A, 5의 배수인 사건을 B라 하자. 이때 두 사건 A와 B는 서로 독립인지 종속인지 말하여라.

215 두 사건 A, B가 서로 독립이고 $P(A)=\frac{1}{3}$, $P(A\cup B)=\frac{4}{5}$일 때, $P(B^C)$을 구하여라.

풍산자日 두 사건 A, B가 서로 독립이면 확률의 덧셈정리를 다음과 같이 변형할 수 있다.

$P(A\cup B)=P(A)+P(B)-P(A\cap B)=P(A)+P(B)-P(A)P(B)$

> 풀이 두 사건 A, B가 서로 독립이므로 $P(A\cup B)=P(A)+P(B)-P(A)P(B)$

$\frac{4}{5}=\frac{1}{3}+P(B)-\frac{1}{3}P(B)$, $\frac{2}{3}P(B)=\frac{7}{15}$ $\therefore P(B)=\frac{7}{10}$

$\therefore P(B^C)=1-P(B)=1-\frac{7}{10}=\mathbf{\frac{3}{10}}$

정답과 풀이 25쪽

유제 **216** 두 사건 A, B가 서로 독립이고 $P(A)=0.5$, $P(B)=0.6$일 때, $P(A\cup B)$를 구하여라.

217 **어떤 시험에 A, B, C가 합격할 확률이 각각 $\frac{1}{3}$, $\frac{2}{5}$, $\frac{1}{2}$일 때, 다음을 구하여라.**

(1) 3명이 모두 합격할 확률

(2) 2명만 합격할 확률

(3) 적어도 한 사람이 합격할 확률

풍산자日 한 사람이 합격하는 사건은 다른 사람이 합격하는 사건에 영향을 주지 않으므로 각 사람이 합격하는 사건은 서로 독립이다.
또한, 세 사건 A, B, C가 서로 독립이면 A^C, B^C, C^C도 서로 독립이다.

> 풀이 (1) 3명이 모두 합격할 확률은 $\frac{1}{3}\times\frac{2}{5}\times\frac{1}{2}=\mathbf{\frac{1}{15}}$

(2) 2명만 합격하는 경우는 1명이 불합격하는 경우이므로 다음 세 가지가 있다.

(i) A는 합격, B는 합격, C는 불합격할 확률: $\frac{1}{3}\times\frac{2}{5}\times\left(1-\frac{1}{2}\right)=\frac{1}{15}$

(ii) A는 합격, B는 불합격, C는 합격할 확률: $\frac{1}{3}\times\left(1-\frac{2}{5}\right)\times\frac{1}{2}=\frac{1}{10}$

(iii) A는 불합격, B는 합격, C는 합격할 확률: $\left(1-\frac{1}{3}\right)\times\frac{2}{5}\times\frac{1}{2}=\frac{2}{15}$

이상에서 구하는 확률은 $\frac{1}{15}+\frac{1}{10}+\frac{2}{15}=\mathbf{\frac{3}{10}}$

(3) 3명이 모두 불합격할 확률은 $\left(1-\frac{1}{3}\right)\times\left(1-\frac{2}{5}\right)\times\left(1-\frac{1}{2}\right)=\frac{1}{5}$

따라서 적어도 한 사람이 합격할 확률은

$1-$(3명이 모두 불합격할 확률)$=1-\frac{1}{5}=\mathbf{\frac{4}{5}}$

정답과 풀이 **25**쪽

유제 **218** **활을 쏠 때, A의 명중률은 $\frac{2}{3}$이고, B의 명중률은 $\frac{4}{5}$이다. A, B가 동시에 각자의 과녁에 활을 쏠 때, 다음을 구하여라.**

(1) 2명이 모두 과녁에 명중시킬 확률

(2) 한 명만 과녁에 명중시킬 확률

(3) 적어도 한 사람이 과녁에 명중시킬 확률

풍산자 비법

서로 독립인 사건에서 동시에 일어나는 사건의 확률을 구하려면 각각의 확률을 구해 곱하면 된다.

- A, B가 서로 독립 ➜ $\mathrm{P}(A\cap B)=\mathrm{P}(A)\mathrm{P}(B)$
- A, B, C가 서로 독립 ➜ $\mathrm{P}(A\cap B\cap C)=\mathrm{P}(A)\mathrm{P}(B)\mathrm{P}(C)$

한걸음 더

02 확률의 고급 계산

이제 어느 정도 기본 문제들은 익혔다.

지금부터는 실전 연습.

확률 문제는 크게 두 가지로 분류할 수 있다.

➡ 시행이 한 번 있는 문제와 두 번 있는 문제.

(1) 시행이 한 번 있는 문제는 지금까지 봐 왔던 다음과 같은 형태의 문제.

어찌어찌할 때, 어찌어찌할 확률을 구하여라.

(2) 시행이 두 번 있는 문제는 이제부터 우리가 공부할 다음과 같은 형태의 문제.

어찌어찌한 후 어찌어찌할 때, 어찌어찌할 확률을 구하여라.

시행이 두 번 있는 문제는 다시 다음과 같은 두 가지로 분류할 수 있다.

[유형 1] 앞사건과 뒷사건 중 뒷사건의 확률을 묻는다.

[유형 2] 뒷사건을 가정하고 앞사건의 확률을 묻는다.

둘 다 풀이의 핵심은 다음과 같은 그림.

①	앞사건이 일어나고	뒷사건이 일어난다.
②	앞사건이 일어나지 않고	뒷사건이 일어난다.

위와 같은 그림만 그려 내면 풀이 자체는 무척 쉽다.

결론적으로 [유형 1]의 정답은 ①+②이고,

[유형 2]의 정답은 $\frac{①}{①+②}$이다.

겉모양만 다를 뿐 거의 같은 문제들이라는 걸 파악하는 데 중점을 두며 공부하자.

219 10개의 초콜릿 중 6개는 땅콩이 들어 있고 4개는 아몬드가 들어 있다. 이 중에서 두 개를 차례로 먹을 때, 두 번째 먹은 초콜릿에 아몬드가 들어 있을 확률을 구하여라.
(단, 초콜릿에는 땅콩과 아몬드 중 한가지만 들어 있다.)

풍산자日 첫 번째 사건과 두 번째 사건 중 두 번째 사건의 확률을 묻는 문제는 첫 번째 사건에 따라 경우를 나누어서 생각하면 된다.

> 풀이 (두 번째가 아몬드)= ① (첫 번째 아몬드 후 두 번째 아몬드) / ② (첫 번째 땅콩 후 두 번째 아몬드)

① (첫 번째 아몬드 후 두 번째 아몬드일 확률)
$=\frac{4}{10}\times\frac{3}{9}=\frac{2}{15}$
② (첫 번째 땅콩 후 두 번째 아몬드일 확률)
$=\frac{6}{10}\times\frac{4}{9}=\frac{4}{15}$
∴ (두 번째가 아몬드일 확률)=①+②$=\frac{2}{15}+\frac{4}{15}=\mathbf{\frac{2}{5}}$

아몬드	아몬드	$=\frac{4}{10}\times\frac{3}{9}$
땅콩	아몬드	$=\frac{6}{10}\times\frac{4}{9}$

+

정답과 풀이 25쪽

유제 **220** 10개의 제비 중 3개의 당첨 제비가 들어 있는 주머니에서 갑, 을의 순서로 제비를 한 개씩 뽑을 때, 을이 당첨 제비를 뽑을 확률을 구하여라. (단, 뽑은 제비는 다시 넣지 않는다.)

221 주머니 A에는 흰 공 2개, 검은 공 3개가 들어 있고, 주머니 B에는 흰 공 3개, 검은 공 2개가 들어 있다. 주머니 A에서 한 개의 공을 꺼내어 주머니 B에 넣고, 그 후 주머니 B에서 한 개의 공을 꺼낼 때, 검은 공이 나올 확률을 구하여라.

풍산자日 주머니 A에서 어떤 공을 꺼냈는지에 따라 두 가지 경우로 구분하여 생각한다.

> 풀이 (B에서 꺼낸 공이 검은 공)= ① (A에서 꺼낸 공이 검은 공, B에서 꺼낸 공이 검은 공) / ② (A에서 꺼낸 공이 흰 공, B에서 꺼낸 공이 검은 공)

① (A에서 꺼낸 공이 검은 공일 때의 확률)
$=\frac{3}{5}\times\frac{3}{6}=\frac{3}{10}$
② (A에서 꺼낸 공이 흰 공일 때의 확률)
$=\frac{2}{5}\times\frac{2}{6}=\frac{2}{15}$
∴ (B에서 꺼낸 공이 검은 공일 확률)=①+②$=\frac{3}{10}+\frac{2}{15}=\mathbf{\frac{13}{30}}$

A	B	
검은 공	검은 공	$=\frac{3}{5}\times\frac{3}{6}$
흰 공	검은 공	$=\frac{2}{5}\times\frac{2}{6}$

+

정답과 풀이 25쪽

유제 **222** 주머니에 흰 공 2개, 초록 공 3개, 검은 공 4개가 들어 있다. 이 중에서 한 개의 공을 꺼내어 그 색을 조사한 후 다시 넣고, 그 공과 같은 색의 공을 하나 더 넣은 다음, 다시 주머니에서 한 개의 공을 꺼낼 때, 흰 공이 나올 확률을 구하여라.

223 10개의 초콜릿 중 6개는 땅콩이 들어 있고 4개는 아몬드가 들어 있다. 이 중에서 두 개를 차례로 먹었는데 두 번째 먹은 초콜릿에 아몬드가 들어 있었을 때, 첫 번째 먹은 초콜릿에도 아몬드가 들어 있었을 확률을 구하여라.

풍산자비 $\dfrac{(\text{해당 경우})}{(\text{전체 경우})}=\dfrac{(\text{첫 번째 아몬드 후 두 번째 아몬드})}{(\text{두 번째 아몬드})}$

풀이 전체 경우와 해당 경우를 그림으로 나타내면 오른쪽과 같다.

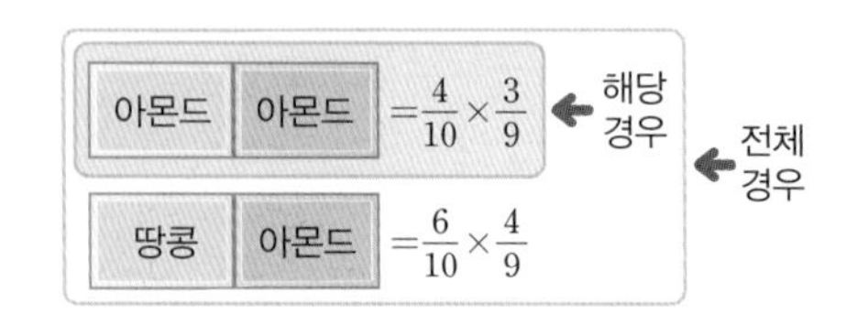

∴ (구하는 확률)

$$=\frac{\frac{4}{10}\times\frac{3}{9}}{\frac{4}{10}\times\frac{3}{9}+\frac{6}{10}\times\frac{4}{9}}=\mathbf{\frac{1}{3}}$$

정답과 풀이 **25**쪽

유제 **224** 10개의 제비 중 3개의 당첨 제비가 들어 있는 주머니에서 갑, 을의 순서로 제비를 한 개씩 뽑는다. 을이 당첨 제비를 뽑았을 때, 갑도 당첨 제비를 뽑았을 확률을 구하여라.
(단, 뽑은 제비는 다시 넣지 않는다.)

225 주머니 A에는 흰 공 2개, 검은 공 3개가 들어 있고, 주머니 B에는 흰 공 3개, 검은 공 2개가 들어 있다. 두 주머니 중 하나를 택하여 한 개의 공을 꺼내 보니 검은 공이었을 때, 택한 주머니가 A이었을 확률을 구하여라.

풍산자비 두 번째 사건을 가정하고 첫 번째 사건의 확률을 묻는 문제는 전체 경우 중에서 해당 경우의 비율로 생각하면 된다.

풀이 검은 공이 나오는 경우는 어떤 주머니를 택했는지에 따라 다음 두 가지 경우로 나눌 수 있다.

(i) 주머니 A를 택하고, 주머니 A에서 검은 공을 꺼내는 경우

이때의 확률 p_1은 $p_1=\frac{1}{2}\times\frac{3}{5}=\frac{3}{10}$

(ii) 주머니 B를 택하고, 주머니 B에서 검은 공을 꺼내는 경우

이때의 확률 p_2는 $p_2=\frac{1}{2}\times\frac{2}{5}=\frac{1}{5}$

따라서 구하는 확률은 (i) 또는 (ii)인 경우 중에서 (i)의 확률을 의미하므로

$$\frac{p_1}{p_1+p_2}=\frac{\frac{3}{10}}{\frac{3}{10}+\frac{1}{5}}=\mathbf{\frac{3}{5}}$$

정답과 풀이 **26**쪽

유제 **226** 어느 회사는 같은 제품을 두 공장 A, B에서 나누어 생산한다. 두 공장 A, B에서 각각 전체 제품의 70%, 30%를 생산하고, 불량률은 각각 2%, 1%이다. 이 회사의 제품 중 임의로 하나를 뽑아 검사하니 불량품이었을 때, 이 제품이 공장 B에서 생산되었을 확률을 구하여라.

227 **흰 공 3개, 검은 공 4개가 들어 있는 주머니에서 공을 한 개씩 두 번 꺼낼 때, 다음 각 경우에 두 번 모두 흰 공이 나올 확률을 구하여라.**

(1) 꺼낸 공을 다시 넣는 경우

(2) 꺼낸 공을 다시 넣지 않는 경우

풍산자曰 두 번의 시행을 한다. ➡ 첫 번째 공을 꺼낸 후 두 번째 공을 꺼낸다.
그리고 묻는다. 첫 번째도 흰 공이고, 두 번째도 흰 공일 확률은?
주머니 안의 공의 변화를 그림으로 나타내어 생각해 본다.

> 풀이 (1) 첫 번째 꺼낸 공이 흰 공일 확률은 $\frac{3}{7}$이다.
그 후 꺼낸 공을 다시 회복시키므로 두 번째 꺼낸 공이 흰 공일 확률도 $\frac{3}{7}$이다.

$\therefore$ (구하는 확률)$=\frac{3}{7}\times\frac{3}{7}=\mathbf{\frac{9}{49}}$

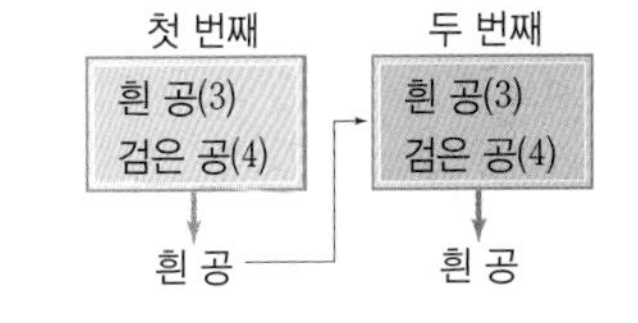

(2) 첫 번째 꺼낸 공이 흰 공일 확률은 $\frac{3}{7}$이다.
그 후 흰 공이 하나 빠지므로 두 번째 꺼낸 공이 흰 공일 확률은 $\frac{2}{6}$이다.

$\therefore$ (구하는 확률)$=\frac{3}{7}\times\frac{2}{6}=\mathbf{\frac{1}{7}}$

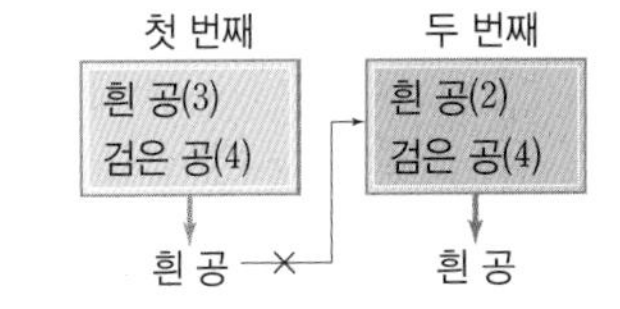

> 참고 첫 번째 꺼낸 공이 흰 공인 사건을 A, 두 번째 꺼낸 공이 흰 공인 사건을 B라 하면
(1) 공을 다시 회복시키므로 A는 B에 영향을 주지 않는다. ➡ A, B는 서로 독립
(2) 공이 하나 빠지므로 A는 B에 영향을 준다. ➡ A, B는 서로 종속

정답과 풀이 **26**쪽

유제 **228** **모양과 크기가 같은 10개의 찐만두 중 3개는 고기만두이고 나머지 7개는 김치만두이다. 이 중에서 두 개의 만두를 한 개씩 꺼내어 먹을 때, 처음에 고기만두를 먹고 나중에 김치만두를 먹을 확률을 구하여라.**

풍산자 비법

두 번의 시행이 있는 경우의 확률 문제
➜ 주어진 조건이 변화하는 상황을 그림으로 나타내어 생각하면 이해하기 쉽다.

229 A, B 두 사람이 한 개의 주사위를 던져서 1의 눈이 나오면 이기는 것으로 하는 게임을 한다. A부터 시작하여 두 사람이 승부가 날 때까지 교대로 던질 때, A가 이길 확률을 구하여라.

풍산자답 [미적분]에서 급수를 배운 학생들은 등비급수의 합을 이용하여 무한 번의 시행이 있는 경우의 확률을 구할 수 있다.

등비급수의 수렴과 발산은 다음과 같다.

첫째항이 $a(a\neq0)$이고 공비가 r인 등비급수는

(i) $|r|<1$일 때 수렴하고, 그 합은 $\frac{a}{1-r}$이다.

(ii) $|r|\geq1$일 때 발산한다.

> 풀이 A가 이기는 경우를 나열해 보자.

(i) A가 한 번에 성공
(ii) A가 실패, B도 실패, 그 다음에 A가 성공
(iii) A가 실패, B도 실패, A가 또 실패, B도 또 실패, 그 다음에 A가 성공
⋮

이런 확률들을 무한히 더해 가면 된다.

각 시행에서 성공할 확률은 $\frac{1}{6}$, 실패할 확률은 $\frac{5}{6}$이므로 그림으로 나타내면 다음과 같다.

○ → $\frac{1}{6}$

×× ○ → $\frac{5}{6}\times\frac{5}{6}\times\frac{1}{6}$

×××× ○ → $\frac{5}{6}\times\frac{5}{6}\times\frac{5}{6}\times\frac{5}{6}\times\frac{1}{6}$

⋮ ⋮

$$\therefore (\text{구하는 확률})=\frac{1}{6}+\left(\frac{5}{6}\right)^2\times\frac{1}{6}+\left(\frac{5}{6}\right)^4\times\frac{1}{6}+\cdots$$

$$=\frac{\frac{1}{6}}{1-\left(\frac{5}{6}\right)^2}=\mathbf{\frac{6}{11}}$$

정답과 풀이 **26**쪽

유제 **230** A, B 두 사람이 한 개의 동전을 던져서 앞면이 나오면 이기는 것으로 하는 게임을 한다. A부터 시작하여 두 사람이 승부가 날 때까지 교대로 던질 때, A가 이길 확률을 구하여라.

03 독립시행의 확률

'주사위를 n번 반복해서 던진다.'와 같이 동일한 시행을 반복할 때, 각 시행에서 일어나는 사건이 서로 독립이면 이런 시행을 독립시행이라 한다.

다른 확률 문제와 달리 독립시행 문제는 공식이 있다.

독립시행인지만 알면 그 다음은 공식으로 끝.

따라서 독립시행이라는 걸 간파하는 능력이 중요하다.

독립시행의 확률 중요!

1회의 시행에서 사건 A가 일어날 확률이 p일 때, 이 시행을 n회 반복하는 독립시행에서 사건 A가 r회 일어날 확률은

$${}_n\mathrm{C}_r p^r(1-p)^{n-r} \text{ (단, } r=0,\ 1,\ 2,\ \cdots,\ n)$$

| 설명 | 한 개의 주사위를 4번 던질 때, 1의 눈이 1번 나올 확률을 구해 보자.

4번 중 1번만 1의 눈이 나와야 하므로 4번 중 3번은 1이 아닌 눈이 나와야 한다.

이때 1의 눈이 몇 번째에서 나오는지에 따라 오른쪽 그림과 같이 4가지 경우로 구분할 수 있다.

○	×	×	×	→	$\frac{1}{6}\times\frac{5}{6}\times\frac{5}{6}\times\frac{5}{6}$
×	○	×	×	→	$\frac{5}{6}\times\frac{1}{6}\times\frac{5}{6}\times\frac{5}{6}$
×	×	○	×	→	$\frac{5}{6}\times\frac{5}{6}\times\frac{1}{6}\times\frac{5}{6}$
×	×	×	○	→	$\frac{5}{6}\times\frac{5}{6}\times\frac{5}{6}\times\frac{1}{6}$

구하는 확률은 이 4가지 경우의 확률을 더하면 되므로

$$4\times\left(\frac{1}{6}\right)^1\times\left(\frac{5}{6}\right)^3$$

여기서 4라는 숫자는 4번의 시행에서 1의 눈이 1번 나오는 경우의 수인 ${}_4\mathrm{C}_1$과 같으므로 다음과 같이 나타낼 수 있다.

$${}_4\mathrm{C}_1\times\left(\frac{1}{6}\right)^1\times\left(\frac{5}{6}\right)^3$$

일반적으로 한 개의 주사위를 n번 던질 때, 1의 눈이 r번 나올 확률은 다음과 같다.

$${}_n\mathrm{C}_r\times\left(\frac{1}{6}\right)^r\times\left(\frac{5}{6}\right)^{n-r}$$

n번 중 r번 / 1의 눈이 r번 / 1이 아닌 눈이 $(n-r)$번

| 개념확인 | 한 개의 주사위를 3번 던질 때, 짝수의 눈이 2번 나올 확률을 구하여라.

> 풀이 한 개의 주사위를 한 번 던질 때, 짝수의 눈이 나올 확률은 $\frac{1}{2}$이다.

따라서 주사위를 3번 반복해서 던질 때, 짝수의 눈이 2번 나올 확률은

$${}_3\mathrm{C}_2\left(\frac{1}{2}\right)^2\left(\frac{1}{2}\right)^{3-2}=\mathbf{\frac{3}{8}}$$

大 원칙 독립시행 문제의 특징 ➡ 같은 일을 '반복'하는 시행에서 '횟수'의 확률을 묻는다.

231 파란 공 3개, 빨간 공 6개가 들어 있는 주머니에서 한 개의 공을 꺼내어 그 색깔을 확인하고 주머니 속에 다시 넣는다. 이와 같은 시행을 10번 반복할 때, 파란 공이 r번 나올 확률을 $\mathrm{P}(r)$라 하자. 이때 $\frac{\mathrm{P}(2)}{\mathrm{P}(9)}$의 값을 구하여라.

풍산자曰 주머니에서 10번 '반복'해서 공을 꺼내니까 독립시행!
한 번 꺼낼 때 파란 공이 나올 확률 p를 구한 후 ${}_n\mathrm{C}_r p^r(1-p)^{n-r}$을 이용한다.

> 풀이 주머니에서 한 개의 공을 한 번 꺼낼 때, 파란 공이 나올 확률은 $\frac{3}{9}=\frac{1}{3}$이다.

공을 10번 반복해서 꺼낼 때, 파란 공이 r번 나올 확률 $\mathrm{P}(r)$는 $\mathrm{P}(r)={}_{10}\mathrm{C}_r\left(\frac{1}{3}\right)^r\left(\frac{2}{3}\right)^{10-r}$

$$\therefore \frac{\mathrm{P}(2)}{\mathrm{P}(9)}=\frac{{}_{10}\mathrm{C}_2\left(\frac{1}{3}\right)^2\left(\frac{2}{3}\right)^8}{{}_{10}\mathrm{C}_9\left(\frac{1}{3}\right)^9\left(\frac{2}{3}\right)^1}=\mathbf{576}$$

정답과 풀이 **26**쪽

유제 **232** 빨간 공 3개, 노란 공 4개가 들어 있는 주머니에서 한 개의 공을 꺼내어 그 색깔을 확인하고 주머니 속에 다시 넣는다. 이와 같은 시행을 5번 반복할 때, 빨간 공이 r번 나올 확률을 $\mathrm{P}(r)$라 하자. 이때 $\frac{\mathrm{P}(3)}{\mathrm{P}(2)}$의 값을 구하여라.

233 어떤 농구 선수의 자유투 성공률이 $\frac{2}{3}$라 한다. 이 선수가 3번의 자유투를 던질 때, 적어도 한 번은 성공할 확률을 구하여라.

풍산자曰 '적어도 ~인' 사건의 확률을 구할 때는 일단 여사건의 확률을 떠올리고 본다.
('적어도 ~인' 사건의 확률)$=1-$(반대인 사건의 확률)

> 풀이 자유투를 던져 한 번도 성공하지 못할 확률은 ${}_3\mathrm{C}_0\left(\frac{2}{3}\right)^0\left(\frac{1}{3}\right)^{3-0}=\frac{1}{27}$

따라서 구하는 확률은 $1-\frac{1}{27}=\mathbf{\frac{26}{27}}$

정답과 풀이 **26**쪽

유제 **234** 어떤 의약품의 치유율이 $\frac{3}{5}$이라 한다. 이 의약품으로 4명의 환자를 치료할 때, 적어도 한 명이 치유될 확률을 구하여라.

235 5개의 선택지 중에서 맞는 답 하나를 고르는 오지선다형 문제가 10개 출제된 시험에서 9개 이상을 맞혀야 합격할 수 있다고 한다. 어느 수험생이 문제를 전혀 읽지 않고 임의로 답을 선택할 때, 이 시험에서 합격할 확률을 구하여라.

풍산자日 동일한 시행을 반복할 때 각 시행이 독립이면 ➡ 독립시행

> 풀이 (ⅰ) 10개 중 9개를 맞힐 확률은 ${}_{10}C_9\left(\frac{1}{5}\right)^9\left(\frac{4}{5}\right)^1=\frac{40}{5^{10}}$

(ⅱ) 10개 중 10개를 맞힐 확률은 ${}_{10}C_{10}\left(\frac{1}{5}\right)^{10}\left(\frac{4}{5}\right)^0=\frac{1}{5^{10}}$

따라서 구하는 확률은 $\frac{40}{5^{10}}+\frac{1}{5^{10}}=\mathbf{\frac{41}{5^{10}}}$

정답과 풀이 27쪽

유제 **236** 옳은 것에는 ○표, 옳지 않은 것에는 ×표를 하는 ○× 문제가 10개 출제된 시험에서 8개 이상을 맞혀야 합격할 수 있다고 한다. 어느 수험생이 문제를 전혀 읽지 않고 임의로 답을 선택할 때, 이 시험에서 합격할 확률을 구하여라.

237 동점 P가 동전을 한 번 던질 때마다 다음과 같은 규칙으로 움직인다.

(가) 앞면이 나오면 x축의 양의 방향으로 1만큼 이동한다.
(나) 뒷면이 나오면 y축의 양의 방향으로 1만큼 이동한다.

동전을 5번 던질 때, 원점 O를 출발한 동점 P가 점 A에 도착할 확률을 구하여라.

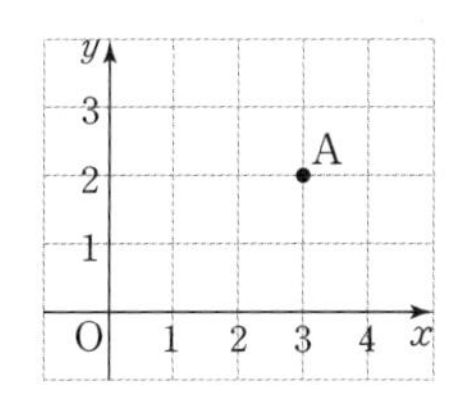

풍산자日 점 O에서 점 A까지 간다. ➡ 앞면이 3번, 뒷면이 2번 나온다.

> 풀이 점 O에서 점 A까지 간다.
➡ x축으로 양의 방향으로 3만큼, y축으로 양의 방향으로 2만큼 간다.
➡ 앞면이 3번, 뒷면이 2번 나온다.
동전을 5번 던질 때, 앞면이 3번 나올 확률은?
$\therefore$ (구하는 확률)$={}_5C_3\left(\frac{1}{2}\right)^3\left(\frac{1}{2}\right)^{5-3}=\mathbf{\frac{5}{16}}$

정답과 풀이 27쪽

유제 **238** 동점 P가 한 변의 길이가 1인 정오각형 ABCDE의 변 위를 동전을 한 번 던질 때마다 다음과 같은 규칙으로 움직인다.

(가) 앞면이 나오면 시계 반대 방향으로 1만큼 이동한다.
(나) 뒷면이 나오면 시계 반대 방향으로 2만큼 이동한다.

동전을 4번 던질 때, 점 A를 출발한 동점 P가 다시 점 A에 도착할 확률을 구하여라.

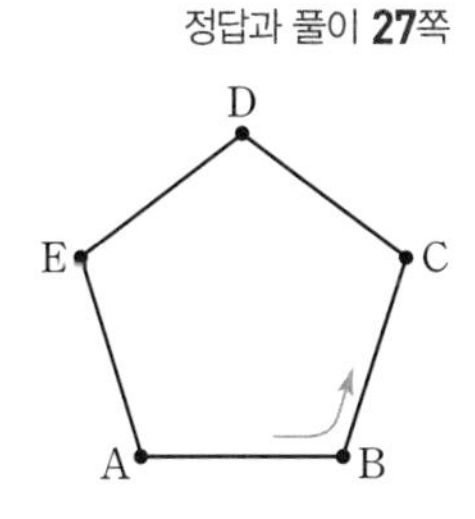

필수 확인 문제

* 더 많은 유형은 **풍산자필수유형 확률과 통계** 044쪽

정답과 풀이 27쪽

239

두 사건 A, B가 서로 독립이고
$\mathrm{P}(A|B)=\mathrm{P}(B|A)=\frac{3}{4}$일 때, $\mathrm{P}(A\cup B)$의 값을 구하여라.

240

자유투 성공률이 각각 $\frac{2}{3}$, $\frac{3}{4}$인 두 사람이 자유투를 한 번씩 던질 때, 적어도 한 사람이 성공할 확률을 구하여라.

241

한 개의 주사위를 던져서 1의 눈이 나오면 한 개의 동전을 3번, 1이 아닌 눈이 나오면 한 개의 동전을 4번 던질 때, 앞면이 2번 나올 확률을 구하여라.

242

한 개의 주사위를 5번 던져서 3의 배수의 눈이 나오는 사건이 2번 일어날 확률을 p라 할 때, $\log_3 \frac{p}{80}$의 값을 구하여라.

243

애완견의 피부병을 치료하는 어떤 치료제의 완치율이 $\frac{3}{4}$이다. 피부병에 걸린 4마리의 애완견에게 이 치료제를 투여했을 때, 3마리 이상 완치될 확률을 구하여라.

244

어느 사격 선수가 한 발의 탄환을 발사하여 표적에 명중시킬 확률은 $\frac{2}{3}$이다. 이 선수가 4발의 탄환을 발사하여 2발 이상 표적에 명중시킬 확률을 구하여라.

중단원 마무리

▶ 조건부확률

조건부확률	사건 A가 일어났다고 가정할 때, 사건 B가 일어날 확률을 사건 A가 일어났을 때의 사건 B의 조건부확률이라 하고 $\mathrm{P}(B\mid A)$로 나타낸다. ➡ $\mathrm{P}(B\mid A)=\dfrac{\mathrm{P}(A\cap B)}{\mathrm{P}(A)}$ (단, $\mathrm{P}(A)>0$)
독립	① 서로 영향을 주지 않는 두 사건을 서로 독립이라 한다. ② 두 사건 A, B가 서로 독립 $\Longleftrightarrow$ $\mathrm{P}(B\mid A)=\mathrm{P}(B\mid A^C)=\mathrm{P}(B)$
	① $\mathrm{P}(A\cap B)=\mathrm{P}(A)\mathrm{P}(B)$이면 두 사건 A, B는 서로 독립이다. ② A와 B, A와 B^C, A^C과 B, A^C과 B^C 중 하나가 서로 독립이면 다른 셋도 서로 독립이다.

▶ 확률의 덧셈정리와 곱셈정리의 비교

	덧셈정리	곱셈정리
기본형	$\mathrm{P}(A\cup B)=\mathrm{P}(A)+\mathrm{P}(B)-\mathrm{P}(A\cap B)$	$\mathrm{P}(A\cap B)=\mathrm{P}(A)\mathrm{P}(B\mid A)$
특수형	두 사건 A, B가 서로 배반사건일 때 $\mathrm{P}(A\cup B)=\mathrm{P}(A)+\mathrm{P}(B)$	두 사건 A, B가 서로 독립일 때 $\mathrm{P}(A\cap B)=\mathrm{P}(A)\times\mathrm{P}(B)$

▶ 독립시행의 확률

독립시행	'주사위를 n번 던진다'와 같이 동일한 시행의 반복시행을 독립시행이라 한다.
독립시행의 확률	1회의 시행에서 사건 A가 일어날 확률이 p일 때, 이 시행을 n회 반복하는 독립시행에서 사건 A가 r회 일어날 확률은 ${}_n\mathrm{C}_r p^r(1-p)^{n-r}$ (단, $r=0, 1, 2, \cdots, n$) 같은 일을 반복하고 횟수의 확률을 묻는 문제는 독립시행 문제이다.

실전 연습문제

STEP 1

245

다음 표는 어느 학급의 학생 30명에 대하여 안경을 쓴 학생 수를 남녀별로 조사한 것이다. 이 중에서 임의로 뽑은 한 학생이 안경을 안 쓴 학생이었을 때, 그 학생이 여학생일 확률을 구하여라.

	안경 씀	안경 안 씀	합계
남학생	5	10	15
여학생	6	9	15
합계	11	19	30

246

어느 지역에 7월에 비가 올 확률을 조사하였더니 비가 온 날의 다음 날 비가 올 확률은 0.7이고, 비가 오지 않은 날의 다음 날 비가 올 확률은 0.4이었다고 한다. 그 지역의 7월의 어느 목요일에 비가 왔을 때, 그 주 토요일과 일요일 모두 비가 올 확률을 구하여라.

247

다음 표는 어느 회사에서 전체 직원 360명을 대상으로 재직 연수와 새로운 조직개편안에 대한 찬반 의견을 조사한 것이다. 재직 연수가 10년 미만인 사건과 조직개편안에 찬성하는 사건이 서로 독립일 때, 자연수 a의 값을 구하여라.

찬반 의견 / 재직 연수	찬성	반대	합계
10년 미만	a	b	120
10년 이상	c	d	240
합계	150	210	360

248

세 사건 A, B, C에 대하여 A와 B는 서로 배반사건이고, A와 C는 서로 독립이다.
$\mathrm{P}(A\cup B)=\frac{3}{4}$, $\mathrm{P}(A\cap C)=\frac{1}{4}$, $\mathrm{P}(C)=\frac{1}{2}$일 때, $\mathrm{P}(B)$의 값을 구하여라.

249

표본공간 S의 두 사건 A, B에 대하여
$\mathrm{P}(A^C)=\frac{1}{5}$, $\mathrm{P}(B^C)=\frac{7}{10}$, $\mathrm{P}(A^C\cap B^C)=\frac{1}{10}$일 때, $\mathrm{P}(B|A)$의 값을 구하여라.

250

주머니 A에는 흰 구슬 3개, 검은 구슬 2개가 들어 있고, 주머니 B에는 흰 구슬 2개, 검은 구슬 4개가 들어 있다. 주머니 A에서 구슬을 한 개 꺼내어 주머니 B에 넣고 잘 섞은 후 주머니 B에서 구슬을 한 개 꺼낼 때, 그것이 검은 구슬일 확률을 구하여라.

251

어떤 야구팀은 비오는 날 경기에서 이길 확률이 0.4이고, 비가 오지 않는 날 경기에서 이길 확률이 0.6이라 한다. 이번 주 주말에 비가 올 확률이 0.3일 때, 이 팀이 주말에 경기에서 이길 확률을 구하여라.

252

상자 속에 흰 공 3개와 붉은 공 2개가 들어 있다. 갑이 먼저 상자에서 공 한 개를 꺼낸 후 을이 남은 공 4개 중 한 개를 꺼내었다. 을이 꺼낸 공이 흰 공이었을 때, 갑이 꺼낸 공도 흰 공일 확률을 구하여라.

253

그림과 같은 도로망이 있다. 교차점에서는 한 개의 동전을 던져서 앞면이 나오면 동쪽으로 한 칸, 뒷면이 나오면 북쪽으로 한 칸을 간다고 할 때, 점 O를 출발점으로 하여 한 개의 동전을 7번 던져서 점 A에 도착할 확률을 구하여라.

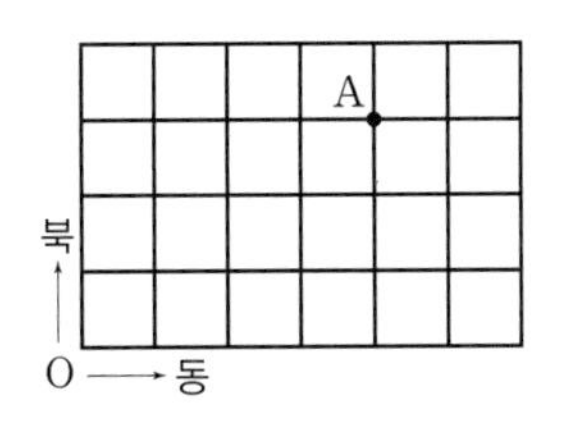

254

두 사람 A, B가 테니스 경기를 한다. 먼저 3세트를 이기는 사람이 우승을 하는데 매세트마다 A가 B를 이길 확률은 $\frac{1}{3}$이라 한다. 다섯 번째 세트에서 A가 우승할 확률을 구하여라.

(단, 비기는 경우는 없다.)

255

그림과 같이 어느 카페의 메뉴에는 서로 다른 3가지의 주스와 서로 다른 2가지의 아이스크림이 있다. 두 학생 A, B가 이 5가지 중 1가지씩을 임의로 주문했다고 한다. A, B가 주문한 것이 서로 다를 때, A, B가 주문한 것이 모두 아이스크림일 확률을 구하여라.

256

정육면체 모양의 두 개의 주사위 S, T가 있다. 주사위 S는 각 면에 6개 숫자 1, 1, 1, 2, 2, 3이 각각 적혀 있고, 주사위 T는 각 면에 6개 숫자 1, 1, 2, 2, 3, 3이 각각 적혀 있다. 두 주사위 중에서 임의로 한 개를 택하여 두 번 던졌더니 모두 1이 적힌 면이 나왔다고 할 때, 택한 주사위가 T일 확률을 구하여라.

STEP 2

257

A회사의 컴퓨터 서버와 B회사의 컴퓨터 서버가 각각 10대, 20대 있고 A회사와 B회사의 컴퓨터 서버가 오류를 일으킬 확률이 각각 x%, 5%라 한다. 이들 30대의 컴퓨터 서버 중 임의로 한 대의 컴퓨터 서버를 택하였더니 오류가 발견되었다고 할 때, 그것이 B회사의 컴퓨터 서버일 확률이 $\frac{10}{13}$이었다. 이때 정수 x의 값을 구하여라.

258

평균 다섯 번에 한번 꼴로 방문한 곳에 휴대전화를 놓고 오는 버릇이 있는 학생이 어느 날 학교, 체육관, 공원을 차례로 들러 집에 돌아왔다. 휴대전화를 방문한 곳에 놓고 왔을 때, 공원에 놓고 왔을 확률을 구하여라.

259

한 개의 동전을 계속하여 던질 때, 적어도 한 번은 앞면이 나올 확률이 0.99 이상이 되도록 하려면 동전을 몇 번 이상 던져야 하는지 구하여라.

260

A음료수에는 10병 중 1병의 비율로 뚜껑에 '한 병 더'라는 글씨가 써져 있는데, 이 뚜껑을 가져온 고객에게는 A음료수 한 병을 사은품으로 준다고 한다. A음료수 5병을 구입한 사람이 사은품으로 2병의 음료수를 받을 확률은 $\frac{3^a}{2^b \times 5^c}$이라 할 때, $a+b+c$의 값을 구하여라.

(단, a, b, c는 자연수이다.)

261

5명의 학생 A, B, C, D, E가 같은 영화를 보기 위해 함께 상영관에 갔다. 상영관에는 그림과 같이 총 5개의 좌석만 남아 있었다. (가) 구역에는 1열에 2개의 좌석이 남아 있었고, (나) 구역에는 1열에 1개와 2열에 2개의 좌석이 남아 있었다. 5명의 학생 모두가 남아 있는 5개의 좌석을 임의로 배정받기로 하였다. 학생 A와 B가 서로 다른 구역의 좌석을 배정받았을 때, 학생 C와 D가 같은 구역에 있는 같은 열의 좌석을 배정받을 확률을 구하여라.

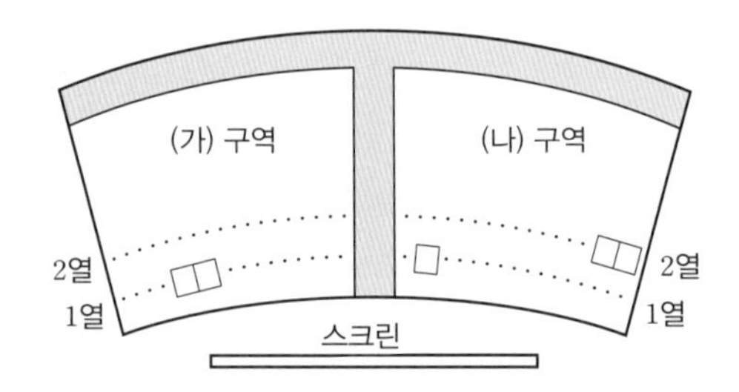

통계

1 확률분포

2 통계적 추정

일상생활 속에서 쓰이는 통계

불확실한 세계에 살고 있는 우리는
그 불확실한 상황을 최소화하려고 노력한다.
예를 들어, 경제에 대한 전망이나
새로운 의약품의 치유율,
각종 선거에서 당선자를 예측하는 것은
주어진 정보를 분석하여
불확실한 상황을 최소화하려는 것이다.

확률분포와 통계적 추정을 배움으로써
정보와 자료를 처리할 수 있는 능력이 생겨나고
일상생활 속의 다양한 문제에 대한
올바른 판단을 할 수 있도록 한다.

확률분포

확률분포란 어떤 확률 실험의 총체적 묘사.
확률분포의 핵심은 평균, 분산, 표준편차를 구하는 것.

1 확률변수와 확률분포

$$\mathrm{P}(X=x_i)=p_i$$

2 이항분포

$$\mathrm{B}(n,\ p)$$

3 연속확률변수와 정규분포

$$\mathrm{N}(m,\ \sigma^2)$$

1 확률변수와 확률분포

01 확률변수와 확률분포

한 개의 동전을 두 번 던지는 시행에서 앞면을 H, 뒷면을 T라 하고, 앞면이 나오는 횟수를 X라 하자.
이 시행에서 표본공간 S는 $S=\{HH, HT, TH, TT\}$이고, X는 0, 1, 2 중에서 하나의 값을 갖는 변수이다. 이때 X가 0, 1, 2의 값을 취할 확률은 각각 $\frac{1}{4}$, $\frac{1}{2}$, $\frac{1}{4}$이다.

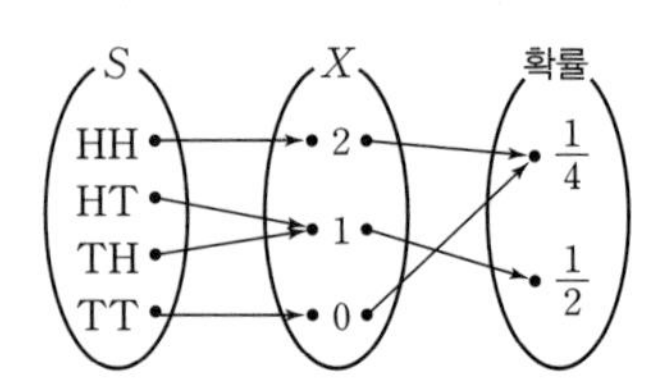

이와 같이 어떤 시행의 결과에 따라 변수 X가 취하는 값과 그 값을 취할 확률이 정해질 때, 이 변수 X를 **확률변수**라 하고, 확률변수 X가 어떤 값 x를 취할 확률을 기호로 $\mathbf{P(X=x)}$와 같이 나타낸다.

확률분포와 확률질량함수

이산확률변수 X가 취하는 모든 값 $x_1, x_2, x_3, \cdots, x_n$에 그 값을 취할 확률 $p_1, p_2, p_3, \cdots, p_n$이 각각 대응할 때, 이 대응을 **이산확률변수 X의 확률분포**라 한다.

(1) **이산확률변수의 확률분포**

이산확률변수X의 확률분포는 다음과 같이 표로 나타낼 수 있다.

X	x_1	x_2	x_3	$\cdots$	x_n	합계
$P(X=x_i)$	p_1	p_2	p_3	$\cdots$	p_n	1

(2) **확률질량함수**

이산확률변수 X의 확률분포를 나타내는 함수 $\mathbf{P(X=x_i)=p_i}$ $(i=1, 2, 3, \cdots, n)$를 이산확률변수 X의 확률질량함수라 한다.

(3) **확률질량함수의 성질**

① $\mathbf{0\le p_i\le 1}$ $(i=1, 2, 3, \cdots, n)$　　② $\sum_{i=1}^{n} \mathbf{p_i=1}$ 중요!

③ $P(x_i\le X\le x_j)=\sum_{k=i}^{j} P(X=x_k)=\sum_{k=i}^{j} p_k$ (단, $i, j=1, 2, 3, \cdots, n$이고 $i\le j$이다.)

| 설명 | 확률변수는 이산확률변수와 연속확률변수로 분류할 수 있다. 확률변수 X가 취할 수 있는 값이 유한개이거나 자연수와 같이 셀 수 있을 때 X를 **이산확률변수**라 하고, 시간처럼 연속적인 값을 가질 때에는 X를 **연속확률변수**라 한다. 일반적으로 확률분포는 표로 나타내는데 이 표를 확률분포표라 한다.
결국, 확률분포를 구하라는 것은 확률분포표를 구하라는 것이다.

大 원칙 확률분포에서 확률의 총합은 항상 1이다. ➡ $p_1+p_2+p_3+\cdots+p_n=1$

262 1, 2, 3, 4, 5의 값을 취하는 이산확률변수 X의 확률분포가 다음 표와 같을 때, 확률 $\mathrm{P}(2\le X\le 4)$를 구하여라.

X	1	2	3	4	5
$\mathrm{P}(X=x)$	$\frac{a}{2}$	$\frac{1}{10}$	a	$\frac{1}{10}$	$\frac{1}{5}$

풍산자日 확률의 총합은 1임을 이용하여 a의 값을 먼저 구한다.

> 풀이 확률의 총합은 1이므로

$\frac{a}{2}+\frac{1}{10}+a+\frac{1}{10}+\frac{1}{5}=1,\ \frac{3}{2}a=\frac{3}{5}\qquad \therefore a=\frac{2}{5}$

$\therefore \mathrm{P}(2\le X\le 4)=\mathrm{P}(X=2)+\mathrm{P}(X=3)+\mathrm{P}(X=4)$

$=\frac{1}{10}+\frac{2}{5}+\frac{1}{10}=\mathbf{\frac{3}{5}}$

정답과 풀이 **32**쪽

유제 **263** -1, 0, 1의 값을 취하는 이산확률변수 X의 확률분포가 다음 표와 같을 때, 확률 $\mathrm{P}(X^2-1=0)$을 구하여라.

X	-1	0	1
$\mathrm{P}(X=x)$	a	$2a$	$3a$

264 이산확률변수 X의 확률질량함수가 $\mathrm{P}(X=x)=kx^2\ (x=1, 2, 3)$일 때, 상수 k의 값을 구하여라.

풍산자日 확률의 총합은 1이므로 $x=1, 2, 3$일 때의 확률을 모두 더하면 1이 된다.

> 풀이 확률의 총합은 1이므로

$\mathrm{P}(X=1)+\mathrm{P}(X=2)+\mathrm{P}(X=3)=1$에서

$k\times 1^2+k\times 2^2+k\times 3^2=1,\ 14k=1$

$\therefore k=\mathbf{\frac{1}{14}}$

정답과 풀이 **32**쪽

유제 **265** 이산확률변수 X의 확률질량함수가 $\mathrm{P}(X=x)=\frac{x}{k}\ (x=1, 2, 3, 4)$일 때, 상수 k의 값을 구하여라.

266 **귤 4개, 배 6개가 들어 있는 상자에서 임의로 3개를 꺼낼 때, 나오는 귤의 개수를 확률변수 X라 하자. 다음 물음에 답하여라.**

(1) 확률변수 X의 확률분포를 표로 나타내어라.

(2) 확률 $P(X \geq 2)$를 구하여라.

풍산자曰 귤 4개, 배 6개 중 3개를 꺼낼 때, 나오는 경우는 다음 4가지이다.
(귤 0개, 배 3개), (귤 1개, 배 2개), (귤 2개, 배 1개), (귤 3개, 배 0개)
따라서 확률변수 X가 취할 수 있는 값은 0, 1, 2, 3이다.

> 풀이 (1) 확률변수 X가 취할 수 있는 값은 0, 1, 2, 3이고, 그 확률을 각각 구하면

$P(X=0)=$(귤 0개, 배 3개를 꺼낼 확률)$=\frac{{}_4C_0 \times {}_6C_3}{{}_{10}C_3}=\frac{1}{6}$

$P(X=1)=$(귤 1개, 배 2개를 꺼낼 확률)$=\frac{{}_4C_1 \times {}_6C_2}{{}_{10}C_3}=\frac{1}{2}$

$P(X=2)=$(귤 2개, 배 1개를 꺼낼 확률)$=\frac{{}_4C_2 \times {}_6C_1}{{}_{10}C_3}=\frac{3}{10}$

$P(X=3)=$(귤 3개, 배 0개를 꺼낼 확률)$=\frac{{}_4C_3 \times {}_6C_0}{{}_{10}C_3}=\frac{1}{30}$

따라서 확률변수 X의 확률분포를 표로 나타내면 다음과 같다.

X	0	1	2	3	합계
$P(X=x)$	$\frac{1}{6}$	$\frac{1}{2}$	$\frac{3}{10}$	$\frac{1}{30}$	1

(2) $P(X \geq 2)=P(X=2)+P(X=3)=\frac{3}{10}+\frac{1}{30}=\mathbf{\frac{1}{3}}$

정답과 풀이 32쪽

유제 **267** **흰 공 2개, 검은 공 4개가 들어 있는 주머니에서 임의로 2개의 공을 꺼낼 때, 나오는 흰 공의 개수를 확률변수 X라 하자. 다음 물음에 답하여라.**

(1) 확률변수 X의 확률분포를 표로 나타내어라.

(2) 확률 $P(1 \leq X \leq 2)$를 구하여라.

풍산자 비법

확률변수 X의 확률분포를 구하려면?

먼저 확률변수 X가 취할 수 있는 값을 구한다. ➔ 확률변수 X의 각 값에 대한 확률을 구한다.

02 이산확률변수의 평균과 표준편차

확률분포를 보는 또 하나의 관점은 중학교 때 배웠던 도수분포의 일반화라는 관점.

도수분포에서 평균은 이미 계산할 수 있다.

이를 이용하면 확률분포에서의 평균의 정의를 이해할 수 있다.

도수분포

점수	50	80	90	합계
학생 수	2	5	3	10

확률분포

X	50	80	90	합계
$\mathrm{P}(X=x)$	$\frac{2}{10}$	$\frac{5}{10}$	$\frac{3}{10}$	1

$$(\text{평균})=\frac{(\text{총점})}{(\text{전체 학생})}=\frac{50\times2+80\times5+90\times3}{10}=50\times\frac{2}{10}+80\times\frac{5}{10}+90\times\frac{3}{10}=77(\text{점})$$

이산확률변수의 평균

이산확률변수 X의 각 값과 그 값에 대응하는 확률을 곱해 더한 값을 X의 **평균** 또는 **기댓값**이라 하고, m 또는 $\mathbf{E}(X)$로 나타낸다.

X	x_1	x_2	x_3	$\cdots$	x_n	합계
$\mathrm{P}(X=x_i)$	p_1	p_2	p_3	$\cdots$	p_n	1

$$\mathbf{E}(X)=x_1p_1+x_2p_2+x_3p_3+\cdots+x_np_n=\sum_{i=1}^{n}x_ip_i$$

| 참고 | $\mathrm{E}(X)$에서 E는 기댓값을 뜻하는 expectation의 첫 글자이고, m은 평균을 뜻하는 mean의 첫 글자이다.

어떤 값이 분산되고 퍼진 정도를 산포도라 하고, 산포도를 재는 대표적인 척도는 분산과 표준편차임을 이미 배웠다.

$$(\text{분산})=\{(\text{편차})^2\text{의 평균}\},\ (\text{표준편차})=\sqrt{(\text{분산})}$$

확률변수 X의 분산을 기호 $\mathbf{V}(X)$로 나타내고, 표준편차를 기호 $\sigma(X)$로 나타낸다.

평균이 m일 때, 편차는 $X-m$이므로 다음과 같은 결론을 얻는다.

이산확률변수의 분산과 표준편차

이산확률변수 X의 평균을 $\mathrm{E}(X)=m$이라 할 때, X의 분산과 표준편차는 다음과 같다.

(1) 분산: $\mathbf{V}(X)=\mathrm{E}((X-m)^2)=\sum_{i=1}^{n}(x_i-m)^2p_i=\sum_{i=1}^{n}x_i^2p_i-m^2=\mathbf{E}(X^2)-\{\mathbf{E}(X)\}^2$

(2) 표준편차: $\sigma(X)=\sqrt{\mathbf{V}(X)}$

| 참고 | $\mathrm{V}(X)$에서 V는 분산을 뜻하는 variance의 첫 글자이고, $\sigma(X)$에서 σ는 표준편차를 뜻하는 standard deviation의 첫 글자 s에 해당하는 그리스어 문자이며 '시그마'라 읽는다.

268 확률변수 X의 확률분포가 다음 표와 같을 때, X의 평균, 분산, 표준편차를 구하여라.

X	1	2	3	4	합계
$P(X=x)$	$\frac{1}{10}$	$\frac{1}{5}$	$\frac{3}{10}$	$\frac{2}{5}$	1

풍산자日 $E(X)$ ➡ $E(X^2)$ ➡ $V(X)$ ➡ $\sigma(X)$의 순서로 구하면 된다.

> 풀이

평균: $E(X)=1\times\frac{1}{10}+2\times\frac{1}{5}+3\times\frac{3}{10}+4\times\frac{2}{5}=\mathbf{3}$

분산: $E(X^2)=1^2\times\frac{1}{10}+2^2\times\frac{1}{5}+3^2\times\frac{3}{10}+4^2\times\frac{2}{5}=10$이므로

$V(X)=E(X^2)-\{E(X)\}^2=10-3^2=\mathbf{1}$

표준편차: $\sigma(X)=\sqrt{V(X)}=\sqrt{1}=\mathbf{1}$

정답과 풀이 32쪽

유제 **269** 확률변수 X의 확률분포가 다음 표와 같을 때, X의 평균, 분산, 표준편차를 구하여라.

X	0	1	2	합계
$P(X=x)$	$\frac{1}{5}$	$\frac{3}{5}$	$\frac{1}{5}$	1

270 한 개의 동전을 두 번 던지는 시행에서 앞면이 나올 때마다 100원, 뒷면이 나올 때마다 200원의 상금을 받는다. 이 시행에서 받는 상금의 액수를 X원이라 할 때, 확률변수 X의 기댓값을 구하여라.

풍산자日 기댓값은 평균과 같은 말이다. 일단 확률분포를 표로 나타낸 후 평균을 계산한다.

> 풀이

동전의 앞면을 H, 뒷면을 T라 할 때, 동전을 두 번 던져 받을 수 있는 상금의 액수는 다음과 같다.

(H, H) ➡ 100+100=200(원)
(H, T) ➡ 100+200=300(원)
(T, H) ➡ 200+100=300(원)
(T, T) ➡ 200+200=400(원)

X	200	300	400	합계
$P(X=x)$	$\frac{1}{4}$	$\frac{1}{2}$	$\frac{1}{4}$	1

즉, 확률변수 X가 취할 수 있는 값은 200, 300, 400이고, X의 확률분포를 표로 나타내면 위의 표와 같다.

따라서 확률변수 X의 기댓값은 $E(X)=200\times\frac{1}{4}+300\times\frac{1}{2}+400\times\frac{1}{4}=\mathbf{300}$

정답과 풀이 32쪽

유제 **271** 100원짜리 동전 2개를 동시에 던지는 시행에서 앞면이 나오면 그 동전을 받는다. 이 시행에서 받는 금액을 X원이라 할 때, 확률변수 X의 기댓값을 구하여라.

272 흰 공 2개, 검은 공 3개가 들어 있는 주머니에서 2개의 공을 꺼낼 때, 나오는 흰 공의 개수를 X라 하자. 확률변수 X의 표준편차를 구하여라.

풍산자비 먼저 확률분포를 표로 나타내고 평균, 분산, 표준편차 순서로 구한다.

> 풀이 [1단계] 확률변수 X가 취할 수 있는 값은 $0,\ 1,\ 2$이고, 그 확률을 각각 구하면

$$\mathrm{P}(X=0)=(\text{흰 공 0개, 검은 공 2개를 꺼낼 확률})=\frac{{}_2\mathrm{C}_0\times{}_3\mathrm{C}_2}{{}_5\mathrm{C}_2}=\frac{3}{10}$$

$$\mathrm{P}(X=1)=(\text{흰 공 1개, 검은 공 1개를 꺼낼 확률})=\frac{{}_2\mathrm{C}_1\times{}_3\mathrm{C}_1}{{}_5\mathrm{C}_2}=\frac{3}{5}$$

$$\mathrm{P}(X=2)=(\text{흰 공 2개, 검은 공 0개를 꺼낼 확률})=\frac{{}_2\mathrm{C}_2\times{}_3\mathrm{C}_0}{{}_5\mathrm{C}_2}=\frac{1}{10}$$

[2단계] X의 평균과 분산을 구하면

X	0	1	2	합계
X^2	0	1	4	
$\mathrm{P}(X=x)$	$\frac{3}{10}$	$\frac{3}{5}$	$\frac{1}{10}$	1

$$\mathrm{E}(X)=0\times\frac{3}{10}+1\times\frac{3}{5}+2\times\frac{1}{10}=\frac{4}{5}$$

$$\mathrm{E}(X^2)=0\times\frac{3}{10}+1\times\frac{3}{5}+4\times\frac{1}{10}=1$$

$$\therefore\ \mathrm{V}(X)=\mathrm{E}(X^2)-\{\mathrm{E}(X)\}^2=1-\left(\frac{4}{5}\right)^2=\frac{9}{25}$$

[3단계] 따라서 확률변수 X의 표준편차는 $\sigma(X)=\sqrt{\mathrm{V}(X)}=\sqrt{\frac{9}{25}}=\mathbf{\frac{3}{5}}$

정답과 풀이 **32**쪽

유제 **273** 흰 공 3개, 검은 공 4개가 들어 있는 주머니에서 2개의 공을 꺼낼 때, 나오는 흰 공의 개수를 X라 하자. 확률변수 X의 표준편차를 구하여라.

풍산자 비법

표준편차를 구하려면 분산부터 구해야 하고, 분산을 구하려면 평균을 구해야 하며, 평균을 구하려면 확률분포를 구해야 한다.

확률분포 → 평균 → 분산 → 표준편차

03 확률변수 $aX+b$의 평균, 분산, 표준편차

중간고사 시험 문제 중 한 문제에 오류가 있어 모든 학생의 점수를 1점씩 올려 줬다.

평균과 표준편차는 어떻게 될까? ➡ 평균은 1점 올라가고, 표준편차는 변화가 없다.

모든 학생의 점수가 1점씩 올라가면 당연히 전체 학생의 평균도 1점씩 올라간다.

그런데 왜 표준편차에는 변화가 없을까?

표준편차란 평균에서 흩어진 정도.

모든 학생의 점수가 동일하게 올라갔기 때문에 흩어진 정도에는 변화가 없다.

확률변수 $aX+b$의 평균, 분산, 표준편차 중요!

확률변수 X와 두 상수 a, b에 대하여 다음이 성립한다. (단, $a\neq0$)

(1) 평균: $\mathbf{E(aX+b)=aE(X)+b}$

(2) 분산: $\mathbf{V(aX+b)=a^2V(X)}$

(3) 표준편차: $\boldsymbol{\sigma(aX+b)=|a|\sigma(X)}$

| 증명 |

(1) $E(aX+b)=\sum_{i=1}^{n}(ax_i+b)p_i=a\sum_{i=1}^{n}x_ip_i+b\sum_{i=1}^{n}p_i$

$=aE(X)+b$ ⬅ $\sum_{i=1}^{n}x_ip_i=E(X)$, $\sum_{i=1}^{n}p_i=1$

(2) $E(aX+b)=aE(X)+b=am+b$이므로

$V(aX+b)=E(\{(aX+b)-(am+b)\}^2)=E(a^2(X-m)^2)$

$=a^2E((X-m)^2)=a^2V(X)$

(3) $V(aX+b)=a^2V(X)$에서 $\sqrt{V(aX+b)}=|a|\sqrt{V(X)}$

$\therefore\ \sigma(aX+b)=|a|\sigma(X)$

| 확률변수 $aX+b$의 평균, 분산, 표준편차 |

274 **확률변수 X의 평균과 분산이 $E(X)=7$, $V(X)=2$일 때, 확률변수 $-4X+10$의 평균, 분산, 표준편차를 구하여라.**

풍산자日 확률변수 $aX+b$의 평균, 분산, 표준편차를 구하려면 먼저 X의 평균, 분산, 표준편차를 구해야 한다.

> 풀이

평균: $E(-4X+10)=-4E(X)+10=-4\times7+10=\mathbf{-18}$

분산: $V(-4X+10)=(-4)^2V(X)=16\times2=\mathbf{32}$

표준편차: $\sigma(-4X+10)=|-4|\sigma(X)=4\times\sqrt{2}=\mathbf{4\sqrt{2}}$ ⬅ $\sigma(X)=\sqrt{V(X)}=\sqrt{2}$

정답과 풀이 **33**쪽

유제 **275** **확률변수 X의 평균과 분산이 $E(X)=3$, $V(X)=9$일 때, 확률변수 $2X-5$의 평균, 분산, 표준편차를 구하여라.**

276 확률변수 X의 확률분포가 다음 표와 같을 때, 확률변수 $Y=4X+3$의 분산을 구하여라.

X	-1	0	1	합계
$\mathrm{P}(X=x)$	$2a$	a	a	1

풍산자Tip 먼저 X의 평균과 분산을 구한 후 Y의 분산을 구한다.

> 풀이 확률의 총합이 1이므로 $2a+a+a=1$, $4a=1$ $\therefore a=\frac{1}{4}$

$\mathrm{E}(X)=(-1)\times\frac{2}{4}+0\times\frac{1}{4}+1\times\frac{1}{4}=-\frac{1}{4}$

$\mathrm{E}(X^2)=(-1)^2\times\frac{2}{4}+0^2\times\frac{1}{4}+1^2\times\frac{1}{4}=\frac{3}{4}$

$\mathrm{V}(X)=\mathrm{E}(X^2)-\{\mathrm{E}(X)\}^2=\frac{3}{4}-\left(-\frac{1}{4}\right)^2=\frac{11}{16}$

$\therefore \mathrm{V}(Y)=\mathrm{V}(4X+3)=4^2\mathrm{V}(X)=\mathbf{11}$

정답과 풀이 33쪽

유제 **277** 확률변수 X의 확률분포가 다음 표와 같을 때, 확률변수 $Y=10X+5$의 평균과 분산을 구하여라.

X	0	1	2	3	합계
$\mathrm{P}(X=x)$	$\frac{1}{5}$	$\frac{3}{10}$	$\frac{3}{10}$	$\frac{1}{5}$	1

278 빨간 공 3개와 검은 공 2개가 들어 있는 주머니에서 2개의 공을 꺼낼 때, 그 속에 포함된 빨간 공의 개수를 확률변수 X라 하자. 확률변수 $5X-10$의 분산을 구하여라.

풍산자Tip 먼저 확률분포를 표로 나타내고 확률변수 X의 평균, 분산을 구한다.

> 풀이 확률변수 X가 취할 수 있는 값은 0, 1, 2이고 그 확률은 각각

$\mathrm{P}(X=0)=\frac{{}_2\mathrm{C}_2}{{}_5\mathrm{C}_2}=\frac{1}{10}$, $\mathrm{P}(X=1)=\frac{{}_3\mathrm{C}_1\times{}_2\mathrm{C}_1}{{}_5\mathrm{C}_2}=\frac{6}{10}$, $\mathrm{P}(X=2)=\frac{{}_3\mathrm{C}_2}{{}_5\mathrm{C}_2}=\frac{3}{10}$

확률변수 X의 확률분포를 표로 나타내면 다음과 같다.

X	0	1	2	합계
$\mathrm{P}(X=x)$	$\frac{1}{10}$	$\frac{6}{10}$	$\frac{3}{10}$	1

$\mathrm{E}(X)=0\times\frac{1}{10}+1\times\frac{6}{10}+2\times\frac{3}{10}=\frac{6}{5}$

$\mathrm{V}(X)=0^2\times\frac{1}{10}+1^2\times\frac{6}{10}+2^2\times\frac{3}{10}-\left(\frac{6}{5}\right)^2=\frac{9}{25}$

$\therefore \mathrm{V}(5X-10)=5^2\mathrm{V}(X)=25\times\frac{9}{25}=\mathbf{9}$

정답과 풀이 33쪽

유제 **279** 검은 공 3개, 흰 공 2개가 들어 있는 주머니에서 2개의 공을 꺼낼 때, 그 속에 포함되어 있는 흰 공의 개수를 확률변수 X라 하자. 확률변수 $5X+3$의 분산을 구하여라.

280 확률변수 X의 확률분포가 다음 표와 같을 때, 10^X의 평균을 구하여라.

X	1	2	3	합계
$\mathrm{P}(X=x)$	$\frac{1}{2}$	$\frac{1}{4}$	$\frac{1}{4}$	1

풍산자日 일차식 $aX+b$의 평균, 분산, 표준편차는 확률변수 X의 평균, 분산, 표준편차로부터 얻어낼 수 있다. 그런데 일차식이 아닐 때는 어떻게 할까?

$f(X)$의 확률분포 ➡ 확률분포표의 윗줄에 $f(X)$를 계산해 추가하면 끝!

> 풀이 10^X의 확률분포를 표로 나타내면 다음과 같다.

10^X	10	100	1000
X	1	2	3
$\mathrm{P}(X=x)$	$\frac{1}{2}$	$\frac{1}{4}$	$\frac{1}{4}$

$\therefore \mathrm{E}(10^X)=10\times\frac{1}{2}+100\times\frac{1}{4}+1000\times\frac{1}{4}=\mathbf{280}$

정답과 풀이 33쪽

유제 **281** 확률변수 X의 확률분포가 다음 표와 같을 때, 확률변수 $3(X-1)^3$의 평균을 구하여라.

X	-1	0	1	합계
$\mathrm{P}(X=x)$	$\frac{1}{2}$	$\frac{1}{3}$	$\frac{1}{6}$	1

풍산자 비법

- 확률변수가 취하는 모든 확률의 합은 1이다.
- 이산확률변수 X와 임의의 상수 a, b에 대하여 다음이 성립한다.

$\mathrm{E}(aX+b)=a\mathrm{E}(X)+b$, $\mathrm{V}(aX+b)=a^2\mathrm{V}(X)$, $\sigma(aX+b)=|a|\sigma(X)$

필수 확인 문제

* 더 많은 유형은 **풍산자필수유형 확률과 통계** 059쪽

정답과 풀이 33쪽

282

확률변수 X의 확률질량함수가

$$\mathrm{P}(X=x)=\frac{k}{2^x}\ (x=1,\ 2,\ 3,\ 4)$$

일 때, 상수 k의 값을 구하여라.

283

어느 할인점에서 발행한 행운권 100장의 등급별 상금과 매수가 오른쪽 표와 같다. 행운권 한 장으로 받을 수 있는 상금을 X원이라 할 때, 확률변수 X의 기댓값을 구하여라.

등급	상금	매수
1등	1만 원	10장
2등	5천 원	40장
3등	0원	50장

284

확률변수 X의 평균이 10, 표준편차가 2일 때, 확률변수 $Y=\frac{X+b}{a}$의 평균이 0, 표준편차가 1이 되도록 하는 상수 a, b에 대하여 $a-b$의 값을 구하여라. (단, $a>0$)

285

두 확률변수 X와 Y에 대하여 $Y=\frac{X-100}{4}$이고 $\mathrm{E}(Y)=5$, $\mathrm{E}(Y^2)=28$일 때, $\mathrm{E}(X)$, $\mathrm{V}(X)$의 값을 구하여라.

286

확률변수 X의 확률분포가 다음 표와 같을 때, 확률변수 $5X+3$의 평균을 구하여라.

X	1	2	3	4	5	합계
$\mathrm{P}(X=x)$	$\frac{3}{10}$	p	$\frac{1}{10}$	p	p	1

287

확률변수 X의 확률분포가 다음 표와 같을 때, 확률변수 $7X$의 분산을 구하여라.

X	0	1	2	합계
$\mathrm{P}(X=x)$	$\frac{2}{7}$	$\frac{3}{7}$	$\frac{2}{7}$	1

2 이항분포

01 이항분포

독립시행에서 일어나는 사건의 확률에 대하여 생각해 보자.

예를 들어 한 개의 주사위를 3번 던질 때, 1의 눈이 나오는 횟수를 X라 하면 X는 0, 1, 2, 3 중에서 어느 하나의 값을 가지는 이산확률변수이다.

X의 확률질량함수가 $\mathrm{P}(X=x)={}_3\mathrm{C}_x\left(\frac{1}{6}\right)^x\left(\frac{5}{6}\right)^{3-x}$ $(x=0,\ 1,\ 2,\ 3)$이므로 X의 확률분포를 표로 나타내면 다음과 같다.

X	0	1	2	3	합계
$\mathrm{P}(X=x)$	${}_3\mathrm{C}_0\left(\frac{5}{6}\right)^3$	${}_3\mathrm{C}_1\left(\frac{1}{6}\right)^1\left(\frac{5}{6}\right)^2$	${}_3\mathrm{C}_2\left(\frac{1}{6}\right)^2\left(\frac{5}{6}\right)^1$	${}_3\mathrm{C}_3\left(\frac{1}{6}\right)^3$	1

어떤 확률 실험의 총체적 묘사를 확률분포라 한다.

우리가 배운 대표적인 확률 실험은 독립시행.

독립시행에서 정의되는 확률분포를 이항분포라 한다.

이항분포 중요!

한 번의 시행에서 사건 A가 일어날 확률을 p, 일어나지 않을 확률을 q라 할 때, n번의 독립시행에서 사건 A가 일어나는 횟수를 X라 하면 확률변수 X의 확률분포는 다음과 같다.

(1) **확률질량함수:** $\mathrm{P}(X=x)={}_n\mathrm{C}_x p^x q^{n-x}$ (단, $q=1-p$, $x=0,\ 1,\ 2,\ \cdots,\ n$)

(2) **확률변수 X의 확률분포**

X	0	1	2	$\cdots$	n	합계
$\mathrm{P}(X=x)$	${}_n\mathrm{C}_0 q^n$	${}_n\mathrm{C}_1 p^1 q^{n-1}$	${}_n\mathrm{C}_2 p^2 q^{n-2}$	$\cdots$	${}_n\mathrm{C}_n p^n$	1

이와 같은 확률변수 X의 확률분포를 이항분포라 하고, 기호로 $\mathbf{B}(n,\ p)$와 같이 나타낸다.

➡ $\mathrm{B}(n,\ p)$
시행횟수 ↲ ↳ 확률

| 참고 | 이항분포 $\mathrm{B}(n,\ p)$에서 B는 binomial distribution의 첫 글자이다.

한걸음 더

이항분포와 이항정리

이항분포란 독립시행에서 정의된 확률분포. 그런데 왜 '이항'이라는 이름이 붙었을까?

그것은 이항분포의 확률들이 이항정리의 전개식에서의 항들과 일치하기 때문.

이항분포의 확률은 $(q+p)^n$을 이항정리에 의하여 전개한 다음 식의 우변에 있는 각 항과 같다.

$(q+p)^n={}_n\mathrm{C}_0 q^n+{}_n\mathrm{C}_1 p^1 q^{n-1}+{}_n\mathrm{C}_2 p^2 q^{n-2}+\cdots+{}_n\mathrm{C}_x p^x q^{n-x}+\cdots+{}_n\mathrm{C}_n p^n$

이때 $p+q=1$이므로 $\sum_{x=0}^{n}{}_n\mathrm{C}_x p^x q^{n-x}=1$임을 알 수 있다.

02 이항분포의 평균, 분산, 표준편차

확률분포에서 가장 중요한 것은 평균과 분산의 계산.

확률분포를 나타낸 표를 보고 산수를 해야 한다.

하지만 이항분포에서는 표를 보지 않고도 평균과 분산을 알 수 있다.

다음과 같은 명쾌한 공식이 있으니까.

이항분포의 평균, 분산, 표준편차 중요!

확률변수 X가 이항분포 $\mathrm{B}(n, p)$를 따를 때, (단, $q=1-p$)

(1) 평균: $\mathbf{E}(X)=np$

(2) 분산: $\mathbf{V}(X)=npq$

(3) 표준편차: $\sigma(X)=\sqrt{npq}$

한걸음 더

이항분포의 평균 $\mathrm{E}(X)=np$의 증명

$$\begin{aligned}
\mathrm{E}(X)&=\sum_{r=0}^{n} r\mathrm{P}(X=r)\\
&=\sum_{r=1}^{n} r\mathrm{P}(X=r) && \Leftarrow 0\times \mathrm{P}(X=0)=0\\
&=\sum_{r=1}^{n} r\times {}_n\mathrm{C}_r p^r q^{n-r} && \Leftarrow \mathrm{P}(X=r)={}_n\mathrm{C}_r p^r q^{n-r}\\
&=\sum_{r=1}^{n} n\times {}_{n-1}\mathrm{C}_{r-1} p^r q^{n-r} && \Leftarrow r\times {}_n\mathrm{C}_r=n\times {}_{n-1}\mathrm{C}_{r-1}\\
&=np\sum_{r=1}^{n} {}_{n-1}\mathrm{C}_{r-1} p^{r-1} q^{n-r} && \Leftarrow p^r=p\times p^{r-1}\\
&=np(p+q)^{n-1} && \Leftarrow \sum_{r=1}^{n} {}_{n-1}\mathrm{C}_{r-1} p^{r-1} q^{n-r}=(p+q)^{n-1}\\
&=np && \Leftarrow p+q=1
\end{aligned}$$

| 참고 | $r\times {}_n\mathrm{C}_r=r\times \dfrac{n!}{r!(n-r)!}=n\times \dfrac{(n-1)!}{(r-1)!\{(n-1)-(r-1)\}!}=n\times {}_{n-1}\mathrm{C}_{r-1}$

이항분포의 분산 $\mathrm{V}(X)=npq$의 증명

$$\begin{aligned}
\mathrm{E}(X^2)&=\sum_{r=0}^{n} r^2\mathrm{P}(X=r)=\sum_{r=1}^{n} r^2\mathrm{P}(X=r)\\
&=\sum_{r=1}^{n} r^2\times {}_n\mathrm{C}_r p^r q^{n-r}=\sum_{r=1}^{n} \{r(r-1)+r\}{}_n\mathrm{C}_r p^r q^{n-r}\\
&=\sum_{r=1}^{n} r(r-1){}_n\mathrm{C}_r p^r q^{n-r}+\sum_{r=1}^{n} r\times {}_n\mathrm{C}_r p^r q^{n-r}\\
&=\sum_{r=1}^{n} r(r-1){}_n\mathrm{C}_r p^r q^{n-r}+\mathrm{E}(X) && \Leftarrow \mathrm{E}(X)=\sum_{r=1}^{n} r\times {}_n\mathrm{C}_r p^r q^{n-r}\\
&=n(n-1)p^2\sum_{r=2}^{n} {}_{n-2}\mathrm{C}_{r-2} p^{r-2} q^{n-r}+\mathrm{E}(X) && \Leftarrow r(r-1){}_n\mathrm{C}_r=n(n-1){}_{n-2}\mathrm{C}_{r-2}\\
&=n(n-1)p^2(p+q)^{n-2}+\mathrm{E}(X) && \Leftarrow \sum_{r=2}^{n} {}_{n-2}\mathrm{C}_{r-2} p^{r-2} q^{n-r}=(p+q)^{n-2}\\
&=n(n-1)p^2+np && \Leftarrow p+q=1,\ \mathrm{E}(X)=np
\end{aligned}$$

$$\begin{aligned}
\therefore\ \mathrm{V}(X)&=\mathrm{E}(X^2)-\{\mathrm{E}(X)\}^2\\
&=n(n-1)p^2+np-n^2p^2\\
&=np(1-p)\\
&=npq && \Leftarrow q=1-p
\end{aligned}$$

288 한 개의 주사위를 5번 던져서 2 또는 3의 눈이 나오는 횟수를 X라 할 때, 다음을 구하여라.

(1) 확률변수 X의 확률질량함수　　(2) 확률 $\mathrm{P}(X=2)$

풍산자日 $\mathrm{B}(n, p)$에서 $\mathrm{P}(X=x)={}_{n}\mathrm{C}_{x}p^{x}q^{n-x}$ (단, $q=1-p$, $x=0, 1, 2, \cdots, n$)

> 풀이 (1) 한 개의 주사위를 한 번 던질 때, 2 또는 3의 눈이 나올 확률은 $\frac{1}{3}$이므로
확률변수 X는 이항분포 $\mathrm{B}\left(5, \frac{1}{3}\right)$을 따른다.
따라서 확률변수 X의 확률질량함수는
$\mathbf{P}(X=x)={}_{5}\mathrm{C}_{x}\left(\frac{1}{3}\right)^{x}\left(\frac{2}{3}\right)^{5-x}$ **(단, $x=0, 1, 2, 3, 4, 5$)**

(2) $\mathrm{P}(X=2)={}_{5}\mathrm{C}_{2}\left(\frac{1}{3}\right)^{2}\left(\frac{2}{3}\right)^{3}=\mathbf{\frac{80}{243}}$

정답과 풀이 34쪽

유제 **289** 한 개의 동전을 10번 던져서 앞면이 나오는 횟수를 X라 할 때, 다음을 구하여라.

(1) 확률변수 X의 확률질량함수　　(2) 확률 $\mathrm{P}(X=4)$

290 확률변수 X가 다음 이항분포를 따를 때, X의 평균, 분산, 표준편차를 구하여라.

(1) $\mathrm{B}\left(150, \frac{2}{5}\right)$　　(2) $\mathrm{B}\left(100, \frac{1}{10}\right)$

풍산자日 $\mathrm{B}(n, p)$에서 $\mathrm{E}(X)=np$, $\mathrm{V}(X)=npq$, $\sigma(X)=\sqrt{npq}$ (단, $q=1-p$)

> 풀이 (1) 평균은 $\mathrm{E}(X)=150\times\frac{2}{5}=\mathbf{60}$, 분산은 $\mathrm{V}(X)=150\times\frac{2}{5}\times\frac{3}{5}=\mathbf{36}$,
표준편차는 $\sigma(X)=\sqrt{36}=\mathbf{6}$

(2) 평균은 $\mathrm{E}(X)=100\times\frac{1}{10}=\mathbf{10}$, 분산은 $\mathrm{V}(X)=100\times\frac{1}{10}\times\frac{9}{10}=\mathbf{9}$,
표준편차는 $\sigma(X)=\sqrt{9}=\mathbf{3}$

정답과 풀이 34쪽

유제 **291** 확률변수 X가 다음 이항분포를 따를 때, X의 평균, 분산, 표준편차를 구하여라.

(1) $\mathrm{B}\left(25, \frac{1}{5}\right)$　　(2) $\mathrm{B}\left(120, \frac{1}{6}\right)$

292 발아율이 60 %인 어떤 씨앗 200개를 뿌릴 때, 싹이 나오는 씨앗의 개수를 X라 하자. 확률변수 X의 평균과 분산을 구하여라.

풍산자日 $\mathrm{B}(n,\ p)$에서 n은 주어져 있으므로 문제 속에서 p를 먼저 구한다.

> 풀이 씨앗 한 개를 뿌릴 때, 싹이 나올 확률은 $\frac{60}{100}=\frac{3}{5}$이므로
확률변수 X는 이항분포 $\mathrm{B}\left(200,\ \frac{3}{5}\right)$을 따른다.
따라서 확률변수 X의 평균은 $\mathrm{E}(X)=200\times\frac{3}{5}=\mathbf{120}$,
분산은 $\mathrm{V}(X)=200\times\frac{3}{5}\times\frac{2}{5}=\mathbf{48}$

정답과 풀이 34쪽

유제 **293** 불량률이 5 %인 어떤 제품을 100개 검사하였을 때, 나오는 불량품의 개수를 X라 하자. 확률변수 X의 평균과 분산을 구하여라.

294 이항분포 $\mathrm{B}(n,\ p)$를 따르는 확률변수 X의 평균이 18, 표준편차가 3일 때, $n,\ p$의 값을 각각 구하여라.

풍산자日 $\mathrm{B}(n,\ p)$에서 $\mathrm{E}(X)=np$, $\sigma(X)=\sqrt{npq}$ 임을 이용하여 $n,\ p$의 값을 구한다.

> 풀이 평균이 18이므로 $np=18$ …… ㉠
표준편차가 3이므로 $q=1-p$인 q에 대하여 $\sqrt{npq}=3$
$\therefore\ npq=9$ …… ㉡
㉠을 ㉡에 대입하면 $18q=9$ $\therefore\ q=\frac{1}{2}$
$\therefore\ p=1-q=1-\frac{1}{2}=\mathbf{\frac{1}{2}}$
$p=\frac{1}{2}$을 ㉠에 대입하면 $\frac{1}{2}n=18$ $\therefore\ n=\mathbf{36}$

정답과 풀이 35쪽

유제 **295** 이항분포 $\mathrm{B}(n,\ p)$를 따르는 확률변수 X의 평균과 표준편차가 모두 0.8일 때, $n,\ p$의 값을 각각 구하여라.

296 다음 물음에 답하여라.

(1) 한 개의 주사위를 90번 던질 때, 3의 배수의 눈이 나오는 횟수 X에 대하여 상금으로 $(2X+3)$원을 받는다고 하자. 상금의 기댓값을 구하여라.

(2) 명중률이 90 %인 미사일을 100발 발사할 때, 명중하는 미사일의 개수를 확률변수 X라 하자. X^2의 평균을 구하여라.

풍산자日 먼저 $\mathrm{E}(X)$의 값을 구한 후 다음 성질을 이용한다.

(1) $\mathrm{E}(aX+b)=a\mathrm{E}(X)+b$ (2) $\mathrm{V}(X)=\mathrm{E}(X^2)-\{\mathrm{E}(X)\}^2$

› 풀이 (1) 한 개의 주사위를 한 번 던질 때, 3의 배수의 눈이 나올 확률은 $\frac{1}{3}$이다.

따라서 확률변수 X는 이항분포 $\mathrm{B}\left(90, \frac{1}{3}\right)$을 따르므로

$\mathrm{E}(X)=90\times\frac{1}{3}=30$

$\therefore \mathrm{E}(2X+3)=2\mathrm{E}(X)+3=2\times30+3=\mathbf{63(원)}$

(2) 확률변수 X는 이항분포 $\mathrm{B}\left(100, \frac{9}{10}\right)$를 따르므로

$\mathrm{E}(X)=100\times\frac{9}{10}=90$, $\mathrm{V}(X)=100\times\frac{9}{10}\times\frac{1}{10}=9$

따라서 $\mathrm{V}(X)=\mathrm{E}(X^2)-\{\mathrm{E}(X)\}^2$에서 $9=\mathrm{E}(X^2)-90^2$

$\therefore \mathrm{E}(X^2)=\mathbf{8109}$

정답과 풀이 35쪽

유제 **297** 다음 물음에 답하여라.

(1) 한 개의 동전을 10번 던질 때, 앞면이 나오는 횟수 X에 대하여 상금으로 $(2X+5)$원을 받는다고 하자. 상금의 기댓값을 구하여라.

(2) 20 %의 불량률로 제품을 생산하는 기계가 100개의 제품을 생산할 때, 나오는 불량품의 개수를 확률변수 X라 하자. X^2의 평균을 구하여라.

풍산자 비법

확률변수 X가 이항분포 $\mathrm{B}(n, p)$를 따를 때, (단, $q=1-p$)
$\mathrm{E}(X)=np$, $\mathrm{V}(X)=npq$, $\sigma(X)=\sqrt{npq}$

➜

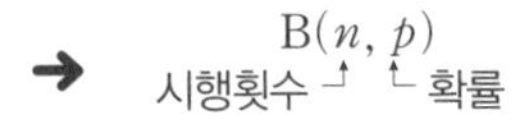

한걸음 더

03 이항분포의 그래프와 큰 수의 법칙

한 개의 주사위를 n번 던지는 시행에서 1의 눈이 나오는 횟수를 X라 할 때, 확률변수 X는 이항분포 $\mathrm{B}\left(n,\ \frac{1}{6}\right)$을 따르므로 X의 확률질량함수는

$$\mathrm{P}(X=x)={}_n\mathrm{C}_x\left(\frac{1}{6}\right)^x\left(\frac{5}{6}\right)^{n-x}\ (x=0,\ 1,\ 2,\ 3,\ \cdots,\ n)$$

이다. $n=10,\ 25,\ 50$일 때 $\mathrm{P}(X=x)$의 값과 그 그래프는 다음과 같다.

X의 값	$n=10$	$n=25$	$n=50$
0	0.1615	0.0105	0.0001
1	0.3230	0.0524	0.0011
2	0.2907	0.1258	0.0054
3	0.1550	0.1929	0.0172
4	0.0543	0.2122	0.0405
5	0.0130	0.1782	0.0745
6	0.0022	0.1188	0.1118
7	0.0002	0.0645	0.1405
8	0.0000	0.0290	0.1510
9	0.0000	0.0110	0.1410
10	0.0000	0.0035	0.1156
11		0.0010	0.0841
12		0.0002	0.0546
13		0.0000	0.0319
14		0.0000	0.0169
15		0.0000	0.0081
16		0.0000	0.0035
17		0.0000	0.0014
18		0.0000	0.0005

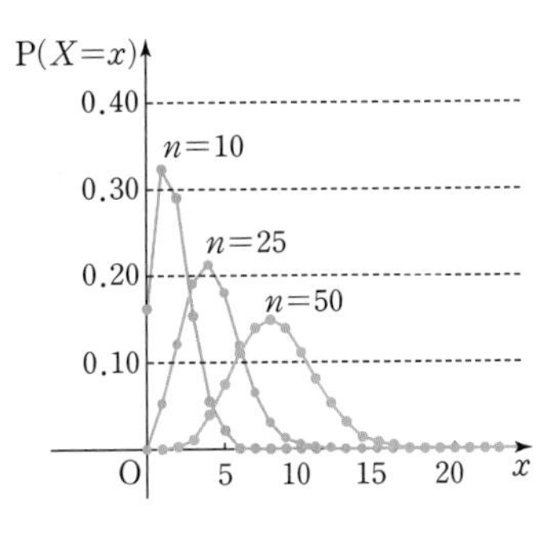

위의 그래프에서 볼 수 있듯이 이항분포 $\mathrm{B}(n,\ p)$에서 p가 일정할 때, 그 확률분포의 그래프는 시행 횟수 n의 값이 커질수록 점차 좌우가 대칭인 종 모양의 곡선에 가까워짐을 알 수 있다. 나중에 배우겠지만 이러한 곡선을 **정규분포곡선**이라 한다.

어떤 시행에서 사건 A가 일어날 수학적 확률이 p이고 n번의 독립시행에서 사건 A가 일어나는 횟수를 X라 할 때, **상대도수 $\frac{X}{n}$는 n의 값이 커질수록 수학적 확률 p에 가까워짐**이 알려져 있다. 이와 같이 상대도수 $\frac{X}{n}$와 수학적 확률 p 사이에는 다음과 같은 성질이 성립하며 이것을 **큰 수의 법칙**이라 한다.

> **큰 수의 법칙**
> 어떤 시행에서 사건 A가 일어날 수학적 확률이 p일 때, n회의 독립시행에서 사건 A가 일어나는 횟수를 X라 하면 아무리 작은 양수 h를 택하여도 확률 $\mathrm{P}\left(\left|\frac{X}{n}-p\right|<h\right)$는 횟수 n이 커짐에 따라 1에 가까워진다.

| 설명 | 수학적 확률을 모를 때는 시행 횟수를 충분히 크게 하여 얻은 사건 A의 상대도수 $\frac{X}{n}$를 사건 A가 일어날 확률 $\mathrm{P}(A)$로 사용할 수 있다. 그러므로 자연 현상이나 사회 현상에서 수학적 확률을 구하기가 곤란한 경우에는 통계적 확률을 이용할 수 있다.

필수 확인 문제

* 더 많은 유형은 **풍산자필수유형 확률과 통계** 059쪽

정답과 풀이 35쪽

298

확률변수 X는 이항분포 $B\left(n,\ \frac{1}{2}\right)$을 따르고 $P(X=2)=10P(X=1)$이 성립할 때, n의 값을 구하여라.

299

새로 개발된 혈액암 치료제의 완치율이 80 %라 한다. 이 약으로 10000명의 혈액암 환자를 치료할 때, 완치되는 환자의 수를 X명이라 하자. 확률변수 X의 표준편차를 구하여라.

300

한 개의 주사위를 180번 던져서 3의 배수의 눈이 나오는 횟수를 확률변수 X라 할 때, X^2의 평균을 구하여라.

301

확률변수 X의 확률질량함수가

$$P(X=x)={}_{72}C_x\left(\frac{1}{6}\right)^x\left(\frac{5}{6}\right)^{72-x}$$

(단, $x=0,\ 1,\ 2,\ \cdots,\ 72$)

와 같을 때, 확률변수 $2X-4$의 평균과 분산을 구하여라.

302

이항분포 $B\left(100,\ \frac{1}{10}\right)$을 이용하여 다음 식의 값을 구하여라.

(1) $\sum_{r=0}^{100} r\times{}_{100}C_r\left(\frac{1}{10}\right)^r\left(\frac{9}{10}\right)^{100-r}$

(2) $\sum_{r=0}^{100} r^2\times{}_{100}C_r\left(\frac{1}{10}\right)^r\left(\frac{9}{10}\right)^{100-r}$

303

책상 위에 1, 2, 3, 4, 5, 6의 번호가 적힌 6장의 카드 4세트가 있다. 각 세트마다 6장의 카드를 잘 섞은 다음 카드를 한 장씩 뽑아서 짝수의 개수가 X개 나오면 5^X원의 상금을 받기로 하였다. 이때 받을 상금의 기댓값을 구하여라.

3 연속확률변수와 정규분포

01 연속확률변수

지금까지의 모든 확률분포는 동전의 앞면이 나오는 횟수, 주사위의 3의 배수의 눈이 나오는 횟수 등과 같이 취할 수 있는 값이 유한개이거나 자연수처럼 셀 수 있는 이산확률변수의 확률분포로, 표를 통해 구현되는 서로 떨어진 값에 관한 분포였다.

하지만 몸무게의 분포, 키의 분포, 기온의 분포 등과 같이 현실의 많은 확률분포는 연속적인 값과 관계된다.

오른쪽 그림과 같이 눈금이 있는 원판에서 점 O를 중심으로 자유롭게 회전하는 바늘을 힘껏 회전시켰을 때, 바늘이 멈추면서 가리키는 눈금을 X라 하면 X는 $0\le X\le 12$인 모든 실수의 값을 취할 수 있고, X가 그 값을 취할 수 있는 것은 같은 정도로 일어난다고 기대할 수 있다.

이와 같이 **어떤 범위 안에 속하는 모든 실수의 값을 가지는 확률변수**를 **연속확률변수**라 한다.

이산확률분포는 표를 통해 나타낼 수 있었다. 하지만 연속확률분포를 표로 나타내는 건 불가능하다. 나타낸다 해도 다음과 같은 의미 없는 표가 될 것이다.

X	0	$\cdots$	3	3.001	3.002	$\cdots$	12
$\mathrm{P}(X=x)$	0	$\cdots$	0	0	0	$\cdots$	0

즉, 연속확률변수에서의 확률은 구간의 확률만이 의미가 있고, 특정한 값에서의 확률은 항상 0이다. 그래서 확률밀도함수가 등장한다.

확률밀도함수란 구간의 확률이 그 구간의 그래프와 x축 사이의 넓이로 구현되는 함수.

확률밀도함수

연속확률변수 X가 $\alpha\le X\le\beta$에서 모든 실수 값을 취하고, 이 범위에서 함수 $f(x)$가 다음 조건을 만족할 때, $f(x)$를 X의 **확률밀도함수**라 한다.

(1) $f(x)\ge 0$

(2) $y=f(x)$의 그래프와 x축 사이의 전체 넓이는 1이다.

(3) 확률 $\mathrm{P}(a\le X\le b)$는 $a\le x\le b$에서 $y=f(x)$의 그래프와 x축 사이의 넓이와 같다.

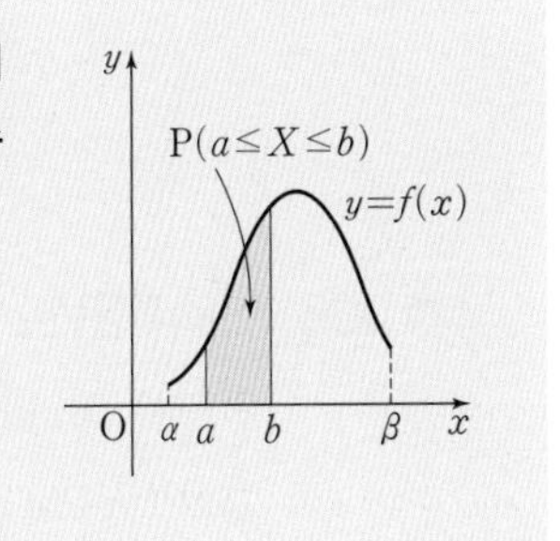

| 설명 | 어떤 시행에 대한 확률밀도함수를 구하는 것은 무척 어렵다. 구하는 법을 알 필요도 없다.
문제에서 확률밀도함수는 주어진다. 주어진 확률밀도함수를 가지고 놀 줄만 알면 된다.
해당 구간의 넓이가 해당 구간의 확률이고, 전체 넓이는 1이라는 것만 기억하자.

304 **연속확률변수 X의 확률밀도함수가 $f(x)=kx$ $(0\le x\le 10)$일 때, 다음을 구하여라.**

(1) 상수 k의 값　　(2) $\mathrm{P}(3\le X\le 7)$

(3) $\mathrm{P}(X\ge 5)$　　(4) $\mathrm{P}(X\le 5)$

풍산자曰 주어진 범위에서 $y=f(x)$의 그래프와 x축 사이의 전체 넓이는 1이며, 해당 범위의 확률은 해당 범위에서 $y=f(x)$의 그래프와 x축 사이의 넓이이다.

> 풀이 (1) 확률밀도함수의 그래프와 x축 사이의 전체 넓이는 1이므로

$\frac{1}{2}\times 10\times 10k=1$

$\therefore\ k=\mathbf{\frac{1}{50}}$

(2) 구하는 확률은 오른쪽 그림의 색칠한 부분의 넓이와 같으므로

$\mathrm{P}(3\le X\le 7)=\frac{1}{2}\times 7\times 7k-\frac{1}{2}\times 3\times 3k$

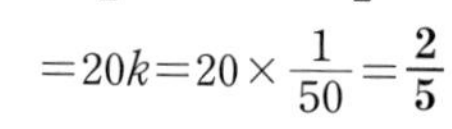

$=20k=20\times\frac{1}{50}=\mathbf{\frac{2}{5}}$

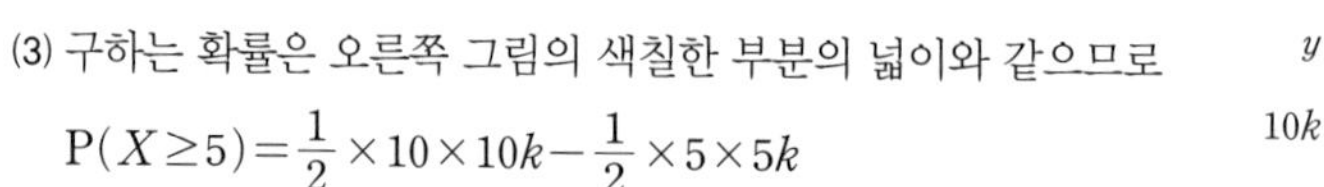

(3) 구하는 확률은 오른쪽 그림의 색칠한 부분의 넓이와 같으므로

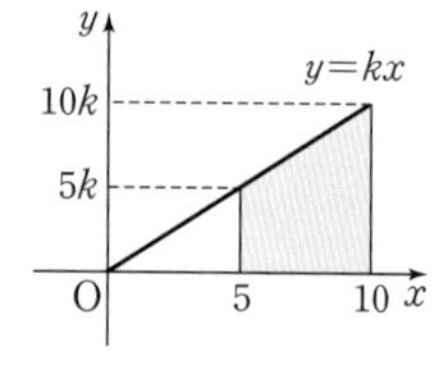

$\mathrm{P}(X\ge 5)=\frac{1}{2}\times 10\times 10k-\frac{1}{2}\times 5\times 5k$

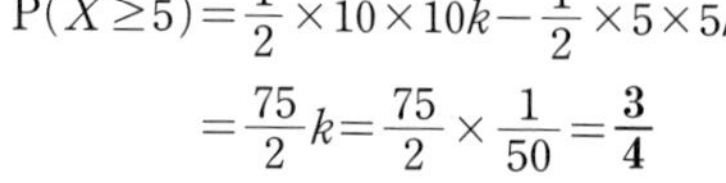

$=\frac{75}{2}k=\frac{75}{2}\times\frac{1}{50}=\mathbf{\frac{3}{4}}$

(4) $\mathrm{P}(X\le 5)=1-\mathrm{P}(X\ge 5)=1-\frac{3}{4}=\mathbf{\frac{1}{4}}$

> 참고 $\alpha\le x\le\beta$에서 모든 실수 값을 취하는 연속확률변수 X의 확률밀도함수가 $f(x)$일 때,

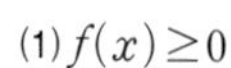

(1) $f(x)\ge 0$

(2) $y=f(x)$의 그래프와 x축 사이의 전체 넓이는 1이다.

(3) 해당 범위의 확률은 해당 범위에서 $y=f(x)$의 그래프와 x축 사이의 넓이이다.

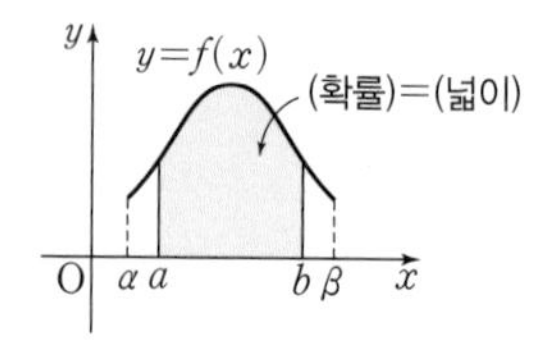

정답과 풀이 36쪽

유제 **305** **연속확률변수 X의 확률밀도함수가 $f(x)=k$ $(0\le x\le 12)$일 때, 다음을 구하여라.**

(1) 상수 k의 값　　(2) $\mathrm{P}(3\le X\le 6)$

(3) $\mathrm{P}(X\ge 4)$　　(4) $\mathrm{P}(X\le 4)$

306 **연속확률변수 X의 확률밀도함수가**

$$f(x)=\begin{cases} kx & (0\le x\le 1) \\ k(2-x) & (1\le x\le 2) \end{cases}$$

일 때, 다음을 구하여라.

(1) 상수 k의 값　　(2) $\mathrm{P}\left(0\le X\le \frac{1}{2}\right)$　　(3) $\mathrm{P}\left(\frac{1}{2}\le X\le 2\right)$

풍산자日 먼저 $x=1$을 경계로 나누어진 함수의 그래프를 그린 후 $y=f(x)$의 그래프와 x축 사이의 전체 넓이는 1임을 이용한다.

> 풀이 (1) x의 값의 범위에 따른 확률변수 X의 확률밀도함수 $y=f(x)$의 그래프를 그리면 오른쪽 그림과 같다.
확률밀도함수의 그래프와 x축 사이의 전체 넓이는 1이므로
$\frac{1}{2}\times 2\times k=1$　　$\therefore$ $\mathbf{k=1}$

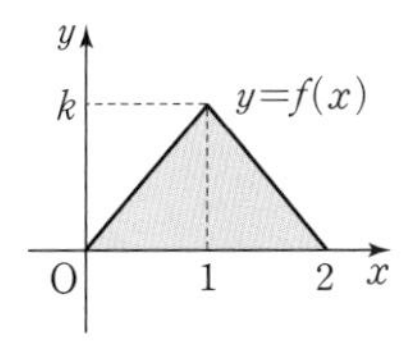

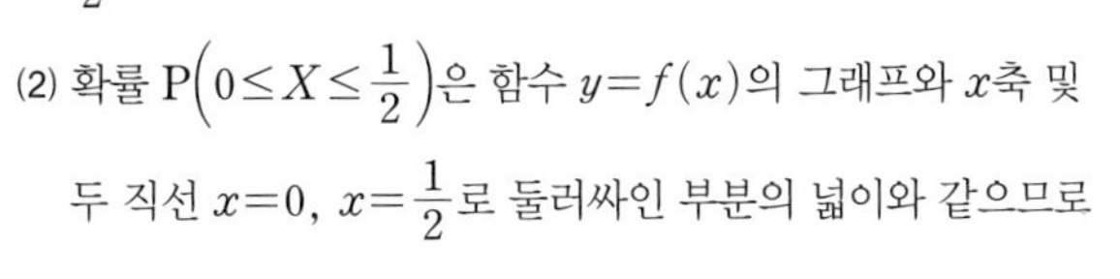

(2) 확률 $\mathrm{P}\left(0\le X\le \frac{1}{2}\right)$은 함수 $y=f(x)$의 그래프와 x축 및 두 직선 $x=0$, $x=\frac{1}{2}$로 둘러싸인 부분의 넓이와 같으므로
$\mathrm{P}\left(0\le X\le \frac{1}{2}\right)=\frac{1}{2}\times\frac{1}{2}\times\frac{1}{2}=\mathbf{\frac{1}{8}}$

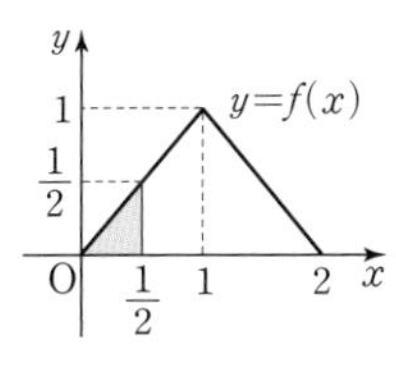

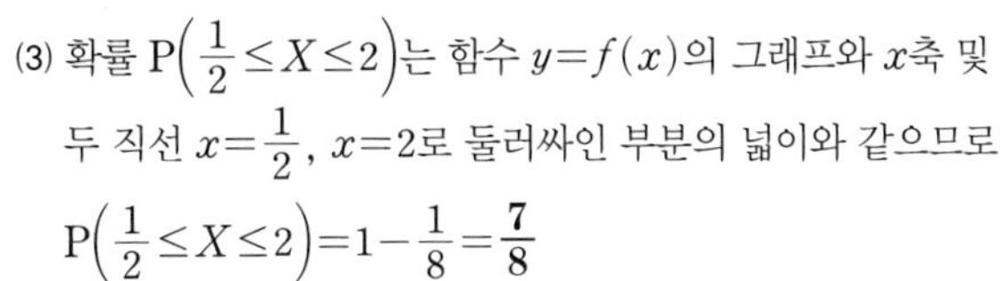

(3) 확률 $\mathrm{P}\left(\frac{1}{2}\le X\le 2\right)$는 함수 $y=f(x)$의 그래프와 x축 및 두 직선 $x=\frac{1}{2}$, $x=2$로 둘러싸인 부분의 넓이와 같으므로
$\mathrm{P}\left(\frac{1}{2}\le X\le 2\right)=1-\frac{1}{8}=\mathbf{\frac{7}{8}}$

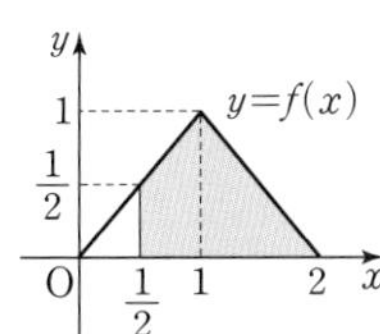

정답과 풀이 **36**쪽

유제 **307** **연속확률변수 X의 확률밀도함수가**

$$f(x)=\begin{cases} kx & (0\le x\le 1) \\ 3kx-2k & (1\le x\le 2) \end{cases}$$

일 때, 다음을 구하여라.

(1) 상수 k의 값　　(2) $\mathrm{P}(0\le X\le 1)$　　(3) $\mathrm{P}(1\le X\le 2)$

풍산자 비법

- 주어진 범위에서 확률밀도함수 $y=f(x)$의 그래프와 x축 사이의 전체 넓이는 1이다.
- 확률 $\mathrm{P}(a\le X\le b)$는 확률밀도함수 $y=f(x)$의 그래프와 x축 및 두 직선 $x=a$, $x=b$로 둘러싸인 부분의 넓이와 같다.

한걸음 더

적분으로 연속확률변수와 확률밀도함수 이해하기

적분을 공부한 학생은 연속확률변수 X의 확률 및 평균, 분산, 표준편차를 정적분을 이용하여 구할 수 있다. 아직 적분을 배우지 않은 학생은 적분을 배운 다음에 되돌아와서 공부하길 바란다.

(1) 확률밀도함수

연속확률변수 X가 $\alpha \le X \le \beta$에서 모든 실수 값을 취하고, 이 범위에서 함수 $f(x)$가 다음 조건을 만족할 때, $f(x)$를 X의 확률밀도함수라 한다.

① $f(x) \ge 0$

② $y=f(x)$의 그래프와 x축 사이의 전체 넓이는 1이다.

즉, $\int_{\alpha}^{\beta} f(x)dx=1$

③ 확률 $\mathrm{P}(a \le X \le b)$는 $a \le x \le b$에서 $y=f(x)$의 그래프와 x축 사이의 넓이와 같다.

즉, $\mathrm{P}(a \le X \le b)=\int_{a}^{b} f(x)dx$

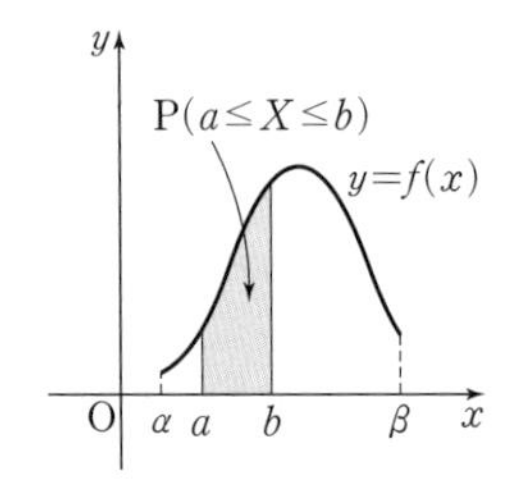

(2) 연속확률변수의 평균, 분산, 표준편차

이산확률변수의 평균, 분산, 표준편차의 정의에서 $\sum$를 $\int$로, p_i를 $f(x)dx$로 바꾸면 연속확률변수의 평균, 분산, 표준편차의 정의를 얻을 수 있다.

연속확률변수 X의 확률밀도함수가 $f(x)$ $(\alpha \le x \le \beta)$일 때, X의 평균, 분산, 표준편차를 다음과 같이 정의한다.

- 평균: $\mathrm{E}(X)=\int_{\alpha}^{\beta} xf(x)dx=m$
- 분산: $\mathrm{V}(X)=\int_{\alpha}^{\beta} (x-m)^2 f(x)dx=\int_{\alpha}^{\beta} x^2 f(x)dx-m^2$
- 표준편차: $\sigma(X)=\sqrt{\mathrm{V}(X)}$

또한, 이산확률변수에서와 마찬가지로 연속확률변수에 대해서도 다음과 같은 성질이 성립한다.

- $\mathrm{V}(X)=\mathrm{E}(X^2)-\{\mathrm{E}(X)\}^2$
- $\mathrm{E}(aX+b)=a\mathrm{E}(X)+b$
- $\mathrm{V}(aX+b)=a^2\mathrm{V}(X)$
- $\sigma(aX+b)=|a|\sigma(X)$

| 증명 |

① $\mathrm{V}(X)=\mathrm{E}((X-m)^2)=\int_{\alpha}^{\beta}(x-m)^2 f(x)dx$

$$=\int_{\alpha}^{\beta}(x^2-2mx+m^2)f(x)dx$$

$$=\int_{\alpha}^{\beta}x^2f(x)dx-2m\int_{\alpha}^{\beta}xf(x)dx+m^2\int_{\alpha}^{\beta}f(x)dx$$

$$=\int_{\alpha}^{\beta}x^2f(x)dx-2m\times m+m^2\times 1$$

$$=\int_{\alpha}^{\beta}x^2f(x)dx-m^2$$

$$=\mathrm{E}(X^2)-\{\mathrm{E}(X)\}^2$$

② $\mathrm{E}(aX+b)=\int_{\alpha}^{\beta}(ax+b)f(x)dx$

$$=a\int_{\alpha}^{\beta}xf(x)dx+b\int_{\alpha}^{\beta}f(x)dx=a\mathrm{E}(X)+b$$

③ $\mathrm{V}(aX+b)=\int_{\alpha}^{\beta}\{(ax+b)-(am+b)\}^2 f(x)dx$

$$=a^2\int_{\alpha}^{\beta}(x-m)^2f(x)dx=a^2\mathrm{V}(X)$$

02 정규분포

키, 몸무게, 성적, 강수량 등 자연 현상이나 사회 현상에서 나타나는 여러 가지 통계 자료를 정리한 후 계급의 크기를 작게 하여 히스토그램으로 나타내면, 자료의 개수가 많아질수록 오른쪽 그림과 같이 **좌우 대칭인 종 모양의 곡선**에 가까워지는 경우가 많다. 키나 몸무게 등 현실의 다양한 분포들은 신기하게도 종 모양의 확률밀도함수로 나타나는데, 이 확률밀도함수가 나타내는 확률분포를 **정규분포**라 한다.

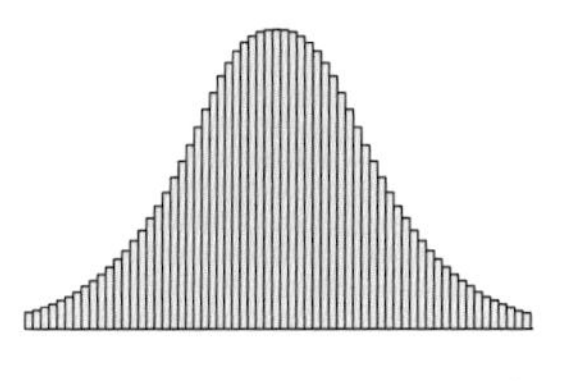

정규분포

(1) 연속확률변수 X의 확률밀도함수 $f(x)$가

$$f(x)=\frac{1}{\sqrt{2\pi}\,\sigma}e^{-\frac{(x-m)^2}{2\sigma^2}} \quad (m\text{은 상수, }\sigma\text{는 양의 상수, }e=2.71828\cdots)$$

일 때, X의 확률분포를 정규분포라 하고, 확률밀도함수 $f(x)$의 그래프를 **정규분포곡선**이라 한다. 이때 연속확률변수 X의 평균은 m이고, 표준편차는 σ이다.

(2) 평균이 m, 표준편차가 σ인 정규분포를 기호로 $\mathbf{N}(m,\ \sigma^2)$과 같이 나타낸다.

| 참고 | $\mathrm{N}(m,\ \sigma^2)$의 N은 정규분포를 뜻하는 normal distribution의 첫 글자이다.

정규분포의 확률밀도함수는 우리가 수학을 공부하며 만났던 그 어떤 식보다도 낯설고 예쁘지 않은 모양을 하고 있다. 암기할까? 그럴 필요는 없다.
중요한 건 저 식이 아니라 저 식의 그래프이기 때문.
저 식의 그래프인 정규분포곡선은 다음과 같은 성질을 가지고 있다.

정규분포곡선의 성질

정규분포 $\mathrm{N}(m,\ \sigma^2)$을 따르는 확률변수 X의 정규분포곡선은

(1) 직선 $x=m$에 대하여 대칭이고, $x=m$에서 최댓값을 갖는다.

(2) x축을 점근선으로 한다.

(3) 곡선과 x축 사이의 넓이는 1이다.

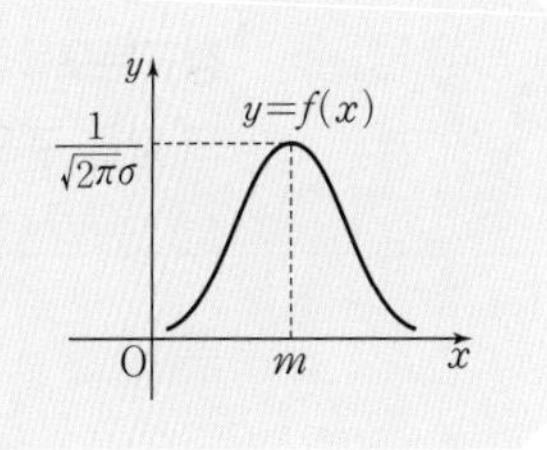

| 설명 | m의 값이 일정할 때, σ의 값이 커지면 곡선의 중앙 부분이 낮아지면서 옆으로 퍼지고, σ의 값이 작아지면 곡선의 중앙 부분이 높아진다.
σ의 값이 일정할 때, m의 값이 변하면 대칭축의 위치는 변하지만 곡선의 모양은 일정하다.

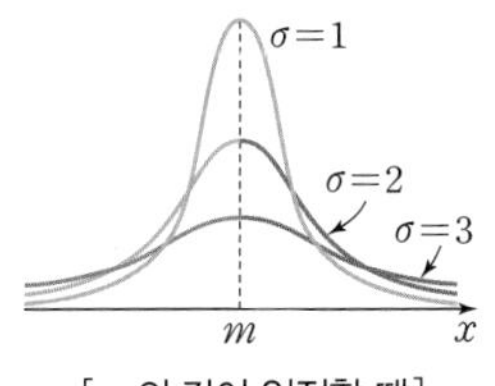

[m의 값이 일정할 때]

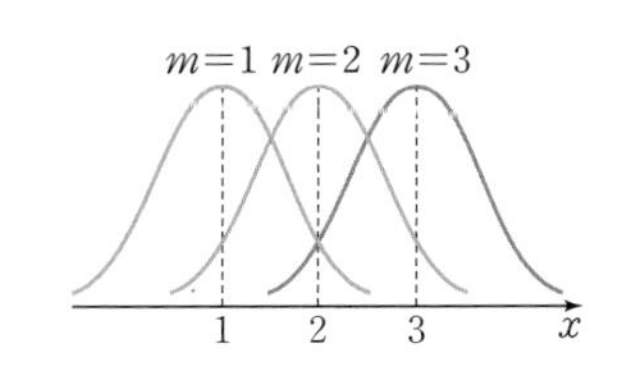

[σ의 값이 일정할 때]

308 그림과 같은 네 곡선 A, B, C, D가 나타내는 정규분포에 대하여 다음의 크기를 비교하여라. (단, A를 평행이동하면 D와 일치하고, B를 평행이동하면 C와 일치한다.)

(1) 각각의 평균 m_A, m_B, m_C, m_D

(2) 각각의 표준편차 σ_A, σ_B, σ_C, σ_D

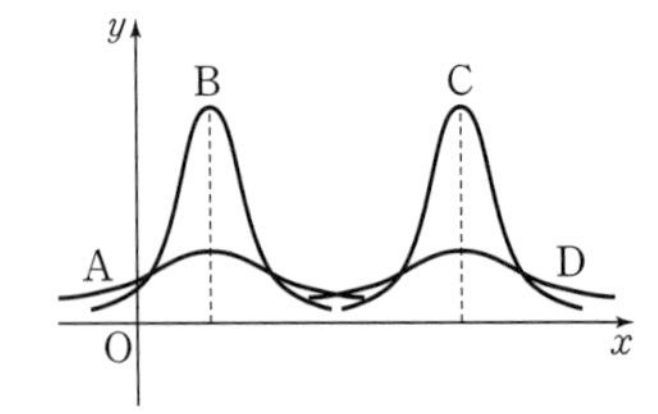

풍산자T 정규분포 $N(m, \sigma^2)$을 따르는 확률변수 X의 정규분포곡선에서

(1) 대칭축의 방정식은 $x=m$(평균)이다.

(2) 표준편차 σ의 값이 클수록 높이는 낮아지고 폭은 넓어진다.

> 풀이 (1) 평균은 대칭축에 위치한다. ➡ 오른쪽으로 갈수록 평균이 크다.
> $\therefore$ $\boldsymbol{m_A=m_B<m_C=m_D}$
>
> (2) 표준편차가 커지면 분산된 정도가 커져 넓게 퍼지고, 표준편차가 작아지면 분산된 정도가 작아져 평균으로 집중한다. ➡ 높이가 낮고 폭이 넓을수록 표준편차가 크다.
> $\therefore$ $\boldsymbol{\sigma_B=\sigma_C<\sigma_A=\sigma_D}$

정답과 풀이 **36**쪽

유제 **309** 그림은 여러 가지 정규분포곡선을 나타낸 것이다. 이 중에서 평균이 가장 큰 것과 표준편차가 가장 큰 것을 구하여라.

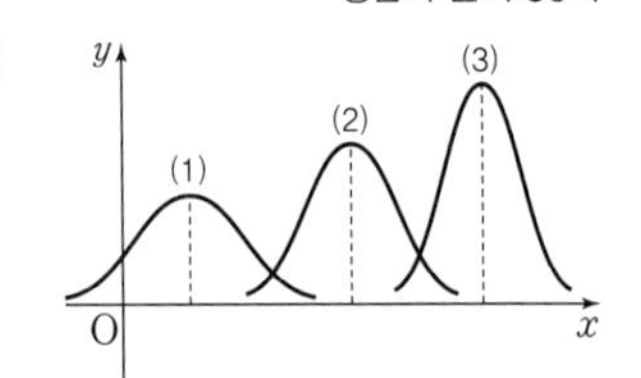

310 정규분포 $N(m, \sigma^2)$을 따르는 확률변수 X에 대하여 $P(X\le 8)=P(X\ge 12)$일 때, m의 값을 구하여라.

풍산자T 정규분포 $N(m, \sigma^2)$을 따르는 확률변수 X의 정규분포곡선은 직선 $x=m$에 대하여 대칭이다.

> 풀이 정규분포곡선은 직선 $x=m$에 대하여 대칭이므로
> $P(X\le 8)=P(X\ge 12)$에서
> $m=\dfrac{8+12}{2}=\mathbf{10}$

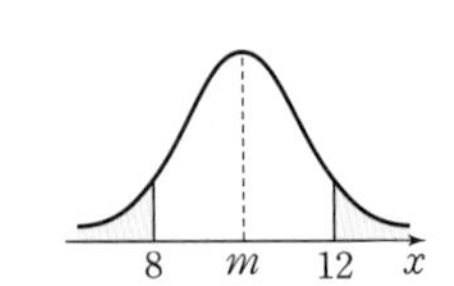

정답과 풀이 **37**쪽

유제 **311** 정규분포 $N(16, 2^2)$을 따르는 확률변수 X에 대하여 $P(X\le a)=P(X\ge 20)$일 때, 상수 a의 값을 구하여라.

03 표준정규분포

정규분포를 배웠지만 확률을 구할 수 없다.
확률을 구하려면 괴물같은 정규분포곡선과의 넓이를 구해야 한다.
그래서 똑똑한 수학자들이 컴퓨터로 계산해 표를 만들었다.
이른바 표준정규분포표!

표준정규분포

(1) 표준정규분포: 정규분포 $\mathrm{N}(m,\ \sigma^2)$에서 **평균 $m=0$, 표준편차 $\sigma=1$인 정규분포 $\mathrm{N}(0,\ 1)$을 표준정규분포**라 한다.

(2) 표준정규분포표: 확률변수 Z가 표준정규분포를 따를 때, Z의 확률밀도함수는

$$f(z)=\frac{1}{\sqrt{2\pi}}e^{-\frac{z^2}{2}}$$

이며 표준정규분포에서의 확률 $\mathrm{P}(0\le Z\le a)$는 오른쪽 그림에서 색칠한 부분의 넓이와 같고, 그 값은 표준정규분포표를 이용하면 구할 수 있다.

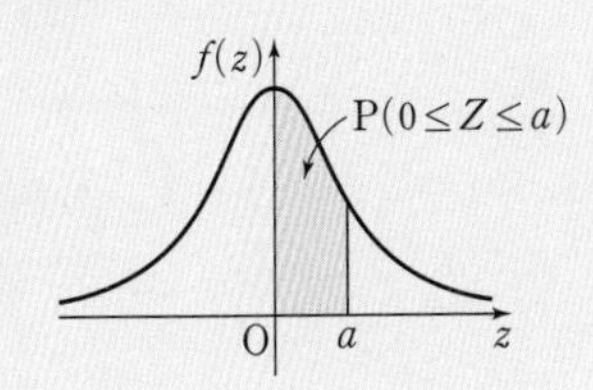

| 설명 | 표준정규분포표에서의 확률은 항상 0에서부터의 확률이다.
예를 들어, 오른쪽 표준정규분포표에서
$\mathrm{P}(0\le Z\le 1.72)=0.4573$

z	0	1	2	…
0.0	.0000	.0040	.0080	
⋮	⋮	⋮	⋮	
1.7	.4554	.4564	.4573	
⋮				

표준정규분포 $\mathrm{N}(0,\ 1)$의 확률은 표를 이용하여 구할 수 있다.
그럼 표준정규분포가 아닌 $\mathrm{N}(m,\ \sigma^2)$의 확률은?
다음과 같은 표준화 공식을 이용하여 표준화한 후 표준정규분포표를 보면 된다.

정규분포의 표준화 중요!

정규분포 $\mathrm{N}(m,\ \sigma^2)$을 따르는 확률변수 X를 표준정규분포 $\mathrm{N}(0,\ 1)$을 따르는 확률변수 $Z=\frac{X-m}{\sigma}$으로 바꾸는 것을 확률변수 X를 **표준화**한다고 한다.

$$\mathrm{P}(a\le X\le b)=\mathrm{P}\left(\frac{a-m}{\sigma}\le Z\le\frac{b-m}{\sigma}\right)$$

| 설명 | 일반적으로 두 상수 a, b에 대하여 $\mathrm{E}(aX+b)=a\mathrm{E}(X)+b$, $\mathrm{V}(aX+b)=a^2\mathrm{V}(X)$가 성립하므로 다음을 확인할 수 있다.

$$\mathrm{E}(Z)=\mathrm{E}\left(\frac{X-m}{\sigma}\right)=\frac{1}{\sigma}\{\mathrm{E}(X)-m\}=0,\ \mathrm{V}(Z)=\mathrm{V}\left(\frac{X-m}{\sigma}\right)=\frac{1}{\sigma^2}\mathrm{V}(X)=1$$

따라서 표준화 공식 $Z=\frac{X-m}{\sigma}$을 통과하면 항상 평균은 0, 분산은 1인 표준정규분포로 표준화된다.

312 확률변수 Z가 표준정규분포 $\mathrm{N}(0,\ 1)$을 따를 때, 오른쪽 표준정규분포표를 이용하여 다음 확률을 구하여라.

(1) $\mathrm{P}(Z \le 2)$　　(2) $\mathrm{P}(-0.5 \le Z \le 1)$

z	$\mathrm{P}(0 \le Z \le z)$
0.5	0.1915
1.0	0.3413
1.5	0.4332
2.0	0.4772

풍산자日 그래프를 그린 후, 그래프가 직선 $z=0$에 대하여 좌우 대칭이고 전체의 절반은 0.5임을 이용해 해당 범위의 넓이를 구한다.

> 풀이

(1) $\mathrm{P}(Z \le 2) = \mathrm{P}(Z \le 0) + \mathrm{P}(0 \le Z \le 2)$
$= 0.5 + 0.4772$
$= \mathbf{0.9772}$

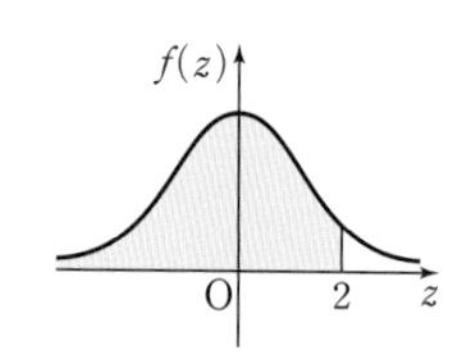

(2) $\mathrm{P}(-0.5 \le Z \le 1) = \mathrm{P}(-0.5 \le Z \le 0) + \mathrm{P}(0 \le Z \le 1)$
$= \mathrm{P}(0 \le Z \le 0.5) + \mathrm{P}(0 \le Z \le 1)$
$= 0.1915 + 0.3413 = \mathbf{0.5328}$

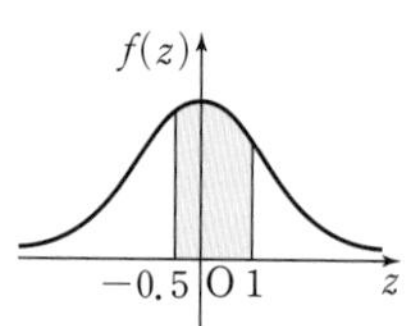

정답과 풀이 **37**쪽

유제 **313** 확률변수 Z가 표준정규분포 $\mathrm{N}(0,\ 1)$을 따를 때, 위의 표준정규분포표를 이용하여 다음 확률을 구하여라.

(1) $\mathrm{P}(Z \ge 1.5)$　　(2) $\mathrm{P}(1 \le Z \le 2)$

| 표준정규분포 (2) |

314 확률변수 Z가 표준정규분포 $\mathrm{N}(0,\ 1)$을 따를 때, 오른쪽 표준정규분포표를 이용하여 $\mathrm{P}(Z \ge c) = 0.0228$을 만족시키는 상수 c의 값을 구하여라.

z	$\mathrm{P}(0 \le Z \le z)$
0.5	0.1915
1.0	0.3413
1.5	0.4332
2.0	0.4772

풍산자日 $c>0$일 때 $\mathrm{P}(Z \ge c) = 0.5 - \mathrm{P}(0 \le Z \le c)$임을 이용한다.

> 풀이

$\mathrm{P}(Z \ge c) = 0.5 - \mathrm{P}(0 \le Z \le c)$
$= 0.0228$
$\therefore\ \mathrm{P}(0 \le Z \le c) = 0.4772$
이때 $\mathrm{P}(0 \le Z \le 2) = 0.4772$이므로 $c = \mathbf{2}$

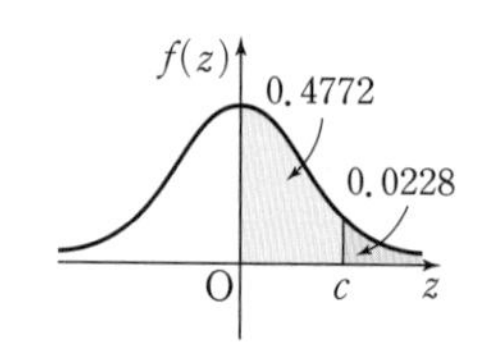

정답과 풀이 **37**쪽

유제 **315** 확률변수 Z가 표준정규분포 $\mathrm{N}(0,\ 1)$을 따를 때, 위의 표준정규분포표를 이용하여 $\mathrm{P}(Z \le c) = 0.8413$을 만족시키는 상수 c의 값을 구하여라.

316 **확률변수 X가 정규분포 $\mathrm{N}(70,\ 3^2)$을 따를 때, 오른쪽 표준정규분포표를 이용하여 다음 확률을 구하여라.**

(1) $\mathrm{P}(67 \le X \le 76)$

(2) $\mathrm{P}(X \ge 79)$

(3) $\mathrm{P}(X \le 73)$

z	$\mathrm{P}(0 \le Z \le z)$
1.0	0.3413
2.0	0.4772
3.0	0.4987

풍산자日 표준화 공식 $Z=\dfrac{X-m}{\sigma}$을 이용하여 표준화한 후 표준정규분포표를 찾아보면 된다.

> 풀이 확률변수 X가 정규분포 $\mathrm{N}(70,\ 3^2)$을 따르므로 $Z=\dfrac{X-70}{3}$은 표준정규분포 $\mathrm{N}(0,\ 1)$을 따른다.

(1) $X=67$일 때 $Z=\dfrac{67-70}{3}=-1$,

$X=76$일 때 $Z=\dfrac{76-70}{3}=2$이므로

$\mathrm{P}(67 \le X \le 76)=\mathrm{P}(-1 \le Z \le 2)$
$=\mathrm{P}(0 \le Z \le 1)+\mathrm{P}(0 \le Z \le 2)$
$=0.3413+0.4772=\mathbf{0.8185}$

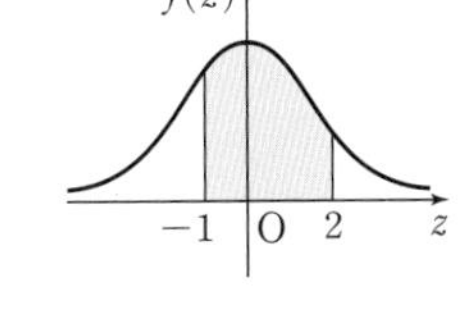

(2) $X=79$일 때 $Z=\dfrac{79-70}{3}=3$이므로

$\mathrm{P}(X \ge 79)=\mathrm{P}(Z \ge 3)$
$=0.5-\mathrm{P}(0 \le Z \le 3)$
$=0.5-0.4987=\mathbf{0.0013}$

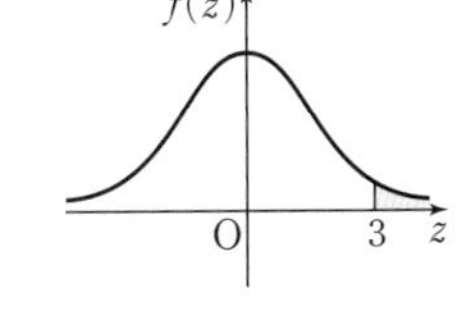

(3) $X=73$일 때 $Z=\dfrac{73-70}{3}=1$이므로

$\mathrm{P}(X \le 73)=\mathrm{P}(Z \le 1)$
$=0.5+\mathrm{P}(0 \le Z \le 1)$
$=0.5+0.3413=\mathbf{0.8413}$

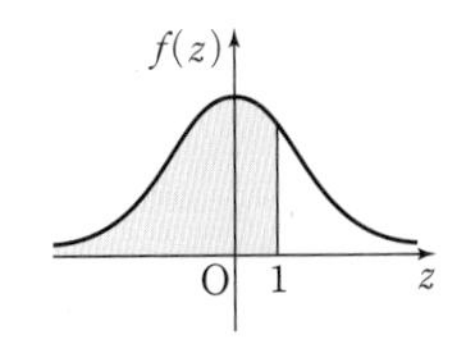

정답과 풀이 **37**쪽

유제 **317** **확률변수 X가 정규분포 $\mathrm{N}(80,\ 10^2)$을 따를 때, 위의 표준정규분포표를 이용하여 다음 확률을 구하여라.**

(1) $\mathrm{P}(50 \le X \le 100)$ (2) $\mathrm{P}(X \ge 60)$ (3) $\mathrm{P}(X \le 70)$

풍산자 비법

확률변수 X가 정규분포 $\mathrm{N}(m,\ \sigma^2)$을 따를 때, 해당 범위의 확률을 구하려면 표준화 공식 $Z=\dfrac{X-m}{\sigma}$을 이용하여 표준화한 후 표준정규분포표를 찾아보면 된다.

$$\mathrm{P}(a \le X \le b)=\mathrm{P}\left(\frac{a-m}{\sigma} \le Z \le \frac{b-m}{\sigma}\right)$$

318 **어느 고등학교 학생 1000명의 키는 평균이 170 cm, 표준편차가 6 cm인 정규분포를 따르고 있다. 오른쪽 표준정규분포표를 이용하여 다음 물음에 답하여라.**

z	$\mathrm{P}(0 \le Z \le z)$
1.0	0.34
1.5	0.43
2.0	0.48

(1) 키가 158 cm 이상 179 cm 이하인 학생은 전체의 몇 %인지 구하여라.

(2) 키가 176 cm 이상인 학생은 약 몇 명인지 구하여라.

풍산자비 일단 주어진 정규분포에서 표준화하여 해당 확률을 구한 후, 다음과 같이 마무리하면 된다.

(1) 몇 %인가? ➡ (확률) × 100

(2) 몇 명인가? ➡ (확률) × (전체 학생 수)

> 풀이

학생들의 키를 X cm라 하면 확률변수 X는 정규분포 $\mathrm{N}(170,\ 6^2)$을 따르므로

$Z=\dfrac{X-170}{6}$은 표준정규분포 $\mathrm{N}(0,\ 1)$을 따른다.

(1) $\mathrm{P}(158 \le X \le 179)=\mathrm{P}\left(\dfrac{158-170}{6} \le Z \le \dfrac{179-170}{6}\right)$

$=\mathrm{P}(-2 \le Z \le 1.5)$

$=\mathrm{P}(0 \le Z \le 2)+\mathrm{P}(0 \le Z \le 1.5)$

$=0.48+0.43$

$=0.91$

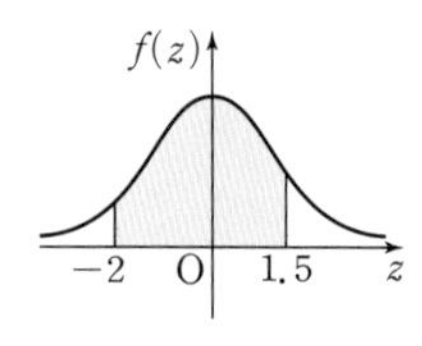

따라서 키가 158 cm 이상 179 cm 이하인 학생은 전체의 **91 %**이다.

(2) $\mathrm{P}(X \ge 176)=\mathrm{P}\left(Z \ge \dfrac{176-170}{6}\right)$

$=\mathrm{P}(Z \ge 1)$

$=0.5-\mathrm{P}(0 \le Z \le 1)$

$=0.5-0.34$

$=0.16$

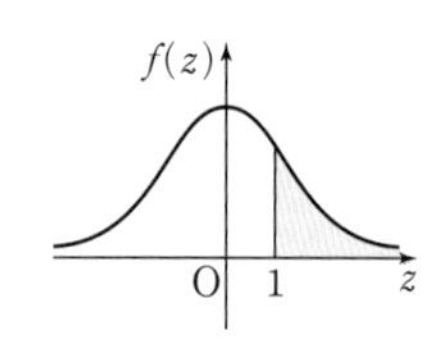

따라서 전체 학생 수가 1000명이므로 키가 176 cm 이상인 학생은

$0.16 \times 1000=$**160(명)**

정답과 풀이 **37**쪽

유제 **319** **어느 고등학교 학생 2000명의 몸무게는 평균이 60 kg, 표준편차가 4 kg인 정규분포를 따르고 있다. 오른쪽 표준정규분포표를 이용하여 다음 물음에 답하여라.**

z	$\mathrm{P}(0 \le Z \le z)$
1.0	0.34
1.5	0.43
2.0	0.48

(1) 몸무게가 56 kg 이상 68 kg 이하인 학생은 전체의 몇 %인지 구하여라.

(2) 몸무게가 54 kg 이하인 학생은 약 몇 명인지 구하여라.

320 어느 지역의 학생 1000명의 수학 성적은 평균이 70점, 표준편차가 10점인 정규분포를 따르고 있다. 오른쪽 표준정규분포표를 이용하여 수학 성적이 상위 20등 이내에 들기 위해서는 몇 점 이상을 받아야 하는지 구하여라.

z	$P(0\le Z\le z)$
1.0	0.34
1.5	0.43
2.0	0.48

풍산자日 1000명 중 20등은 $\frac{20}{1000}=0.02$이므로 $P(X\ge a)=0.02$를 만족시키는 a의 값을 구하면 된다.

> 풀이 [1단계] 학생들의 수학 성적을 X점이라 하면 확률변수 X는 정규분포 $N(70,\ 10^2)$을 따른다.

a점 이상이 20등 이내라 하면 $P(X\ge a)=\frac{20}{1000}=0.02$

다음과 같은 문제로 변신했다.

정규분포 $N(70,\ 10^2)$에서 $P(X\ge a)=0.02$를 만족시키는 상수 a의 값은?

[2단계] 확률변수 $Z=\frac{X-70}{10}$은 표준정규분포 $N(0,\ 1)$을 따르므로

$$P(X\ge a)=P\left(Z\ge\frac{a-70}{10}\right)$$
$$=0.5-P\left(0\le Z\le\frac{a-70}{10}\right)$$
$$=0.02$$

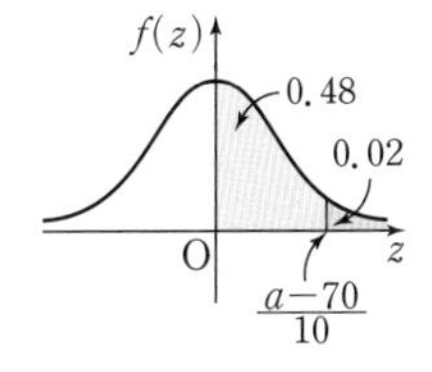

$$\therefore\ P\left(0\le Z\le\frac{a-70}{10}\right)=0.48$$

[3단계] 그런데 표준정규분포표에서 $P(0\le Z\le 2)=0.48$이므로

$\frac{a-70}{10}=2$ $\quad\therefore\ a=90$

따라서 수학 성적이 상위 20등 이내에 들기 위해서는 **90점 이상**을 받아야 한다.

정답과 풀이 38쪽

유제 **321** 어느 고등학교 학생 500명의 국어 성적은 평균이 63점, 표준편차가 7점인 정규분포를 따르고 있다. 오른쪽 표준정규분포표를 이용하여 국어 성적이 상위 80등 이내에 들기 위해서는 몇 점 이상을 받아야 하는지 구하여라.

z	$P(0\le Z\le z)$
1.0	0.34
1.5	0.43
2.0	0.48

풍산자 비법

정규분포에서 확률이 주어지면 구하는 값을 a로 놓고 표준화한 후 표준정규분포표를 거꾸로 찾아보면 된다.

04 이항분포와 정규분포의 관계

이항분포는 가장 중요한 이산확률분포이고, 정규분포는 가장 중요한 연속확률분포이다.
고교 통계 이론의 백미로 꼽히는 이 둘에 관한 놀라운 정리가 있다.

이항분포와 정규분포의 관계 중요!

(1) **확률변수 X가 이항분포 $B(n, p)$를 따를 때, n의 값이 충분히 크면 X는** 근사적으로 **정규분포 $N(np, npq)$를 따른다.** (단, $q=1-p$)

(2) n의 값이 충분히 클 때, 이항분포 $B(n, p)$에서 확률 $P(a \le X \le b)$를 구하려면
[1단계] $m=np$, $\sigma^2=npq$를 구한다.
[2단계] 정규분포 $N(m, \sigma^2)$에서 확률 $P(a \le X \le b)$를 구한다.

| 설명 | 이항분포 $B(n, p)$에서 $np \ge 5$, $nq \ge 5$이면 n이 충분히 큰 것으로 간주한다.
예를 들어, 동전 한 개를 100번 던질 때 뒷면이 나오는 횟수를 확률변수 X라 하면 X는 이항분포 $B\left(100, \frac{1}{2}\right)$을 따른다. 이때 $n=100$은 충분히 크므로 이항분포 $B\left(100, \frac{1}{2}\right)$은 정규분포 $N(50, 5^2)$으로 근사시킬 수 있다.

한걸음 더 **이항분포와 정규분포의 관계**

정규분포는 이항분포로부터 자연스럽게 유도된다.
오른쪽 그림은 한 개의 동전을 15번 던지는 독립시행에서 앞면이 나오는 횟수에 대한 이항분포 $B\left(15, \frac{1}{2}\right)$을 막대그래프로 나타낸 것이다.
이때 각 막대의 윗변의 중점을 부드럽게 연결한 곡선은 종 모양이 된다.

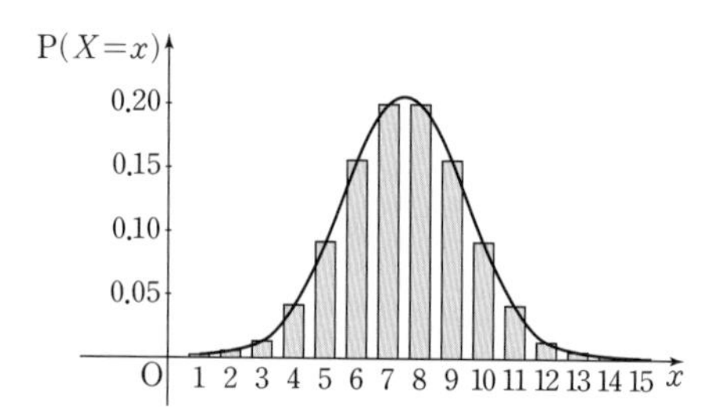

일반적으로 이항분포 $B(n, p)$에서 $m=np$, $\sigma^2=npq$ (단, $q=1-p$)라 할 때, n의 값이 충분히 크면 이와 같은 곡선은 함수

$$f(x)=\frac{1}{\sqrt{2\pi}\sigma}e^{-\frac{(x-m)^2}{2\sigma^2}}$$

의 그래프에 가까워진다는 것이 알려져 있다. 정규분포의 그 고약한 확률밀도함수는 그냥 하늘에서 뚝 떨어진 것이 아니라 이항분포를 연구하다가 얻어진 것이다.
이와 같은 이유로 이항분포 $B(n, p)$를 따르는 확률변수 X는 n의 값이 충분히 크면 정규분포 $N(m, \sigma^2)$을 따른다는 것이 알려져 있다.

322 **한 개의 주사위를 720번 던질 때, 1의 눈이 나오는 횟수가 110번 이상 130번 이하일 확률을 오른쪽 표준정규분포표를 이용하여 구하여라.**

z	$P(0\le Z\le z)$
1.0	0.3413
1.5	0.4332
2.0	0.4772

풍산자日 주어진 문제를 기호를 이용하여 간단히 나타내면 다음과 같다.
'확률변수 X가 이항분포 $B\left(720,\ \frac{1}{6}\right)$을 따를 때, 확률 $P(110\le X\le 130)$을 구하여라.'
➡ 720은 충분히 큰 수이므로 정규분포에 가까워진다.

> 풀이 [1단계] 한 개의 주사위를 720번 던질 때, 1의 눈이 나오는 횟수를 X라 하면
확률변수 X는 이항분포 $B\left(720,\ \frac{1}{6}\right)$을 따르므로

$m=720\times\frac{1}{6}=120,\ \sigma^2=720\times\frac{1}{6}\times\frac{5}{6}=100$

이때 $n=720$은 충분히 큰 수이므로 확률변수 X는 정규분포 $N(120,\ 10^2)$을 따른다.

[2단계] 확률변수 $Z=\frac{X-120}{10}$은 표준정규분포 $N(0,\ 1)$을 따르므로 구하는 확률은

$$\begin{aligned}&P(110\le X\le 130)\\&=P\left(\frac{110-120}{10}\le Z\le\frac{130-120}{10}\right)\\&=P(-1\le Z\le 1)\\&=2P(0\le Z\le 1)\\&=2\times 0.3413\\&=\mathbf{0.6826}\end{aligned}$$

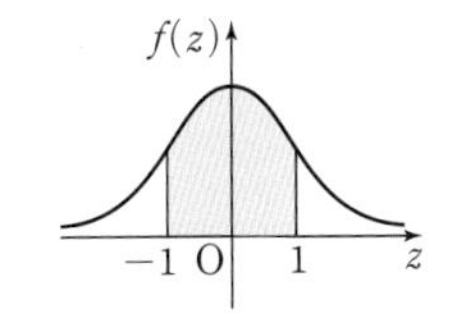

정답과 풀이 38쪽

유제 **323** **오른쪽 표준정규분포표를 이용하여 다음 물음에 답하여라.**

z	$P(0\le Z\le z)$
1.0	0.3413
1.5	0.4332
2.0	0.4772

(1) 한 개의 동전을 100번 던질 때, 앞면이 나오는 횟수가 40번 이상 55번 이하일 확률을 구하여라.

(2) 발아율이 60 %인 씨앗을 150개 뿌렸을 때, 발아한 씨앗이 99개 이상일 확률을 구하여라.

(3) 안경 쓴 학생의 비율이 25 %인 어느 고등학교에서 300명을 뽑을 때, 안경 쓴 학생이 60명 이하일 확률을 구하여라.

풍산자 비법

n이 충분히 클 때, 확률변수 X가 이항분포 $B(n,\ p)$를 따르면 ➔ X는 정규분포 $N(np,\ npq)$를 따른다.

필수 확인 문제

*더 많은 유형은 **풍산자필수유형 확률과 통계** 072쪽

정답과 풀이 39쪽

324

$0 \le x \le 2$에서 정의된 확률밀도함수 $y=f(x)$의 그래프가 될 수 있는 것만을 있는 대로 골라라.

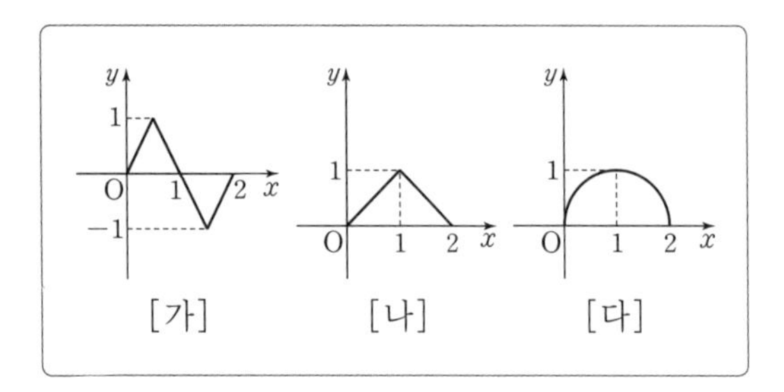

325

그림과 같은 세 곡선 A, B, C가 나타내는 정규분포의 평균을 각각 m_A, m_B, m_C라 하고 분산을 각각 V_A, V_B, V_C라 할 때, 이들 사이의 대소 관계를 바르게 나타낸 것은?

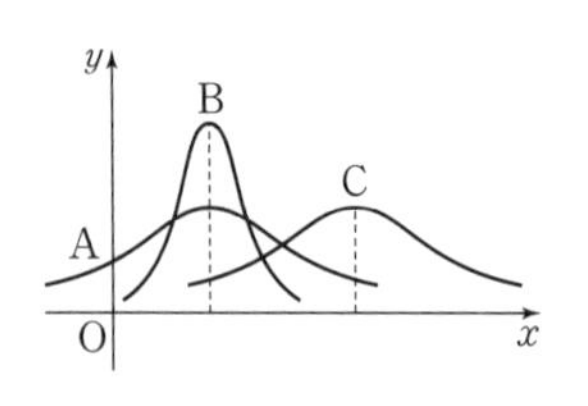

(단, A를 평행이동하면 C와 일치한다.)

① $m_A=m_B<m_C$, $V_A=V_C<V_B$
② $m_A=m_B<m_C$, $V_B<V_A=V_C$
③ $m_A=m_C<m_B$, $V_C<V_A=V_B$
④ $m_C<m_A=m_B$, $V_A=V_C<V_B$
⑤ $m_C<m_B<m_A$, $V_A<V_B<V_C$

326

확률변수 X는 정규분포 $N\left(n, \frac{n^2}{4}\right)$을 따르고, 확률변수 Z는 표준정규분포 $N(0, 1)$을 따른다고 한다. 이때 $P(n \le X \le 120)=P(0 \le Z \le 1)$을 만족시키는 자연수 n의 값을 구하여라.

327

확률변수 X가 정규분포 $N(62, 4^2)$을 따를 때, 오른쪽 표준정규분포표를 이용하여 확률 $P(64 \le X \le 68)$을 구하여라.

z	$P(0 \le Z \le z)$
0.5	0.1915
1.0	0.3413
1.5	0.4332

328

확률변수 X가 이항분포 $B\left(72, \frac{2}{3}\right)$를 따를 때, 오른쪽 표준정규분포표를 이용하여 확률 $P(44 \le X \le 56)$을 구하여라.

z	$P(0 \le Z \le z)$
1.0	0.3413
1.5	0.4332
2.0	0.4772

중단원 마무리

▶ 이산확률분포와 연속확률분포

	이산확률분포	연속확률분포
확률분포	확률질량함수 $\mathrm{P}(X=x_i)=p_i$ $(i=1,\ 2,\ 3,\ \cdots,\ n)$에 대하여 ① $\sum_{i=1}^{n} p_i=1$ ② $\mathrm{P}(x_i \le X \le x_j)=\sum_{k=i}^{j} p_k$ (단, $i,\ j=1,\ 2,\ 3,\ \cdots,\ n$이고 $i \le j$이다.)	확률밀도함수 $f(x)\ (\alpha \le x \le \beta)$에 대하여 ① $y=f(x)$의 그래프와 x축 사이의 전체 넓이는 1이다. ② $\mathrm{P}(a \le X \le b)$는 $a \le x \le b$에서 $y=f(x)$의 그래프와 x축 사이의 넓이와 같다. (단, $\alpha \le a < b \le \beta$)
평균, 분산, 표준편차	① $\mathrm{V}(X)=\mathrm{E}(X^2)-\{\mathrm{E}(X)\}^2$ ③ $\mathrm{V}(aX+b)=a^2\mathrm{V}(X)$	② $\mathrm{E}(aX+b)=a\mathrm{E}(X)+b$ ④ $\sigma(aX+b)=\lvert a \rvert \sigma(X)$

▶ 이항분포와 정규분포

이항분포	① 이항분포 $\mathrm{B}(n,\ p)$: 독립시행에서 정의되는 확률분포 $\mathrm{P}(X=r)={}_n\mathrm{C}_r p^r q^{n-r}$ (단, $q=1-p,\ r=0,\ 1,\ 2,\ 3,\ \cdots,\ n$) ② 이항분포 $\mathrm{B}(n,\ p)$에서의 평균, 분산, 표준편차 $\mathrm{E}(X)=np,\ \mathrm{V}(X)=npq,\ \sigma(X)=\sqrt{npq}$
정규분포	① 정규분포 $\mathrm{N}(m,\ \sigma^2)$: $f(x)=\frac{1}{\sigma\sqrt{2\pi}}e^{-\frac{(x-m)^2}{2\sigma^2}}\ (-\infty < x < \infty)$ ② 정규분포곡선은 직선 $x=m$에 대하여 대칭이고, $x=m$에서 최댓값을 갖는다. ③ 정규분포곡선은 표준편차 σ가 작을수록 뾰족해진다.
표준정규분포	① 표준정규분포 $\mathrm{N}(0,\ 1)$: 표준정규분포표를 보고 확률을 구한다. ② 표준화 공식: $Z=\frac{X-m}{\sigma}$

▶ 이항분포와 정규분포의 관계

이항분포와 정규분포의 관계	n이 충분히 크면 이항분포 $\mathrm{B}(n,\ p)$는 정규분포 $\mathrm{N}(np,\ npq)$로 근사할 수 있다.

실전 연습문제

STEP 1

329
확률변수 X의 확률질량함수가

$$P(X=x)=\frac{k}{x(x+1)}\ (x=1,\ 2,\ 3,\ \cdots,\ 8)$$

일 때, 상수 k의 값을 구하여라.

330
50원짜리, 100원짜리, 500원짜리 동전이 각각 4개, 2개, 4개가 들어 있는 주머니에서 한 개의 동전을 꺼낼 때, 그 동전의 금액을 X원이라 하자. 이때 확률변수 X의 기댓값을 구하여라.

331
각 면에 1, 1, 2, 2, 2, 4의 숫자가 각각 하나씩 적혀 있는 정육면체 모양의 상자가 있다. 이 상자를 던져서 바닥에 닿은 면에 적힌 숫자를 확률변수 X라 할 때, 확률변수 $5X+3$의 평균을 구하여라.

332
두 확률변수 X, Y에 대하여 $Y=\frac{1}{2}X+5$이고 Y의 평균과 Y^2의 평균이 각각 11, 124일 때, X^2의 평균을 구하여라.

333
다음 표와 같은 확률분포를 갖는 확률변수 X에 대하여 $E(X)=4$일 때, $V(X)$의 값을 구하여라.

X	2	4	a	합계
$P(X=x)$	b	$\frac{1}{4}$	$\frac{1}{4}$	1

334
이항분포 $B(n,\ p)$를 따르는 확률변수 X의 평균이 4, 분산이 2일 때, $\frac{P(X=3)}{P(X=2)}$의 값을 구하여라.

335

$0 \le X \le 4$에서 정의된 연속확률변수 X의 확률밀도함수 $y=f(x)$의 그래프가 오른쪽 그림과 같을 때, 다음을 구하여라.

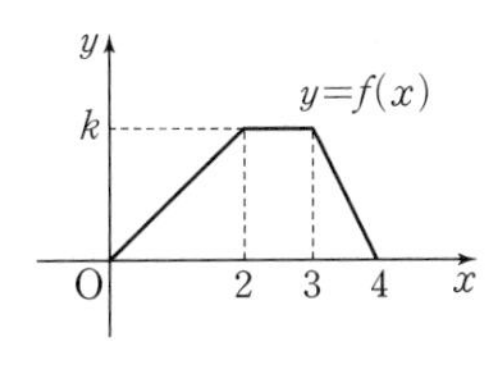

(1) 상수 k의 값

(2) 확률 $P(1 \le X \le 4)$

336

정규분포 $N(m,\ \sigma^2)$을 따르는 확률변수 X가 $P(X \le 20)=P(X \ge 28)$, $V(3X-6)=36$을 만족시킬 때, $m+\sigma$의 값을 구하여라.

337

두 확률변수 X, Y가 각각 정규분포 $N(50,\ 10^2)$, $N(40,\ 8^2)$을 따를 때,
$P(50 \le X \le k)=P(24 \le Y \le 40)$을 만족시키는 상수 k의 값을 구하여라.

338

어느 고등학교 3학년 학생들을 대상으로 한 달 동안의 참고서 구입 비용을 조사하였더니 평균이 6만 원, 표준편차가 2만 원인 정규분포를 따른다고 한다. 이들 중 임의로 한 학생을 선택하였을 때, 이 학생의 한 달 동안의 참고서 구입 비용이 4만 원 이상일 확률을 오른쪽 표준정규분포표를 이용하여 구하여라.

z	$P(0 \le Z \le z)$
1.0	0.3413
2.0	0.4772
3.0	0.4987

339

확률변수 X가 정규분포 $N(78,\ 7^2)$을 따를 때, $P(X \le a)=0.9772$를 만족시키는 상수 a의 값을 오른쪽 표준정규분포표를 이용하여 구하여라.

z	$P(0 \le Z \le z)$
1.0	0.3413
1.5	0.4332
2.0	0.4772

340

A통신회사 이동전화 가입자들의 통화 성공률은 80 %라 한다. 어느 날 A통신회사에 가입한 이동전화 이용자 100명이 통화를 시도했을 때, 88명 이상이 통화에 성공할 확률을 오른쪽 표준정규분포표를 이용하여 구하여라.

z	$P(0 \le Z \le z)$
1.0	0.3413
1.5	0.4332
2.0	0.4772

STEP 2

341

1부터 n까지의 자연수가 하나씩 적혀 있는 n장의 카드가 있다. 이 카드 중에서 임의로 서로 다른 4장의 카드를 선택할 때, 선택한 카드 4장에 적힌 수 중 가장 큰 수를 확률변수 X라 하자.
다음은 $\mathrm{E}(X)$를 구하는 과정이다. (단, $n \geq 4$)

> 자연수 $k(4 \leq k \leq n)$에 대하여 확률변수 X의 값이 k일 확률은 1부터 $(k-1)$까지의 자연수가 적혀 있는 카드 중에서 서로 다른 3장의 카드와 k가 적혀 있는 카드를 선택하는 경우의 수를 전체 경우의 수로 나누는 것이므로
> $\mathrm{P}(X=k)=\dfrac{\boxed{(가)}}{{}_n\mathrm{C}_4}$이다.
> 자연수 $r(1 \leq r \leq k)$에 대하여
> ${}_k\mathrm{C}_r=\dfrac{k}{r} \times {}_{k-1}\mathrm{C}_{r-1}$이므로
> $k \times \boxed{(가)}=4 \times \boxed{(나)}$이다.
> $\mathrm{E}(X)=\sum_{k=4}^{n}\{k \times \mathrm{P}(X=k)\}$
> $=\dfrac{1}{{}_n\mathrm{C}_4}\sum_{k=4}^{n}(k \times \boxed{(가)})$
> $=\dfrac{4}{{}_n\mathrm{C}_4}\sum_{k=4}^{n}\boxed{(나)}$
> 이다.
> $\sum_{k=4}^{n}\boxed{(나)}={}_{n+1}\mathrm{C}_5$이므로
> $\mathrm{E}(X)=(n+1) \times \boxed{(다)}$이다.

위의 (가), (나)에 알맞은 식을 각각 $f(k)$, $g(k)$라 하고, (다)에 알맞은 수를 a라 할 때, $a \times f(6) \times g(5)$의 값을 구하여라.

342

확률변수 X는 평균이 m, 표준편차가 5인 정규분포를 따르고, 확률변수 X의 확률밀도함수 $f(x)$가 다음 조건을 만족시킨다.

m이 자연수일 때, $\mathrm{P}(17 \leq X \leq 18)$의 값을 오른쪽 표준정규분포표를 이용하여 구하여라.

z	$\mathrm{P}(0 \leq Z \leq z)$
0.6	0.226
0.8	0.288
1.0	0.341
1.2	0.385
1.4	0.419

> (가) $f(10) > f(20)$
> (나) $f(4) < f(22)$

343

한 개의 동전을 20번 던질 때, 앞면이 나오는 횟수를 확률변수 X라 하자. 확률변수 Y를 $Y=20-X$라 할 때, 〈보기〉에서 옳은 것만을 있는 대로 골라라.

보기
ㄱ. $\mathrm{P}(8 \leq Y \leq 12)=\mathrm{P}(-12 \leq X \leq -8)$
ㄴ. Y의 평균은 X의 평균과 같다.
ㄷ. Y의 분산은 X의 분산과 같다.

2 통계적 추정

표본에서 얻은 정보로 모집단의 평균 등을 추측하는 것이 추정이다.
이때 오차나 신뢰구간의 길이를 작게 하기 위해
표본의 크기를 적절히 조절해야 한다.

1 모평균과 표본평균

$$\mathrm{E}(\overline{X})=m$$

$$\mathrm{V}(\overline{X})=\frac{\sigma^2}{n}$$

$$\sigma(\overline{X})=\frac{\sigma}{\sqrt{n}}$$

2 모평균의 추정

$$\overline{X}-1.96\frac{\sigma}{\sqrt{n}}\leq m\leq\overline{X}+1.96\frac{\sigma}{\sqrt{n}}$$

$$\overline{X}-2.58\frac{\sigma}{\sqrt{n}}\leq m\leq\overline{X}+2.58\frac{\sigma}{\sqrt{n}}$$

1 모평균과 표본평균

01 모집단과 표본

우리나라는 5년마다 전 국민을 대상으로 인구주택총조사를 한다. 또, 선거철이 되면 수많은 여론조사를 한다. 이런 조사를 **통계조사**라 한다.
통계조사의 방법은 전수조사와 표본조사의 두 가지가 있다.

모집단과 표본

(1) 통계조사
① **전수조사**: 인구조사와 같이 집단 전체를 빠짐없이 조사하는 것
② **표본조사**: 여론조사와 같이 집단의 일부만 추출해 조사하는 것

(2) 모집단과 표본
① **모집단**: 조사의 대상이 되는 자료 전체
② **표본**: 모집단에서 추출한 자료
③ **표본의 크기**: 표본에 포함된 자료의 개수

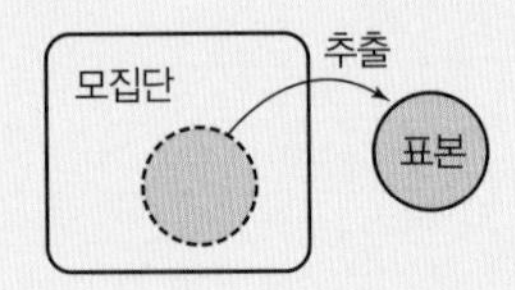

| 설명 | 전수조사는 전체에 대한 정확한 정보를 얻을 수 있지만 비용이 많이 들고 시간이 오래 걸린다. 그래서 주로 표본조사를 한다. 앞으로 우리가 가지고 놀 얘기는 모두 표본조사에 관한 얘기들이다.

표본조사의 목적은 모집단에서 추출한 표본을 바탕으로 모집단의 특성을 추측하는 데 있다.
따라서 정확한 추측을 위해 모집단을 대표하는 표본을 추출하는 것이 중요!
표본이 모집단을 대표할 가능성을 높이기 위해서는 조사자의 편의나 주관을 배제하고 모집단의 어느 한 부분에 편중되지 않도록 표본을 추출해야 한다.

표본의 추출 방법

(1) **임의추출**: 모집단에서 표본을 추출할 때, 특별한 편견없이 모든 자료가 같은 확률로 추출되도록 하는 것을 임의추출이라 하고, 임의추출된 표본을 임의표본이라 한다.
(2) **복원추출과 비복원추출**: 한 개의 표본을 추출할 때마다 추출한 것을 다시 넣고 추출하는 것을 복원추출이라 하고, 다시 넣지 않고 추출하는 것을 비복원추출이라 한다.

| 설명 | 표본을 임의 추출할 때는 제비뽑기, 난수표, 난수 주사위, 컴퓨터 소프트웨어 등을 이용한다.
모집단의 각 대상을 같은 확률로 추출하려면 복원추출해야 하지만 모집단의 크기가 충분히 크면 비복원추출과 복원추출의 차이가 별로 없기 때문에 실제 여론조사, 설문조사 등에서는 비복원추출로 표본을 추출하는 경우가 많다.

02 표본평균의 분포

모집단의 평균, 분산, 표준편차를 모평균, 모분산, 모표준편차라 한다.
표본의 평균을 표본평균이라 하고, $\overline{X}$로 나타낸다.
우리가 알고 싶은 것은 바로 표본평균 $\overline{X}$의 분포!

모평균과 표본평균

(1) 모집단의 확률변수 X의 평균, 분산, 표준편차를 각각 **모평균, 모분산, 모표준편차**라 하고, 각각 m, σ^2, σ로 나타낸다.

(2) 모집단에서 임의추출한 크기 n인 표본을 X_1, X_2, $\cdots$, X_n이라 할 때, 이들의 평균, 분산, 표준편차를 각각 **표본평균, 표본분산, 표본표준편차**라 하고, 각각 $\overline{X}$, S^2, S로 나타낸다.
이때 $\overline{X}$, S^2, S는 다음과 같이 정의한다.

$$\overline{X}=\frac{1}{n}\sum_{i=1}^{n}X_i,\ S^2=\frac{1}{n-1}\sum_{i=1}^{n}(X_i-\overline{X})^2,\ S=\sqrt{S^2}$$

| 설명 | 모평균은 모집단의 진짜 평균으로 고정된 값이고, 표본평균은 표본조사에서 구한 평균으로 추출된 표본에 따라 여러 가지 값을 가질 수 있는 확률변수이다.
우리가 원하는 최종 목표는 표본평균으로부터 모평균을 추정하는 것이다.
이를 위해 먼저 표본평균에 대해 공부한다.

| 참고 | 표본분산 S^2은 자료의 분산과는 달리 편차의 제곱의 합 $\sum_{i=1}^{n}(X_i-\overline{X})^2$을 $(n-1)$로 나눈 것으로 정의하는데, 이것은 모분산과의 오차를 줄이기 위한 것이다.

표본평균은 표본에 따라 다른 값을 가지므로 또다시 모든 가능한 표본평균들의 평균을 생각할 수 있을 것이다. 신기하게도 표본평균들을 모조리 구해 평균을 구하면 모평균과 같아진다.
일반적으로 다음이 성립한다.

표본평균의 평균, 분산, 표준편차 중요!

모평균이 m, 모표준편차가 σ인 모집단에서 크기가 n인 표본을 임의추출할 때, 표본평균 $\overline{X}$의 평균, 분산, 표준편차는 다음과 같다.

$$\mathrm{E}(\overline{X})=m,\ \mathrm{V}(\overline{X})=\frac{\sigma^2}{n},\ \sigma(\overline{X})=\frac{\sigma}{\sqrt{n}}$$

| 설명 | 오른쪽 그림은 모평균이 m인 모집단에서 크기 2인 표본을 추출하는 상황이다.
검은 색 점은 모집단의 알갱이를 의미하고, 색 점은 표본평균 $\overline{X}$를 의미한다.

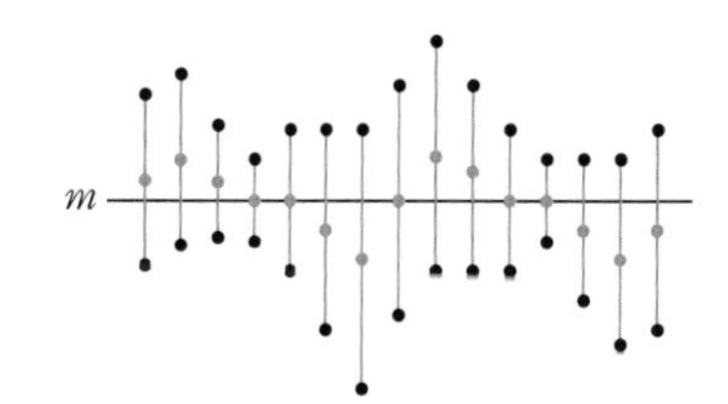

(i) 각각의 $\overline{X}$들이 정확히 m은 아니다.
(ii) $\overline{X}$들의 평균은 m이 된다.
(iii) $\overline{X}$들은 평균에서 분산된 정도가 모집단보다 작다.
즉, 표본평균 $\overline{X}$의 평균은 모평균과 같고, $\overline{X}$의 분산은 모분산보다 작다.

한걸음 더

표본평균의 평균과 분산

(1) 모집단이 1, 3, 5, 7의 숫자가 각각 하나씩 적힌 네 장의 카드로 이루어져 있다고 하자.
이 모집단에서 한 장의 카드를 꺼냈을 때, 그 카드에 적힌 숫자를 X라 하면 확률변수 X의 확률분포는 다음 표와 같다.

X	1	3	5	7	합계
$\mathrm{P}(X=x)$	$\frac{1}{4}$	$\frac{1}{4}$	$\frac{1}{4}$	$\frac{1}{4}$	1

위의 표로부터 확률변수 X의 평균과 분산을 구하면 다음과 같다.

$$m=\mathrm{E}(X)=1\times\frac{1}{4}+3\times\frac{1}{4}+5\times\frac{1}{4}+7\times\frac{1}{4}=4$$

$$\sigma^2=\mathrm{V}(X)=1^2\times\frac{1}{4}+3^2\times\frac{1}{4}+5^2\times\frac{1}{4}+7^2\times\frac{1}{4}-4^2=5$$

이와 같이 모집단에서 구한 평균, 분산을 각각 모평균, 모분산이라 한다.

(2) 위의 모집단에서 복원추출로 2장의 카드를 꺼내 첫 번째 카드에 적힌 숫자를 X_1, 두 번째 카드에 적힌 숫자를 X_2라 할 때, 이들의 값에 따라 표본평균 $\overline{X}=\frac{X_1+X_2}{2}$를 구하면 다음과 같다.

X_1 \ X_2	1	3	5	7
1	1	2	3	4
3	2	3	4	5
5	3	4	5	6
7	4	5	6	7

따라서 표본평균 $\overline{X}$의 확률분포는 다음 표와 같다.

$\overline{X}$	1	2	3	4	5	6	7	합계
$\mathrm{P}(\overline{X}=x)$	$\frac{1}{16}$	$\frac{2}{16}$	$\frac{3}{16}$	$\frac{4}{16}$	$\frac{3}{16}$	$\frac{2}{16}$	$\frac{1}{16}$	1

위의 표로부터 표본평균 $\overline{X}$의 평균과 분산을 구하면 다음과 같다.

$$\mathrm{E}(\overline{X})=1\times\frac{1}{16}+2\times\frac{2}{16}+\cdots+6\times\frac{2}{16}+7\times\frac{1}{16}=4$$

$$\mathrm{V}(\overline{X})=1^2\times\frac{1}{16}+2^2\times\frac{2}{16}+\cdots+6^2\times\frac{2}{16}+7^2\times\frac{1}{16}-4^2=\frac{5}{2}$$

(3) 위의 결과를 통해 다음과 같은 관계가 있음을 알 수 있다.

$$\mathrm{E}(\overline{X})=m,\ \mathrm{V}(\overline{X})=\frac{\sigma^2}{2}$$

즉, $\overline{X}$의 평균 $\mathrm{E}(\overline{X})$는 모평균 m과 같고, $\overline{X}$의 분산 $\mathrm{V}(\overline{X})$는 모분산을 표본의 크기로 나눈 것임을 알 수 있다.

모평균이 m, 모분산이 σ^2인 모집단에서 크기 n인 표본을 임의추출할 때, 표본평균 $\overline{X}$의 평균은 모평균과 같고, $\overline{X}$의 분산은 모분산의 $\frac{1}{n}$배와 같았다.
똑똑한 수학자들은 여기서 한 걸음 더 나아가 다음과 같은 성질이 성립함을 발견했다.

표본평균의 분포 중요!

모평균이 m, 모표준편차가 σ인 모집단에서 크기가 n인 표본을 임의추출할 때, 다음이 성립한다.

(1) 모집단이 정규분포 $\mathrm{N}(m,\ \sigma^2)$을 따르면 **표본평균 $\overline{X}$는 정규분포 $\mathrm{N}\left(m,\ \frac{\sigma^2}{n}\right)$**을 따른다.

(2) 모집단이 정규분포를 따르지 않더라도 표본의 크기 n의 값이 충분히 크면 표본평균 $\overline{X}$는 정규분포 $\mathrm{N}\left(m,\ \frac{\sigma^2}{n}\right)$을 따른다.

| **설명** | 한마디로 표본평균은 무조건 정규분포를 따른다고 생각하면 된다.
위의 정리를 중심극한정리라 하는데 이것은 통계학에서 가장 중요한 정리 중 하나이다.
이때 표본의 크기 n이 충분히 크다는 것은 $n \geq 30$을 만족할 때이다.

| 표본평균의 평균과 분산 (1) |

344 **다음 물음에 답하여라.**

(1) 모평균이 50, 모표준편차가 5인 모집단으로부터 크기 n인 표본을 임의추출할 때, 표본평균 $\overline{X}$의 평균은 a, 표준편차는 $\frac{1}{3}$이다. 이때 $a+n$의 값을 구하여라.

(2) 표준편차가 4인 모집단에서 크기가 n인 표본을 복원추출할 때, 표본평균 $\overline{X}$의 표준편차가 1 이하가 되도록 하는 n의 최솟값을 구하여라.

풍산자日 $\overline{X}$의 평균은 모평균과 같고, $\overline{X}$의 분산은 모분산의 $\frac{1}{n}$배와 같다.

> 풀이 (1) 모평균 $m=50$, 모표준편차 $\sigma=5$인 모집단에서 표본의 크기가 n이므로

$a=m=50$

$\sigma(\overline{X})=\frac{\sigma}{\sqrt{n}}=\frac{5}{\sqrt{n}}=\frac{1}{3}$이므로 $\sqrt{n}=15$ $\quad \therefore\ n=225$

$\therefore\ a+n=\mathbf{275}$

(2) 모표준편차가 $\sigma=4$이므로 표본평균 $\overline{X}$의 표준편차가 1 이하인 것을 식으로 나타내면

$\sigma(\overline{X})=\frac{4}{\sqrt{n}} \leq 1$에서 $\sqrt{n} \geq 4$ $\quad \therefore\ n \geq 16$

따라서 n의 최솟값은 **16**이다.

정답과 풀이 **43**쪽

유제 **345** **다음 물음에 답하여라.**

(1) 모평균이 20, 모표준편차가 a인 모집단으로부터 크기 4인 표본을 임의추출할 때, 표본평균 $\overline{X}$의 평균은 b, 표준편차는 4이다. 이때 ab의 값을 구하여라.

(2) 모평균이 100, 모표준편차가 12인 모집단으로부터 크기 n인 표본을 복원추출할 때, 표본평균 $\overline{X}$의 표준편차가 2 이하가 되도록 하는 n의 최솟값을 구하여라.

346 어떤 모집단의 확률변수 X의 확률분포가 다음 표와 같다. 이 모집단에서 크기가 5인 표본을 복원추출할 때, 표본평균 $\overline{X}$의 평균과 분산을 구하여라.

X	1	2	3	합계
$P(X=x)$	$\frac{1}{4}$	$\frac{1}{2}$	$\frac{1}{4}$	1

풍산자비 구하는 값은 X의 평균과 분산이 아니라 표본평균인 $\overline{X}$의 평균과 분산이다.
주어진 자료로부터 X의 평균과 분산을 구한 후 다음을 이용한다.

$$E(\overline{X})=m,\ V(\overline{X})=\frac{\sigma^2}{n}$$

> 풀이 [1단계] 주어진 표로부터 확률변수 X의 평균 m과 분산 σ^2을 구하면

X^2	1	4	9
X	1	2	3
$P(X=x)$	$\frac{1}{4}$	$\frac{1}{2}$	$\frac{1}{4}$

$$E(X)=1\times\frac{1}{4}+2\times\frac{1}{2}+3\times\frac{1}{4}=2$$

$$E(X^2)=1\times\frac{1}{4}+4\times\frac{1}{2}+9\times\frac{1}{4}=\frac{9}{2}$$

$$\therefore\ V(X)=E(X^2)-\{E(X)\}^2=\frac{9}{2}-2^2=\frac{1}{2}$$

$$\therefore\ m=2,\ \sigma^2=\frac{1}{2}$$

[2단계] 이때 표본의 크기가 5이므로 표본평균 $\overline{X}$에 대하여

평균은 $E(\overline{X})=m=\mathbf{2}$

분산은 $V(\overline{X})=\frac{\sigma^2}{n}=\frac{\frac{1}{2}}{5}=\mathbf{\frac{1}{10}}$

정답과 풀이 **43**쪽

유제 **347** 어떤 모집단의 확률변수 X의 확률분포가 다음 표와 같다. 이 모집단에서 크기가 100인 표본을 복원추출할 때, 표본평균 $\overline{X}$의 평균과 분산을 구하여라.

X	0	1	2	합계
$P(X=x)$	$\frac{4}{9}$	$\frac{4}{9}$	$\frac{1}{9}$	1

348 어느 공장에서 생산되는 과자의 무게는 평균이 120g, 표준편차가 10g인 정규분포를 따른다고 한다. 이 공장에서 생산되는 과자 중에서 임의추출한 크기가 25인 표본의 표본평균을 $\overline{X}$라 할 때, 확률 $P(116 \le \overline{X} \le 125)$를 구하여라.

z	$P(0 \le Z \le z)$
1.5	0.4332
2.0	0.4772
2.5	0.4938

풍산자日 모집단은 정규분포 $N(120,\ 10^2)$을 따른다고 한다.
그러나 이것은 모집단의 분포이므로 이걸 보고 계산하면 큰일난다.
표본평균의 분포를 구해, 그걸 보고 계산해야 한다.

> 풀이 [1단계] 모평균 $m=120$, 모표준편차 $\sigma=10$, 표본의 크기 $n=25$이므로
표본평균 $\overline{X}$의 평균과 분산은

$E(\overline{X})=m=120$

$V(\overline{X})=\dfrac{\sigma^2}{n}=\dfrac{10^2}{25}=4$

따라서 표본평균 $\overline{X}$는 정규분포 $N(120,\ 2^2)$을 따른다.

[2단계] 이제 다음과 같은 문제로 변신했다.

> 확률변수 $\overline{X}$가 정규분포 $N(120,\ 2^2)$을 따를 때, 확률 $P(116 \le \overline{X} \le 125)$를 구하여라.

확률변수 $Z=\dfrac{\overline{X}-120}{2}$은 표준정규분포 $N(0,\ 1)$을 따르므로 구하는 확률은

$$\begin{aligned} P(116 \le \overline{X} \le 125) &= P\left(\frac{116-120}{2} \le Z \le \frac{125-120}{2}\right) \\ &= P(-2 \le Z \le 2.5) \\ &= P(0 \le Z \le 2) + P(0 \le Z \le 2.5) \\ &= 0.4772 + 0.4938 \\ &= \mathbf{0.9710} \end{aligned}$$

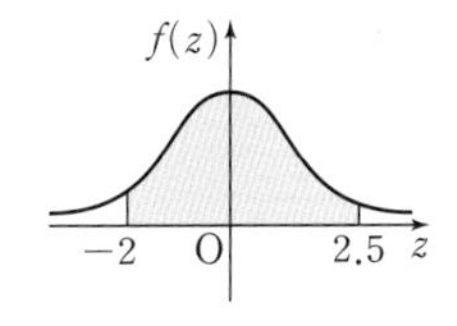

정답과 풀이 **43**쪽

유제 **349** 어느 고등학교 학생의 키는 평균이 170cm, 표준편차가 20cm인 정규분포를 따른다고 한다. 이 학교의 학생 중에서 임의추출한 크기가 100인 표본의 표본평균을 $\overline{X}$라 할 때, 확률 $P(\overline{X} \ge 175)$를 구하여라.

z	$P(0 \le Z \le z)$
1.5	0.4332
2.0	0.4772
2.5	0.4938

350 어느 노선의 고속버스들이 A도시의 고속버스터미널을 출발하여 B도시의 고속버스터미널에 도착하는 데까지 걸린 소요 시간은 평균 m분이고, 표준편차가 10분인 정규분포를 따른다고 한다. 이 고속버스들 중 임의추출한 n대의 소요 시간의 표본평균을 $\overline{X}$라 하자. $\mathrm{P}(m-5\le\overline{X}\le m+5)=0.9544$를 만족시키는 n의 값을 오른쪽 표준정규분포표를 이용하여 구하여라.

z	$\mathrm{P}(0\le Z\le z)$
0.5	0.1915
1.0	0.3413
1.5	0.4332
2.0	0.4772

풍산자T 표본평균에 대한 확률은 표본평균의 정규분포를 찾아 표준화한다.

> 풀이 고속버스의 소요시간을 확률변수 X라 하면

모평균이 m이고, 모표준편차가 10, 표본의 크기가 n이므로

표본평균 $\overline{X}$는 정규분포 $\mathrm{N}\left(m, \left(\frac{10}{\sqrt{n}}\right)^2\right)$을 따른다.

이때 $Z=\dfrac{\overline{X}-m}{\frac{10}{\sqrt{n}}}$으로 놓으면 Z는 표준정규분포 $\mathrm{N}(0, 1)$을 따르므로

$$\begin{aligned}\mathrm{P}(m-5\le\overline{X}\le m+5)&=\mathrm{P}\left(\frac{(m-5)-m}{\frac{10}{\sqrt{n}}}\le Z\le\frac{(m+5)-m}{\frac{10}{\sqrt{n}}}\right)\\&=\mathrm{P}\left(-\frac{\sqrt{n}}{2}\le Z\le\frac{\sqrt{n}}{2}\right)\\&=2\mathrm{P}\left(0\le Z\le\frac{\sqrt{n}}{2}\right)\\&=0.9544\end{aligned}$$

$\therefore \mathrm{P}\left(0\le Z\le\frac{\sqrt{n}}{2}\right)=0.4772$

이때 표준정규분포표에서 $\mathrm{P}(0\le Z\le 2)=0.4772$이므로

$\frac{\sqrt{n}}{2}=2$ $\quad\therefore$ $\boldsymbol{n=16}$

정답과 풀이 **43**쪽

유제 **351** 어느 약품 회사가 생산하는 약품 1병의 용량은 평균이 m, 표준편차가 10인 정규분포를 따른다고 한다. 이 회사가 생산한 약품 중에서 임의추출한 25병의 용량의 표본평균이 2000 이상일 확률이 0.9772일 때, m의 값을 오른쪽 표준정규분포표를 이용하여 구하여라. (단, 용량의 단위는 mL이다.)

z	$\mathrm{P}(0\le Z\le z)$
1.5	0.4332
2.0	0.4772
2.5	0.4938
3.0	0.4987

필수 확인 문제

* 더 많은 유형은 **풍산자필수유형 확률과 통계** 086쪽

정답과 풀이 43쪽

352

모평균이 m, 모표준편차가 4인 모집단에서 크기가 n인 표본을 임의추출할 때, 표본평균 $\overline{X}$의 평균은 20, 표준편차는 $\frac{1}{2}$이다. 이때 $m+n$의 값을 구하여라.

353

모집단의 확률변수 X의 확률분포가 다음 표와 같다. 이 모집단에서 크기가 6인 표본을 임의추출할 때, 표본평균 $\overline{X}$의 평균과 분산의 합을 구하여라.

X	-1	0	1	합계
$P(X=x)$	$\frac{1}{4}$	$\frac{1}{2}$	$\frac{1}{4}$	1

354

정규분포 $N(50, 10^2)$을 따르는 모집단에서 크기가 25인 표본을 임의추출하여 그 표본평균을 $\overline{X}$라 할 때, 확률 $P(\overline{X} \geq 52)$를 오른쪽 표준정규분포표를 이용하여 구하여라.

z	$P(0 \leq Z \leq z)$
1.0	0.34
1.5	0.43
2.0	0.48

355

모집단의 확률변수 X의 확률분포가 다음 표와 같다. 이 모집단에서 복원추출에 의하여 추출된 크기가 9인 표본의 표본평균을 $\overline{X}$라 하자. 이때 $100\overline{X}$의 평균을 구하여라.

X	-1	0	1	합계
$P(X=x)$	$\frac{1}{5}$	$\frac{3}{10}$	$\frac{1}{2}$	1

356

0, 0, 1, 1, 1, 1, 2, 2의 수가 각각 적힌 8개의 구슬 중에서 복원추출로 2개의 구슬을 꺼낸다. 2개의 구슬에 적힌 수의 평균을 $\overline{X}$라 할 때, $\overline{X}$의 분산을 구하여라.

357

어느 공장에서 생산되는 제품의 길이 X는 평균이 m이고 표준편차가 4인 정규분포를 따른다고 한다. $P(a \leq X \leq m)=0.3413$일 때, 이 공장에서 생산된 제품 중에서 임의추출한 제품 16개의 길이의 표본평균이 $a+2$ 이상일 확률을 오른쪽 표준정규분포표를 이용하여 구하여라. (단, a는 상수이고, 길이의 단위는 cm이다.)

z	$P(0 \leq Z \leq z)$
1.0	0.3413
1.5	0.4332
2.0	0.4772
2.5	0.4938

2 모평균의 추정

01 모평균의 신뢰구간

우리나라 고교생의 키의 평균을 알고 싶어 100명의 표본을 추출해 평균을 구해 보니 170 cm 이었다.

이 조사 결과를 어떻게 발표해야 좋을까?

진희: 우리나라 고교생의 키의 평균은 정확히 170 cm이다.
지아: 우리나라 고교생의 키의 평균은 대략 170 cm이다.

당연히 지아의 발표가 좋지만 너무 두루뭉술하다.

민웅이와 민정이의 발표를 보자.

민웅: 우리나라 고교생의 키의 평균은 165 cm 이상 175 cm 이하이다.
민정: 우리나라 고교생의 키의 평균은 10 cm 이상 10 m 이하이다.

이 둘의 발표를 보고 물어보자.

"그럼 너희 말을 얼마나 확신할 수 있는데?"

민웅이는 50 %, 민정이는 100 %.

그럼, 민정이가 잘했나? No!

구간의 길이가 길어지면 말에 대한 신뢰도는 높지만 의미 없는 발표가 된다.

표본조사의 목적은 모집단 전체를 조사하지 않고, 그 일부인 표본을 조사하여 얻은 정보를 바탕으로 모집단의 특성을 알아보는 데 있다.

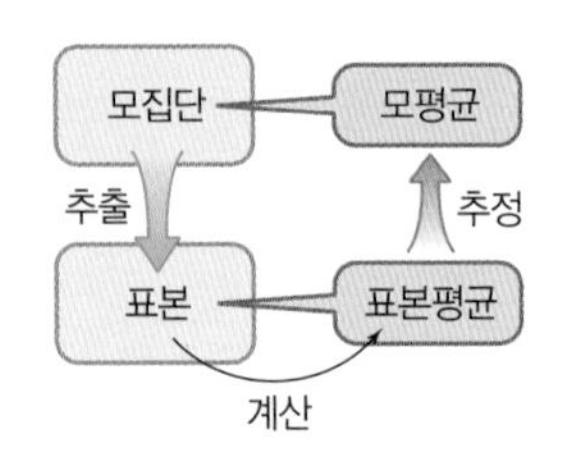

이와 같이 **표본에서 얻은 정보로 모집단의 특성을 추측하는 것**을 **추정**이라 한다.

추정이 적중할 확률을 **신뢰도**라 하고, 추정은 '신뢰도 얼마로 어떤 구간에 있다.'라는 형태로 표현되는데 그 구간을 **신뢰구간**이라 한다.

모평균의 신뢰구간 중요!

정규분포 $N(m, \sigma^2)$을 따르는 모집단에서 크기가 n인 표본을 임의추출할 때의 표본평균이 $\overline{X}$일 때, 모평균 m의 신뢰구간은 다음과 같다.

(1) 신뢰도 95 %의 신뢰구간 ➡ $\overline{X}-1.96\frac{\sigma}{\sqrt{n}} \le m \le \overline{X}+1.96\frac{\sigma}{\sqrt{n}}$

(2) 신뢰도 99 %의 신뢰구간 ➡ $\overline{X}-2.58\frac{\sigma}{\sqrt{n}} \le m \le \overline{X}+2.58\frac{\sigma}{\sqrt{n}}$

| 설명 | 1.96이나 2.58이란 숫자는 표준정규분포표에서 나온 숫자로 신뢰도와 연관되는 숫자이다.
표를 보고 계산해 보면 $P(-1.96 \le Z \le 1.96)=0.95$, $P(-2.58 \le Z \le 2.58)=0.99$
갑갑하게 숫자를 외우지 말고 좀 더 일반적으로 다음과 같이 정리해 두자.

신뢰도	신뢰구간
$P(-k \le Z \le k)$ 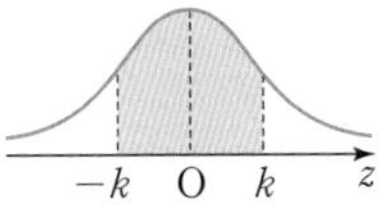	$\overline{X}-k\frac{\sigma}{\sqrt{n}} \le m \le \overline{X}+k\frac{\sigma}{\sqrt{n}}$

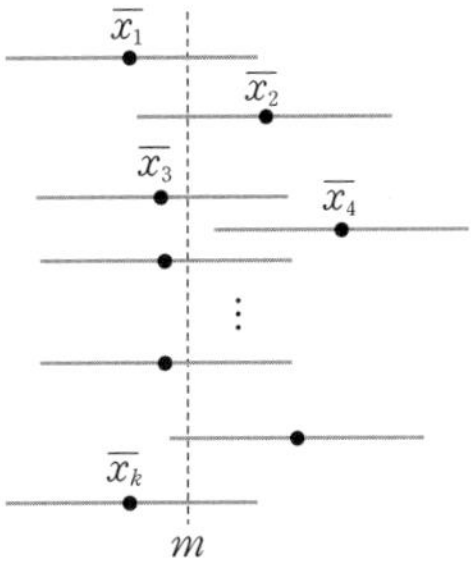

신뢰도 95 %인 신뢰구간의 의미를 알아보자.
모집단에서 크기가 n인 표본을 임의추출하는 일을 되풀이하면, 추출되는 표본에 따라 표본평균이 달라지고 그에 따라 신뢰구간도 달라진다.
이렇게 해서 구한 신뢰구간 중에는 오른쪽 그림과 같이 모평균 m을 포함하는 것과 포함하지 않는 것이 있을 수 있다.
모평균 m에 대한 신뢰도 95 %의 신뢰구간이라는 말은 크기가 n인 표본의 임의추출을 되풀이하여 신뢰구간을 구하는 일을 반복할 때, 구한 신뢰구간 중에서 약 95 %가 모평균을 포함할 것으로 기대된다는 것을 뜻한다.

| 참고 | 모평균의 신뢰구간을 구할 때 실제로는 모표준편차 σ를 모르는 것이 보통이다.
이러한 경우 표본의 크기 n이 클 때 $(n \ge 30)$에는 σ 대신 표본표준편차를 사용한다.

한걸음 더

모평균의 신뢰구간의 유도

정규분포 $N(m, \sigma^2)$을 따르는 모집단에서 크기가 n인 표본을 임의추출할 때, 표본평균 $\overline{X}$는 정규분포 $N\left(m, \frac{\sigma^2}{n}\right)$을 따른다. 이때 확률변수 $\overline{X}$를 표준화한 확률변수 $Z=\frac{\overline{X}-m}{\frac{\sigma}{\sqrt{n}}}$은 표준정규분포 $N(0, 1)$을 따른다.

(1) 표준정규분포표로부터 $P(-1.96 \le Z \le 1.96)=0.95$이므로

$$P\left(-1.96 \le \frac{\overline{X}-m}{\frac{\sigma}{\sqrt{n}}} \le 1.96\right)=P\left(-1.96\frac{\sigma}{\sqrt{n}} \le \overline{X}-m \le 1.96\frac{\sigma}{\sqrt{n}}\right)$$
$$=P\left(\overline{X}-1.96\frac{\sigma}{\sqrt{n}} \le m \le \overline{X}+1.96\frac{\sigma}{\sqrt{n}}\right)=0.95$$

이것은 모평균 m이 구간 $\overline{X}-1.96\frac{\sigma}{\sqrt{n}} \le m \le \overline{X}+1.96\frac{\sigma}{\sqrt{n}}$에 있을 확률이 95 %라는 뜻이다.

이런 의미에서 95 %를 신뢰도라 하고, 위의 구간을 신뢰구간이라 한다.

(2) 같은 방법으로 하면 $P(-2.58 \le Z \le 2.58)=0.99$이므로 모평균 m의 신뢰도 99 %의 신뢰구간은 $\overline{X}-2.58\frac{\sigma}{\sqrt{n}} \le m \le \overline{X}+2.58\frac{\sigma}{\sqrt{n}}$임을 유도할 수 있다.

02 신뢰구간의 길이와 오차

모평균의 추정에서 가능하면 오차나 신뢰구간의 길이가 작아야 의미가 있는 조사일 것이다. 이를 위해 다음과 같은 공식으로 표본의 크기를 적절히 조절한다.

신뢰구간의 길이와 오차

모평균의 신뢰구간이 $\overline{X}-k\frac{\sigma}{\sqrt{n}}\le m\le\overline{X}+k\frac{\sigma}{\sqrt{n}}$일 때

(1) 신뢰구간의 길이 ➡ $\boldsymbol{2k\frac{\sigma}{\sqrt{n}}}$　　(2) 최대 오차 ➡ $\boldsymbol{k\frac{\sigma}{\sqrt{n}}}$

| 설명 | 모평균을 추정할 때 신뢰구간의 길이는 짧을수록 좋다. 그래야 더 정밀해지니까.
하지만 신뢰구간의 길이를 줄이려고 하면 신뢰도가 낮아진다.
거꾸로 신뢰도를 높이려고 하면 신뢰구간의 길이가 길어진다.
신뢰도를 유지한 채 신뢰구간의 길이를 줄이는 유일한 방법은 표본의 크기를 늘리는 것뿐이다.

| 모평균의 추정 |

358 어느 고등학교 학생 중에서 100명을 임의추출하여 키를 조사한 결과 평균이 170 cm, 표준편차가 10 cm이었다. 이 학교 학생 전체의 키의 평균 m에 대하여 다음을 구하여라.

(1) 신뢰도 95 %의 신뢰구간　　(2) 신뢰도 99 %의 신뢰구간

풍산자曰 모평균의 신뢰구간을 구하려면 '표본평균, 모표준편차, 표본의 크기'를 알아야 한다.
그런데 이 문제처럼 모표준편차 대신 표본표준편차가 주어지는 경우가 대부분이다. 이때 표본의 크기 n의 값이 충분히 크면($n\ge 30$) 모표준편차 대신 표본표준편차를 사용해도 된다.

> 풀이 표본평균 $\overline{X}=170$, 표본의 크기 $n=100$이다.
이때 표본의 크기가 충분히 크므로 표본표준편차 10을 모표준편차 σ 대신 사용할 수 있다.

(1) 모평균 m의 신뢰도 95 %의 신뢰구간은

$$170-1.96\times\frac{10}{\sqrt{100}}\le m\le 170+1.96\times\frac{10}{\sqrt{100}}$$

$\therefore$ $\boldsymbol{168.04\le m\le 171.96}$

(2) 모평균 m의 신뢰도 99 %의 신뢰구간은

$$170-2.58\times\frac{10}{\sqrt{100}}\le m\le 170+2.58\times\frac{10}{\sqrt{100}}$$

$\therefore$ $\boldsymbol{167.42\le m\le 172.58}$

정답과 풀이 **45**쪽

유제 **359** 어느 고등학교 학생 중에서 36명을 임의추출하여 몸무게를 조사한 결과 평균이 60 kg, 표준편차가 3 kg 이었다. 이 학교 학생 전체의 몸무게의 평균 m에 대하여 다음을 구하여라.

(1) 신뢰도 95 %의 신뢰구간　　(2) 신뢰도 99 %의 신뢰구간

360 모표준편차가 5인 정규분포를 따르는 모집단의 평균을 신뢰도 95%로 추정할 때, 그 신뢰구간의 길이를 0.7 이하로 하려면 표본의 크기를 얼마 이상으로 해야 하는지 구하여라.

풍산자日 신뢰도 95%로 모평균을 추정할 때, 신뢰구간의 길이는 $2\times1.96\times\frac{\sigma}{\sqrt{n}}$이다.

> 풀이 n개의 표본을 뽑아 신뢰도 95%로 모평균을 추정할 때,
신뢰구간의 길이가 0.7 이하이어야 하므로

$2\times1.96\times\frac{5}{\sqrt{n}}\le0.7$에서 $\sqrt{n}\ge28$

$\therefore n\ge784$

따라서 표본의 크기를 **784 이상**으로 해야 한다.

정답과 풀이 45쪽

유제 **361** 모표준편차가 5인 정규분포를 따르는 모집단의 평균을 신뢰도 99%로 추정할 때, 그 신뢰구간의 길이를 0.6 이하로 하려면 표본의 크기를 얼마 이상으로 해야 하는지 구하여라.

362 모표준편차가 10인 정규분포를 따르는 모집단의 평균을 신뢰도 95%로 추정할 때, 모평균과 표본평균의 차를 4 이하로 하려면 표본의 크기를 얼마 이상으로 해야 하는지 구하여라.

풍산자日 신뢰도 95%로 모평균을 추정할 때, 모평균과 표본평균의 최대 오차는 $1.96\times\frac{\sigma}{\sqrt{n}}$이다.

> 풀이 표본의 크기를 n이라 하면
모평균과 표본평균의 차가 4 이하이어야 하므로

$1.96\times\frac{10}{\sqrt{n}}\le4$에서 $\sqrt{n}\ge4.9$

$\therefore n\ge24.01$

따라서 표본의 크기를 **25 이상**으로 해야 한다.

정답과 풀이 45쪽

유제 **363** 모표준편차가 20인 정규분포를 따르는 모집단의 평균을 신뢰도 99%로 추정할 때, 모평균과 표본평균의 차를 6 이하로 하려면 표본의 크기를 얼마 이상으로 해야 하는지 구하여라.

364 **정규분포 $N(m, \sigma^2)$을 따르는 모집단에서 표본을 추출하여 모평균을 추정하려고 할 때, 모평균 m의 신뢰구간에 대한 다음 설명 중 옳은 것을 모두 골라라.**

(1) 신뢰도를 낮추면서 표본의 크기를 크게 하면 신뢰구간의 길이는 작아진다.

(2) 신뢰도를 낮추면서 표본의 크기를 작게 하면 신뢰구간의 길이는 커진다.

(3) 신뢰도가 일정할 때, 표본의 크기가 작을수록 신뢰구간의 길이는 작아진다.

풍산자日 • 표본의 크기 n이 일정할 때

➡ 신뢰도가 높아지면 신뢰구간의 길이는 길어지고, 신뢰도가 낮아지면 신뢰구간의 길이는 짧아진다.

• 신뢰도 $a\,\%$가 일정할 때

➡ 표본의 크기 n의 값이 커지면 신뢰구간의 길이는 짧아지고, n의 값이 작아지면 신뢰구간의 길이는 길어진다.

> 풀이 정규분포 $N(m, \sigma^2)$을 따르는 모집단에서 크기가 n인 표본을 추출하여 추정한 모평균의 신뢰구간의 길이는 $2\times a\times\frac{\sigma}{\sqrt{n}}$ (단, a는 상수)이다.

(1) 신뢰도를 낮추면 a의 값이 작아지고, 표본의 크기를 크게 하면 $\sqrt{n}$의 값이 커지므로 $2\times a\times\frac{\sigma}{\sqrt{n}}$의 값은 작아진다. (참)

(2) 신뢰도를 낮추면 a의 값이 작아지고, 표본의 크기를 작게 하면 $\sqrt{n}$의 값이 작아지므로 $2\times a\times\frac{\sigma}{\sqrt{n}}$의 값은 반드시 커진다고 할 수 없다. (거짓)

(3) 신뢰도가 일정할 때, 표본의 크기가 작을수록 $\sqrt{n}$의 값이 작아지므로 $2\times a\times\frac{\sigma}{\sqrt{n}}$의 값은 커진다. (거짓)

따라서 옳은 것은 (1)뿐이다.

정답과 풀이 **45쪽**

유제 **365** **모집단 A는 정규분포 $N(m_1, \sigma^2)$을 따르고, 모집단 B는 정규분포 $N\left(m_2, \left(\frac{\sigma}{2}\right)^2\right)$을 따른다. 모집단 A에서 크기 n_1, 모집단 B에서 크기 n_2인 표본을 각각 임의추출할 때의 표본평균을 각각 $\overline{X_A}$, $\overline{X_B}$라 하자. 다음 중 옳은 것을 모두 골라라. (단, n_1, n_2는 1보다 큰 자연수이다.)**

(1) $m_1=m_2$이면 $E(\overline{X_A})=E(\overline{X_B})$이다.

(2) 표본평균 $\overline{X_B}$는 정규분포 $N\left(m_2, \left(\frac{\sigma}{2}\right)^2\right)$을 따른다.

(3) $n_1=4n_2$일 때, m_1에 대한 신뢰도 95 %의 신뢰구간이 $[a, b]$이고, m_2에 대한 신뢰도 95 %의 신뢰구간이 $[c, d]$이면, $b-a=d-c$이다.

필수 확인 문제

* 더 많은 유형은 **풍산자필수유형 확률과 통계** 086쪽

정답과 풀이 45쪽

366

어느 회사에서 생산된 형광등의 수명은 정규분포를 따른다고 한다. 이 회사에서 생산된 형광등 중 임의추출한 100개의 표본의 표본평균이 $\overline{x}$, 표본표준편차가 500이었다. 이 결과를 이용하여 이 회사에서 생산된 형광등의 수명의 평균을 신뢰도 95%로 추정한 신뢰구간이 $[\overline{x}-c,\ \overline{x}+c]$일 때, c의 값을 구하여라.

367

어느 과수원에서 수확한 1등급 배 중 100개를 임의로 뽑아 무게를 측정하였더니 평균이 800 g, 표준편차가 20 g이었다. 이 과수원에서 수확한 1등급 배 전체의 무게의 평균 m에 대하여 신뢰도 95%의 신뢰구간을 구하여라.

368

신생아의 몸무게는 정규분포를 따른다고 한다. 어느 병원에서 한 달 동안 태어난 100명의 신생아를 대상으로 몸무게를 조사한 결과 평균이 3.4 kg이고 표준편차가 0.5 kg이었다. 신생아 전체의 몸무게에 대한 모평균 m의 신뢰도 95%의 신뢰구간을 구하여라.

369

모집단에서 크기가 n인 표본을 뽑아 신뢰도 95%로 모평균을 추정하였더니 신뢰구간의 길이가 $4l$이었다. 표본의 크기를 $4n$으로 하여 신뢰도 99%로 모평균을 추정할 때, 신뢰구간의 길이를 구하여라. (단, Z가 표준정규분포를 따르는 확률변수일 때, $\mathrm{P}(|Z|\le 2)=0.95$, $\mathrm{P}(|Z|\le 3)=0.99$로 계산한다.)

370

어떤 도시에 있는 전체 고등학교 학생들의 몸무게는 표준편차가 5 kg인 정규분포를 따른다고 한다. 이 도시의 고등학교 학생 전체에 대한 몸무게의 평균을 신뢰도 99%로 추정할 때, 신뢰구간의 길이를 1 kg 이하가 되도록 하려고 한다. 조사해야 할 표본의 크기의 최솟값을 구하여라.

371

정규분포를 따르는 모집단에서 표본을 임의추출하여 신뢰도 95%로 모평균을 추정할 때, 모평균과 표본평균의 차를 모표준편차의 $\frac{1}{10}$ 이하로 하려고 한다. 이때 필요한 표본의 크기의 최솟값을 구하여라.

중단원 마무리

▶ 모평균과 표본평균

모집단과 표본	(1) 조사의 대상이 되는 집단을 모집단이라 하고, 모집단의 평균 m을 모평균이라 한다. (2) 표본조사를 위해 추출한 모집단의 일부를 표본이라 하고, 표본의 평균 $\overline{X}$를 표본평균이라 한다. 모집단 / 표본
표본평균의 분포	표본평균 $\overline{X}$는 표본의 크기 n이 충분히 크면 정규분포 $\mathrm{N}\left(m,\ \frac{\sigma^2}{n}\right)$을 따른다. $\mathrm{E}(\overline{X})=m$, $\mathrm{V}(\overline{X})=\frac{\sigma^2}{n}$, $\sigma(\overline{X})=\frac{\sigma}{\sqrt{n}}$

▶ 모평균의 추정

모평균의 추정	모평균이 m, 모분산이 σ^2인 모집단에서 추출한 크기가 n인 표본의 표본평균이 $\overline{X}$일 때, (1) 신뢰도 95 %인 모평균 m의 신뢰구간 ➡ $\overline{X}-1.96\frac{\sigma}{\sqrt{n}}\le m\le\overline{X}+1.96\frac{\sigma}{\sqrt{n}}$ (2) 신뢰도 99 %인 모평균 m의 신뢰구간 ➡ $\overline{X}-2.58\frac{\sigma}{\sqrt{n}}\le m\le\overline{X}+2.58\frac{\sigma}{\sqrt{n}}$
신뢰구간의 길이와 오차	모평균의 신뢰구간이 $\overline{X}-k\frac{\sigma}{\sqrt{n}}\le m\le\overline{X}+k\frac{\sigma}{\sqrt{n}}$일 때 (1) 신뢰구간의 길이 ➡ $2k\frac{\sigma}{\sqrt{n}}$ (2) 최대 오차 ➡ $k\frac{\sigma}{\sqrt{n}}$

실전 연습문제

정답과 풀이 46쪽

STEP1

372

모평균이 10, 모표준편차가 4인 모집단에서 복원추출로 크기가 8인 표본을 임의추출할 때, 표본평균 $\overline{X}$에 대하여 $\overline{X}^2$의 평균을 구하여라.

373

1, 3, 3, 5를 원소로 하는 크기 4인 모집단에서 크기가 2인 표본을 임의로 복원추출할 때, 표본평균 $\overline{X}$의 평균과 분산을 구하여라.

374

어느 회사에서 생산되는 우유 1개의 부피는 평균이 200 mL, 표준편차가 10 mL인 정규분포를 따른다고 한다. 이 회사에서 생산된 우유 중에서 임의로 100개를 추출할 때, 표본평균이 202 mL 이상일 확률을 오른쪽 표준정규분포표를 이용하여 구하여라.

z	$\mathrm{P}(0 \le Z \le z)$
1.0	0.3413
1.5	0.4332
2.0	0.4772

375

전국연합학력평가 후 응시생 1600명을 임의추출하여 가채점하였더니 수학영역 점수의 표준편차가 16점이었다. 수험생 전체의 수학영역 점수의 평균 m을 95 %의 신뢰도로 추정한 신뢰구간이 $\alpha \le m \le \beta$일 때, $\beta - \alpha$의 값을 구하여라.

376

어느 회사에서 새로 개발한 휴대전화 애플리케이션에 대한 소비자 만족도를 조사하였다. 임의추출한 100명의 소비자의 평가 점수는 평균이 60점이고 표준편차가 15점이었다. 소비자 평가 점수가 정규분포를 따른다고 할 때, 소비자 평가 점수에 대한 모평균 m의 신뢰도 95 %의 신뢰구간에 속하는 자연수의 개수를 구하여라.

실전 연습문제

377

어느 농가에서 생산하는 석류의 무게는 평균이 m, 표준편차가 40인 정규분포를 따른다고 한다. 이 농가에서 생산하는 석류 중에서 임의추출한 크기가 64인 표본을 조사하였더니 석류 무게의 표본평균의 값이 $\overline{x}$이었다. 이 결과를 이용하여 이 농가에서 생산하는 석류 무게의 평균 m에 대한 신뢰도 99 %의 신뢰구간을 구하면 $\overline{x}-c\leq m\leq \overline{x}+c$이다. c의 값은? (단, 무게의 단위는 g이고, Z가 표준정규분포를 따르는 확률변수일 때 $\mathrm{P}(0\leq Z\leq 2.58)=0.495$로 계산한다.)

① 25.8 ② 21.5 ③ 17.2
④ 12.9 ⑤ 8.6

378

어느 회사 직원들의 하루 여가 활동 시간은 모평균이 m, 모표준편차가 10인 정규분포를 따른다고 한다. 이 회사 직원 중 n명을 임의추출하여 신뢰도 95 %로 추정한 모평균 m에 대한 신뢰구간이 $[38.08, 45.92]$일 때, n의 값은?

(단, 시간의 단위는 분이다.)

① 25 ② 36 ③ 49
④ 64 ⑤ 81

379

정규분포를 따르는 어느 모집단에 대하여 모평균의 신뢰구간을 표본평균을 이용하여 추정하려고 한다. 크기가 16인 표본을 임의추출하여 추정한 모평균의 신뢰구간의 길이가 2일 때, 동일한 신뢰도로 추정한 모평균의 신뢰구간의 길이가 1이 되게 하려면 표본의 크기를 얼마로 해야 하는지 구하여라.

380

정규분포 $\mathrm{N}(m, \sigma^2)$을 따르는 모집단에서 표본을 임의추출하여 모평균 m을 추정하고자 할 때, m의 신뢰구간에 대한 다음 설명 중 옳은 것은?

① 신뢰도를 높이면서 표본의 크기를 크게 하면 항상 신뢰구간의 길이는 짧아진다.
② 신뢰도를 높이면서 표본의 크기를 크게 하면 항상 신뢰구간의 길이는 길어진다.
③ 신뢰도를 낮추면서 표본의 크기를 크게 하면 항상 신뢰구간의 길이는 짧아진다.
④ 신뢰도를 낮추면서 표본의 크기를 작게 하면 항상 신뢰구간의 길이는 짧아진다.
⑤ 신뢰도를 낮추면서 표본의 크기를 작게 하면 항상 신뢰구간의 길이는 길어진다.

STEP 2

381

정규분포 $N(m,\ 12^2)$를 따르는 모집단의 확률변수 X의 확률밀도함수 $f(x)$가 모든 실수 x에 대하여 $f(x)=f(80-x)$를 만족하고,
$P(m-12 \le X \le m+12)=a$,
$P(m-24 \le X \le m+24)=b$라 한다. 이 모집단에서 크기가 16인 표본을 임의추출할 때의 표본평균 $\overline{X}$에 대하여 $P(34 \le \overline{X} \le 37)$의 값을 a, b로 나타내면?

① $\frac{b-a}{2}$　② $b-a$　③ $\frac{a+b}{2}$
④ $a+b$　⑤ $2a+b$

382

정규분포 $N(m,\ \sigma^2)$을 따르는 모집단에서 크기가 n인 표본을 임의추출하여 그 표본평균을 $\overline{X}$라 하자. 모평균 m에 대한 신뢰도 95%의 신뢰구간의 길이가 7.84일 때, $P(\overline{X} \ge m+3.92)$의 값을 구하여라. (단, Z가 표준정규분포를 따르는 확률변수일 때 $P(0 \le Z \le 1.96)=0.475$로 계산한다.)

383

어떤 두 학교에서 전체 학생 중 한 학교에서 표본 A를, 또 다른 학교에서 표본 B를 추출하여 수학 점수의 총점을 조사하여 다음과 같은 결과를 얻었다. (단, 표본 A, B의 점수의 총점의 분포는 정규분포를 이룬다.)

표본	표본의 크기	평균	표준편차	신뢰도(%)	모평균의 추정
A	n_1	230	10	k	$228 \le m \le 232$
B	n_2	240	12	k	$237 \le m \le 243$

자료에 대한 설명 중 〈보기〉에서 옳은 것만을 있는 대로 골라라.

보기
ㄱ. 표본 A보다 표본 B의 분포가 더 고르다.
ㄴ. 표본 A의 크기가 표본 B의 크기보다 크다.
ㄷ. 신뢰도를 k보다 크게 하면 신뢰구간의 길이도 길어진다.

표준정규분포표

z	0	1	2	3	4	5	6	7	8	9
0.0	.0000	.0040	.0080	.0120	.0160	.0199	.0239	.0279	.0319	.0359
0.1	.0398	.0438	.0478	.0517	.0557	.0596	.0636	.0675	.0714	.0753
0.2	.0793	.0832	.0871	.0910	.0948	.0987	.1026	.1064	.1103	.1141
0.3	.1179	.1217	.1255	.1293	.1331	.1368	.1406	.1443	.1480	.1517
0.4	.1554	.1591	.1628	.1664	.1700	.1736	.1772	.1808	.1844	.1879
0.5	.1915	.1950	.1985	.2019	.2054	.2088	.2123	.2157	.2190	.2224
0.6	.2257	.2291	.2324	.2357	.2389	.2422	.2454	.2486	.2517	.2549
0.7	.2580	.2611	.2642	.2673	.2704	.2734	.2764	.2794	.2823	.2852
0.8	.2881	.2910	.2939	.2967	.2995	.3023	.3051	.3078	.3106	.3133
0.9	.3159	.3186	.3212	.3238	.3264	.3289	.3315	.3340	.3365	.3389
1.0	.3413	.3438	.3461	.3485	.3508	.3531	.3554	.3577	.3599	.3621
1.1	.3643	.3665	.3686	.3708	.3729	.3749	.3770	.3790	.3810	.3830
1.2	.3849	.3869	.3888	.3907	.3925	.3944	.3962	.3980	.3997	.4015
1.3	.4032	.4049	.4066	.4082	.4099	.4115	.4131	.4147	.4162	.4177
1.4	.4192	.4207	.4222	.4236	.4251	.4265	.4279	.4292	.4306	.4319
1.5	.4332	.4345	.4357	.4370	.4382	.4394	.4406	.4418	.4429	.4441
1.6	.4452	.4463	.4474	.4484	.4495	.4505	.4515	.4525	.4535	.4545
1.7	.4554	.4564	.4573	.4582	.4591	.4599	.4608	.4616	.4625	.4633
1.8	.4641	.4649	.4656	.4664	.4671	.4678	.4686	.4693	.4699	.4706
1.9	.4713	.4719	.4726	.4732	.4738	.4744	.4750	.4756	.4761	.4767
2.0	.4772	.4778	.4783	.4788	.4793	.4798	.4803	.4808	.4812	.4817
2.1	.4821	.4826	.4830	.4834	.4838	.4842	.4846	.4850	.4854	.4857
2.2	.4861	.4864	.4868	.4871	.4875	.4878	.4881	.4884	.4887	.4890
2.3	.4893	.4896	.4898	.4901	.4904	.4906	.4909	.4911	.4913	.4916
2.4	.4918	.4920	.4922	.4925	.4927	.4929	.4931	.4932	.4934	.4936
2.5	.4938	.4940	.4941	.4943	.4945	.4946	.4948	.4949	.4951	.4952
2.6	.4953	.4955	.4956	.4957	.4959	.4960	.4961	.4962	.4963	.4964
2.7	.4965	.4966	.4967	.4968	.4969	.4970	.4971	.4972	.4973	.4974
2.8	.4974	.4975	.4976	.4977	.4977	.4978	.4979	.4979	.4980	.4981
2.9	.4981	.4982	.4982	.4983	.4984	.4984	.4985	.4985	.4986	.4986
3.0	.4987	.4987	.4987	.4988	.4988	.4989	.4989	.4989	.4990	.4990
3.1	.4990	.4991	.4991	.4991	.4992	.4992	.4992	.4992	.4993	.4993
3.2	.4993	.4993	.4994	.4994	.4994	.4994	.4994	.4995	.4995	.4995
3.3	.4995	.4995	.4995	.4996	.4996	.4996	.4996	.4996	.4996	.4997
3.4	.4997	.4997	.4997	.4997	.4997	.4997	.4997	.4997	.4997	.4998

I. 경우의 수 9p

002 14

004 (1) $r=3$ (2) $n=6$ (3) $n=9$

006 (1) 720 (2) 90 (3) 8

008 288

010 (1) 120 (2) 48 (3) 24

012 96

014 (1) 20160 (2) $2\times11!$

016 6

018 30

020 81

022 54

024 81

026 (1) 20 (2) 25

028 32

030 64

032 14

034 50

036 (1) 60 (2) 12 (3) 12

038 60

040 (1) 56 (2) 30 (3) 26

042 (1) 26 (2) 27

043 240

044 81

045 60

046 232

047 세 자리 자연수의 개수: 180

세 자리 자연수 중 홀수의 개수: 90

048 24

050 (1) $r=5$ (2) $n=10$ (3) $n=5$ (4) $n=4$

052 (1) 210 (2) 40

054 (1) 10 (2) 5

056 (1) 80 (2) 70

058 (1) 6 (2) 15 (3) 84 (4) 10

060 (1) 56 (2) 45

062 (1) 7 (2) 21

064 (1) 286 (2) 84

065 (1) 24 (2) 4 (3) 20

066 (1) 6 (2) 252

067 91

068 56

069 15

070 30

071 720

072 2

073 48

074 69

075 15

076 125

077 60

078 ⑤

079 30

080 265

081 36

082 4

083 34

084 45

085 168

086 171

088 (1) 54 (2) 135

090 $\frac{1}{2}$, $-\frac{1}{2}$

092 208

094 210

096 480

098 126

099 -40

100 2

101 -2

102 100

103 51

104 6

106 ④

108 (1) 9 (2) 18 (3) 98

109 ④

110 16

111 50

112 ③

113 ㄱ

114 (1) 2047 (2) 5 (3) -32

115 84

116 $\frac{1}{2}$

117 $\frac{1}{2}$

118 (1) -92 (2) 26

119 55

120 ⑤

121 ④

122 ${}_{100}C_{50}$

123 ①

124 ②

125 12

126 682

127 56

128 ③

129 토요일

130 2^{99}

131 396

II. 확률 57p

133 (1) $\{1, 2, 3, 4\}$ (2) $\{2\}$ (3) $\{4, 5\}$

135 A와 C 137 $\frac{1}{36}$ 139 $\frac{1}{6}$

141 (1) $\frac{1}{56}$ (2) $\frac{2}{35}$

143 $\frac{2}{105}$ 145 $\frac{3}{7}$ 147 $\frac{5}{38}$

149 $\frac{89}{100}$ 151 3개

153 (1) $\frac{2+\pi}{2\pi}$ (2) $\frac{\pi}{8}$

154 $\frac{5}{12}$ 155 $\frac{1}{6}$ 156 $\frac{1}{3}$

157 (1) $\frac{1}{14}$ (2) $\frac{10}{21}$

158 $\frac{3}{14}$ 159 $\frac{1}{7}$ 161 $\frac{3}{5}$

163 $\frac{14}{45}$ 165 $\frac{9}{14}$ 167 $\frac{17}{19}$

169 $\frac{7}{20}$ 170 ④ 171 $\frac{5}{18}$

172 $\frac{17}{45}$ 173 $\frac{17}{24}$ 174 $\frac{8}{35}$

175 $\frac{3}{4}$ 176 $\frac{1}{4}$ 177 $\frac{1}{2}$

178 $\frac{5}{14}$ 179 $\frac{3}{8}$ 180 $\frac{2}{13}$

181 5 182 $\frac{3}{7}$ 183 ④

184 $\frac{9}{14}$ 185 2 186 $\frac{27}{64}$

187 $\frac{14}{27}$ 188 $\frac{5}{16}$ 189 $\frac{2}{7}$

190 $\frac{5}{18}$ 191 $\frac{16}{33}$ 192 $\frac{1}{7}$

194 $\frac{1}{3}$ 196 $\frac{1}{2}$ 198 $\frac{3}{7}$

200 $\frac{1}{2}$ 202 $\frac{5}{14}$ 204 0.22

206 $\frac{16}{41}$ 207 $\frac{1}{4}$ 208 $\frac{1}{4}$

209 $\frac{8}{13}$ 210 $\frac{5}{18}$ 211 $\frac{11}{20}$

212 $\frac{59}{216}$ 214 독립 216 0.8

218 (1) $\frac{8}{15}$ (2) $\frac{2}{5}$ (3) $\frac{14}{15}$

220 $\frac{3}{10}$ 222 $\frac{2}{9}$ 224 $\frac{2}{9}$

226 $\frac{3}{17}$ 228 $\frac{7}{30}$ 230 $\frac{2}{3}$

232 $\frac{3}{4}$ 234 $\frac{609}{625}$ 236 $\frac{7}{128}$

238 $\frac{1}{4}$ 239 $\frac{15}{16}$ 240 $\frac{11}{12}$

241 $\frac{3}{8}$ 242 -5 243 $\frac{189}{256}$

244 $\frac{8}{9}$ 245 $\frac{9}{19}$ 246 0.427

247 50 248 $\frac{1}{4}$ 249 $\frac{1}{4}$

250 $\frac{22}{35}$ 251 0.54 252 $\frac{1}{2}$

253 $\frac{35}{128}$ 254 $\frac{8}{81}$ 255 $\frac{1}{10}$

256 $\frac{4}{13}$ 257 3 258 $\frac{16}{61}$

259 7번 260 24 261 $\frac{1}{9}$

III. 통계

263 $\frac{2}{3}$

265 10

267 (1)

X	0	1	2	합계
$\mathrm{P}(X=x)$	$\frac{2}{5}$	$\frac{8}{15}$	$\frac{1}{15}$	1

(2) $\frac{3}{5}$

269 평균: 1, 분산: $\frac{2}{5}$, 표준편차: $\frac{\sqrt{10}}{5}$

271 100

273 $\frac{2\sqrt{5}}{7}$

275 평균: 1, 분산: 36, 표준편차: 6

277 평균: 20, 분산: 105

279 9

281 -13

282 $\frac{16}{15}$

283 3000

284 12

285 $\mathrm{E}(X)=120$, $\mathrm{V}(X)=48$

286 17

287 28

289 (1) $\mathrm{P}(X=x)={}_{10}\mathrm{C}_x\left(\frac{1}{2}\right)^{10}$

(단, $x=0, 1, 2, \cdots, 10$)

(2) $\frac{105}{512}$

291 (1) 평균: 5, 분산: 4, 표준편차: 2

(2) 평균: 20, 분산: $\frac{50}{3}$, 표준편차: $\frac{5\sqrt{6}}{3}$

293 평균: 5, 분산: $\frac{19}{4}$

295 $n=4$, $p=0.2$

297 (1) 15원 (2) 416

298 21

299 40

300 3640

301 평균: 20, 분산: 40

302 (1) 10 (2) 109

303 81

305 (1) $\frac{1}{12}$ (2) $\frac{1}{4}$ (3) $\frac{2}{3}$ (4) $\frac{1}{3}$

307 (1) $\frac{1}{3}$ (2) $\frac{1}{6}$ (3) $\frac{5}{6}$

309 평균이 가장 큰 것: (3),

표준편차가 가장 큰 것: (1)

311 12

313 (1) 0.0668 (2) 0.1359

315 1

317 (1) 0.9759 (2) 0.9772 (3) 0.1587

319 (1) 82% (2) 140명

321 70점

323 (1) 0.8185 (2) 0.0668 (3) 0.0228

324 [나]

325 ②

326 80

327 0.2417

328 0.8185

329 $\frac{9}{8}$

330 240

331 13

332 156

333 6

334 2

335 (1) $\frac{2}{5}$ (2) $\frac{9}{10}$

336 26

337 70

338 0.8413

339 92

340 0.0228

341 40

342 0.062

343 ㄴ, ㄷ

345 (1) 160 (2) 36

347 평균: $\frac{2}{3}$, 분산: $\frac{1}{225}$

349 0.0062

351 2004

352 84

353 $\frac{1}{12}$

354 0.16

355 30

356 $\frac{1}{4}$

357 0.9772

359 (1) $59.02\leq m\leq 60.98$

(2) $58.71\leq m\leq 61.29$

361 1849

363 74

365 (1), (3)

366 98

367 $796.08\leq m\leq 803.92$

368 $3.302\leq m\leq 3.498$

369 $3l$ 370 666 371 385

372 102

373 평균: 3, 분산: 1

374 0.0228 375 1.568 376 5

377 ④ 378 ① 379 64

380 ③ 381 ① 382 0.025

383 ㄴ, ㄷ

고등 풍산자와 함께하면

개념부터 ~ 고난도 문제까지 !

어떤 시험 문제도 익숙해집니다!

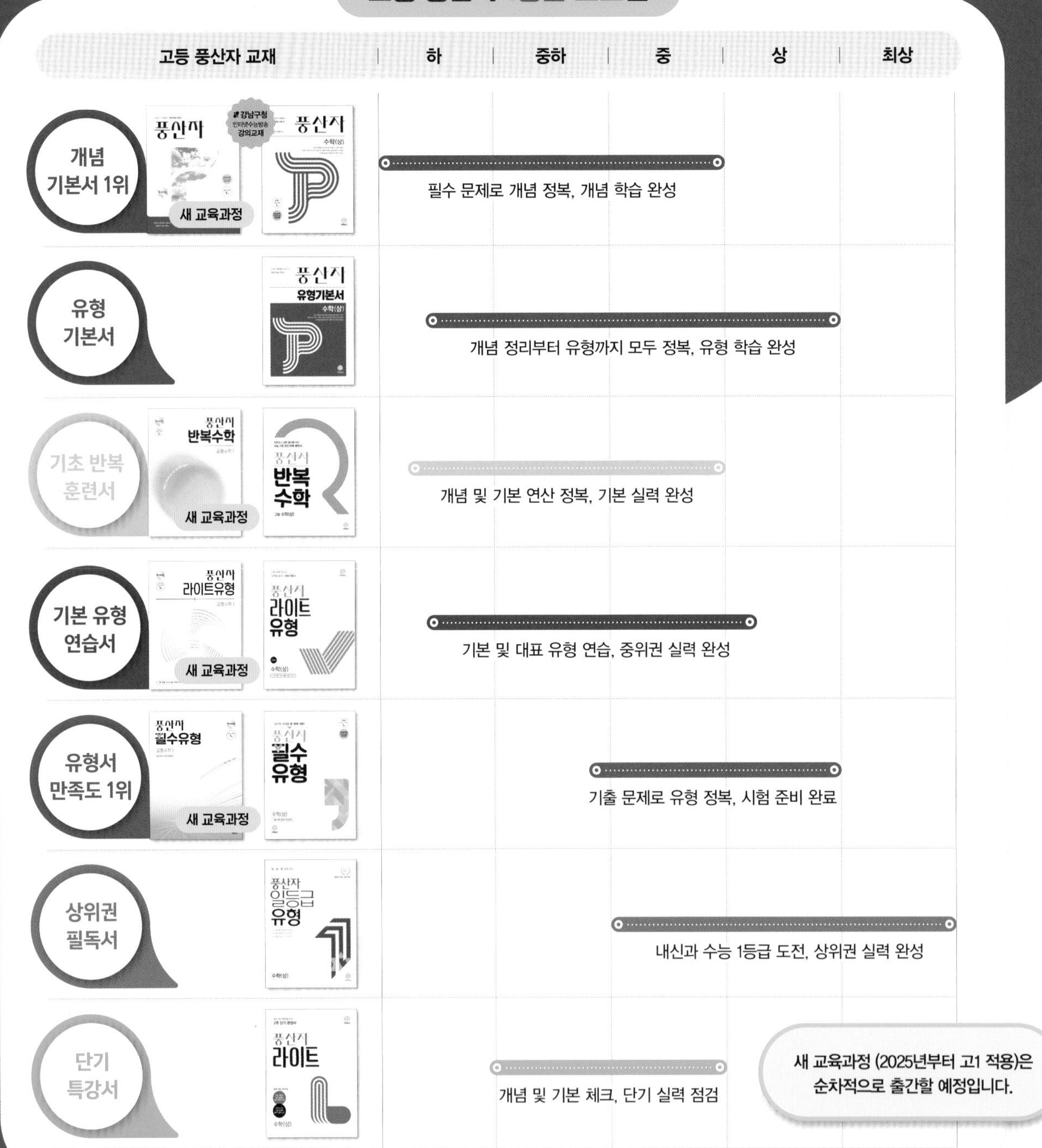

풍산자

확률과 통계

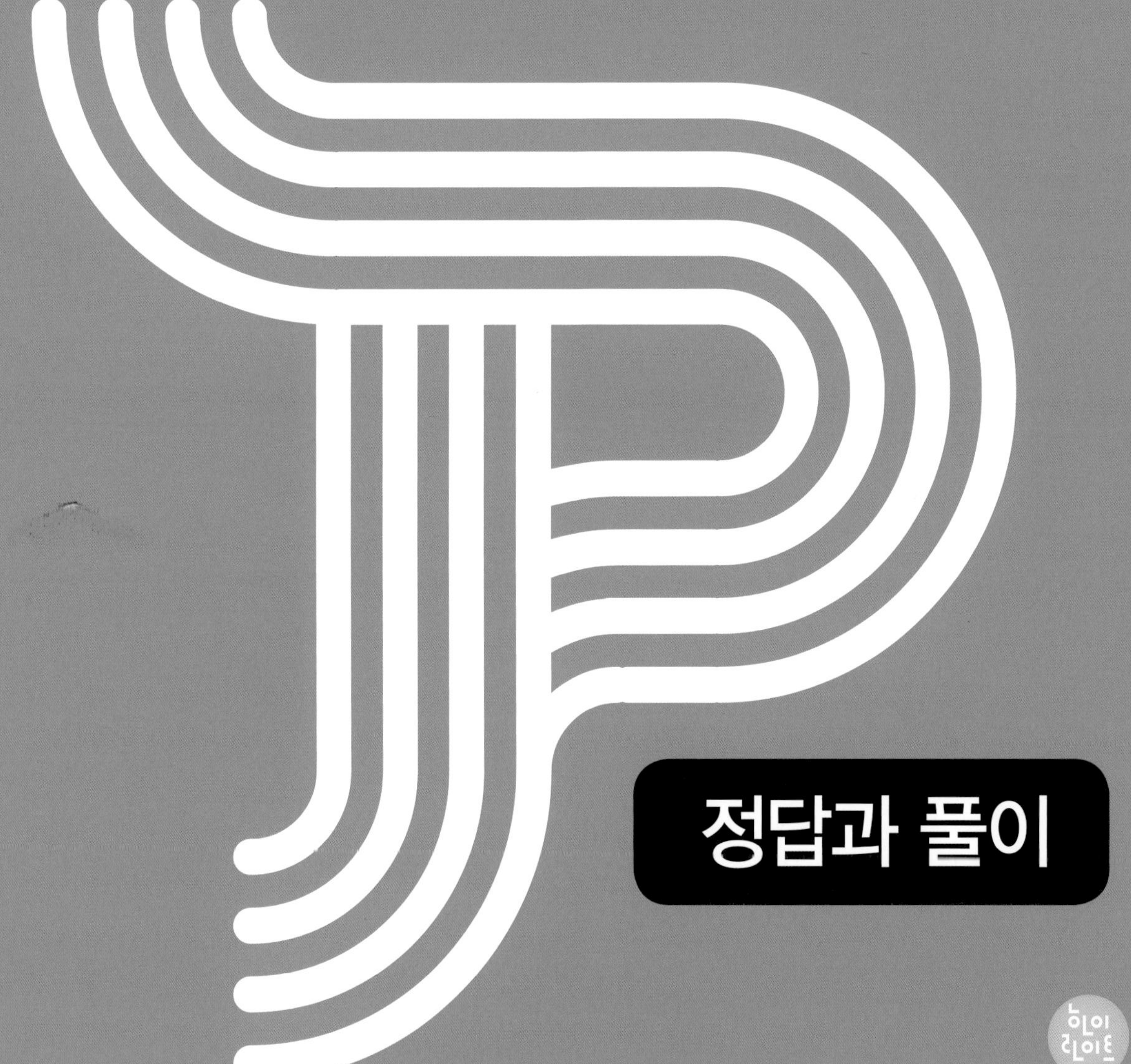

정답과 풀이

풍산자

확률과 통계

정답과 풀이

I 경우의 수

1 순열과 조합

002

A도시에서 C도시로 가는 방법은 곱의 법칙에 의하여

A → B → C ➡ $3\times2=6$(가지)

A → D → C ➡ $2\times4=8$(가지)

따라서 구하는 방법의 수는 합의 법칙에 의하여

$6+8=14$

답 14

004

(1) ${}_5P_r$는 5부터 1씩 줄여가며 r개를 곱한 것이다.
그런데 ${}_5P_r=60=5\times4\times3$이므로 $r=3$

(2) ${}_nP_2$는 n부터 1씩 줄여가며 2개를 곱한 것이다.
그런데 ${}_nP_2=30=6\times5$이므로 $n=6$

(3) 주어진 식의 양변을 풀어 쓰면

$n(n-1)(n-2)(n-3)(n-4)$

$=30n(n-1)(n-2)$ …… ㉠

그런데 ${}_nP_5$에서 $n\geq5$이므로

$n(n-1)(n-2)\neq0$

㉠의 양변을 $n(n-1)(n-2)$로 나누면

$(n-3)(n-4)=30$, $n^2-7n-18=0$

$(n-9)(n+2)=0$

$n\geq5$이므로 $n+2\neq0$

$\therefore n=9$

답 (1) $r=3$ (2) $n=6$ (3) $n=9$

006

(1) 6명에서 6명을 택하는 순열의 수와 같으므로
${}_6P_6=6!=6\times5\times4\times3\times2\times1=720$

(2) 10명에서 2명을 택하는 순열의 수와 같으므로
${}_{10}P_2=10\times9=90$

(3) 서로 다른 n권에서 2권을 택하는 순열의 수가 56이므로
${}_nP_2=56=8\times7$ $\therefore n=8$

답 (1) 720 (2) 90 (3) 8

008

국어1 국어2 | 영어1 영어2 영어3 | 수학1 | 수학2

[1단계] 국어책 2권, 영어책 3권을 각각 한 덩어리로 보면 총 4덩어리
4덩어리를 일렬로 꽂는 경우의 수는 $4!=24$

[2단계] 덩어리 안의 국어책 2권, 영어책 3권을 일렬로 꽂는 경우의 수는 각각
$2!=2$, $3!=6$

[3단계] 곱의 법칙에 의하여 구하는 경우의 수는
$24\times2\times6=288$

답 288

010

(1) 6명이 원탁에 둘러앉는 방법의 수이므로
$(6-1)!=5!=120$

(2) 부모 2명을 1명으로 생각하면 5명이 원탁에 둘러앉는 방법의 수는
$(5-1)!=4!=24$
부모끼리 자리를 바꿔 앉는 방법의 수는
$2!=2$
따라서 구하는 방법의 수는
$24\times2=48$

(3) 아버지의 자리를 고정시키면 어머니의 자리는 자연히 고정된다.
따라서 부모가 먼저 원탁에 마주 보도록 앉은 다음 4명의 자녀가 앉으면 되므로 구하는 방법의 수는
$4!=24$

답 (1) 120 (2) 48 (3) 24

012

각각의 부부 1쌍을 한 명으로 생각하면 4명이 원탁에 둘러앉는 방법의 수는

$(4-1)!=3!=6$

각각의 부부 1쌍이 서로 자리를 바꿔 앉는 방법의 수는

$2!\times2!\times2!\times2!=16$

따라서 구하는 방법의 수는

$6\times16=96$

답 96

014

(1) 8명이 원형으로 둘러앉는 방법의 수는

$(8-1)!=7!=5040$

그런데 주어진 모양의 탁자에서는 원형으로 둘러앉는 한 가지 방법에 대하여 4가지의 서로 다른 경우가 존재하므로 구하는 방법의 수는

$5040\times4=20160$

(2) 12명이 원형으로 둘러앉는 방법의 수는

$(12-1)!=11!$

그런데 주어진 모양의 탁자에서는 원형으로 둘러앉는 한 가지 방법에 대하여 2가지의 서로 다른 경우가 존재하므로 구하는 경우의 수는

$2\times11!$

답 (1) 20160 (2) $2\times11!$

016

4개의 사각형을 칠하는 방법의 수는 4가지 색을 원형으로 나열하는 원순열의 수와 같으므로

$(4-1)!=3!=6$

답 6

018

정사각뿔의 밑면을 칠하는 방법은 5가지이고, 나머지 4개의 삼각형을 칠하는 방법의 수는 밑면에 칠한 색을 제외한 나머지 4가지 색을 원형으로 나열하는 원순열의 수와 같으므로

$(4-1)!=3!=6$

따라서 구하는 방법의 수는

$5\times6=30$

답 30

020

서로 다른 3개에서 4개를 택하는 중복순열의 수와 같으므로

${}_3\Pi_4=3^4=81$

답 81

022

천의 자리: 0이 올 수 없으므로 1, 2의 2가지가 올 수 있다.

백의 자리: 중복을 허락하므로 3가지 모두 올 수 있다.

십의 자리: 중복을 허락하므로 3가지 모두 올 수 있다.

일의 자리: 중복을 허락하므로 3가지 모두 올 수 있다.

$\therefore 2\times3\times3\times3=54$

답 54

024

서로 다른 3개에서 4개를 택하는 중복순열의 수와 같으므로

${}_3\Pi_4=3^4=81$

답 81

026

(1) 일대일함수의 개수는 서로 다른 5개에서 2개를 택하는 순열의 수와 같으므로

${}_5P_2=5\times4=20$

(2) 함수의 개수는 서로 다른 5개에서 2개를 택하는 중복순열의 수와 같으므로

${}_5\Pi_2=5^2=25$

답 (1) 20 (2) 25

028

서로 다른 2개의 우체통에서 5개를 택하는 중복순열의 수와 같으므로

${}_2\Pi_5=2^5=32$

답 32

030

서로 다른 2명의 후보 이름에서 6개를 택하는 중복순열의 수와 같으므로

${}_2\Pi_6=2^6=64$

답 64

032

1, 1, 1, 2, 2, 2에서 4개를 택하는 방법은

(1, 1, 1, 2), (1, 1, 2, 2), (1, 2, 2, 2)로 3가지 경우가 있다.

각각의 경우에 4개의 숫자로 만들 수 있는 네 자리 정수의 개수는

(i) (1, 1, 1, 2)의 경우: $\frac{4!}{3!}=4$

(ii) (1, 1, 2, 2)의 경우: $\frac{4!}{2!2!}=6$

(iii) (1, 2, 2, 2)의 경우: $\frac{4!}{3!}=4$

이상에서 구하는 네 자리 정수의 개수는

$4+6+4=14$

답 14

034

(i) 전체 경우의 수는 0, 1, 1, 2, 2, 2를 일렬로 나열하는 경우의 수와 같으므로

$\frac{6!}{2!3!}=60$

(ii) 0으로 시작하는 경우의 수는 1, 1, 2, 2, 2를 일렬로 나열하는 경우의 수와 같으므로

$\frac{5!}{2!3!}=10$

(i), (ii)에서 구하는 여섯 자리 정수의 개수는

$60-10=50$

답 50

036

(1) 6개의 문자 중에서 a가 3개, n이 2개이므로 구하는 경우의 수는

$\frac{6!}{3!2!}=60$

(2) a□□□□ a와 같이 양 끝에 a를 놓은 후, 중간에 b, n, n, a를 일렬로 나열하면 되는데 이때 n이 2개이므로 구하는 경우의 수는

$\frac{4!}{2!}=12$

(3) a, a, a가 이웃하므로 한 문자 A로 바꾸어 생각하면 A, b, n, n을 일렬로 나열하면 되는데 이때 n이 2개이므로 구하는 경우의 수는

$\frac{4!}{2!}=12$

답 (1) 60 (2) 12 (3) 12

038

c, d의 순서가 고정되어 있으므로 c, d를 모두 x로 생각하여 5개의 문자 a, b, e, x, x를 일렬로 나열한 다음 두 개의 자리에 c, d를 순서대로 바꾸어 넣으면 된다.
따라서 구하는 경우의 수는 5개의 문자 a, b, e, x, x를 일렬로 나열하는 경우의 수와 같으므로

$\frac{5!}{2!}=60$

답 60

040

오른쪽으로 한 칸 가는 것을 a, 위쪽으로 한 칸 가는 것을 b라 하자.

(1) A에서 B로 가는 최단 경로의 수는
a, a, a, a, a, b, b, b를 일렬로 나열하는 경우의 수와 같으므로

$\frac{8!}{5!3!}=56$

(2) A에서 P로 가는 최단 경로의 수는
a, a, b를 일렬로 나열하는 경우의 수와 같으므로

$\frac{3!}{2!}=3$

P에서 B로 가는 최단 경로의 수는
a, a, a, b, b를 일렬로 나열하는 경우의 수와 같으므로

$\frac{5!}{3!2!}=10$

따라서 A에서 P를 거쳐 B로 가는 최단 경로의 수는
$3\times10=30$

(3) A에서 P를 거치지 않고 B로 가는 최단 경로의 수는
$56-30=26$

답 (1) 56 (2) 30 (3) 26

042

(1) 전체 경우에서 선분 PQ를 지나는 경우를 뺀다.

(전체 경우)
−(선분 PQ를 지나는 경우)

$=\left(\frac{7!}{4!\times3!}\right)$

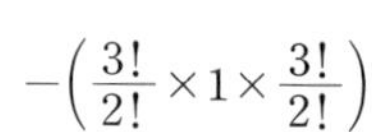

$-\left(\frac{3!}{2!}\times1\times\frac{3!}{2!}\right)$

$=35-9$

$=26$

(2) 그림과 같이 경우를 나눈다.

(P를 지나는 경우)
+(Q를 지나는 경우)

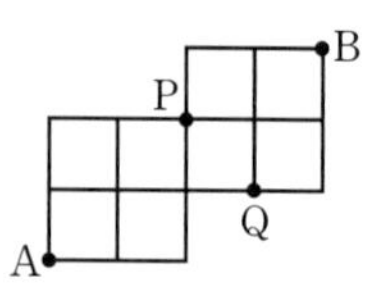

$=\left(\frac{4!}{2!\times2!}\times\frac{3!}{2!}\right)$

$+\left(\frac{3!}{2!}\times1\times\frac{3!}{2!}\right)$

$=18+9$

$=27$

답 (1) 26 (2) 27

043

아버지와 어머니를 1명으로 생각하면 6명이 원탁에 둘러앉는 방법의 수는

$(6-1)!=5!=120$

부모님끼리 자리를 바꿔 앉는 방법의 수는

$2!=2$

따라서 구하는 방법의 수는

$120\times2=240$

답 240

044

서로 다른 3개의 우체통에서 4개를 택하는 중복순열의 수와 같으므로

${}_3\Pi_4=3^4=81$

답 81

045

s□□□□□s와 같이 양 끝에 s를 놓은 후, 중간에 u, c, c, e, s를 일렬로 나열하면 되는데 이때 c가 2개이므로

$\frac{5!}{2!}=60$

답 60

046

함수의 개수는 서로 다른 4개에서 4개를 택하는 중복순열의 수와 같으므로

${}_4\Pi_4=4^4=256$

일대일대응의 개수는 서로 다른 4개에서 4개를 택하는 순열의 수와 같으므로

${}_4P_4=4!=24$

따라서 $a=256$, $b=24$이므로

$a-b=256-24=232$

답 232

047

(i) 만들 수 있는 세 자리 자연수의 개수를 구해 보자.

백의 자리: 0이 올 수 없으므로 1, 2, 3, 4, 5의 5가지가 올 수 있다.

십의 자리: 중복을 허락하므로 6가지 모두 올 수 있다.

일의 자리: 중복을 허락하므로 6가지 모두 올 수 있다.

$\therefore 5\times6\times6=180$

(ii) 만들 수 있는 세 자리 홀수의 개수를 구해 보자.

백의 자리: 0이 올 수 없으므로 1, 2, 3, 4, 5의 5가지가 올 수 있다.

십의 자리: 중복을 허락하므로 6가지 모두 올 수 있다.

일의 자리: 홀수이어야 하므로 1, 3, 5의 3가지가 올 수 있다.

$\therefore 5\times6\times3=90$

(i), (ii)에서 만들 수 있는 세 자리 자연수는 180개이고, 이 중에서 홀수는 90개이다.

답 세 자리 자연수의 개수: 180
세 자리 자연수 중 홀수의 개수: 90

048

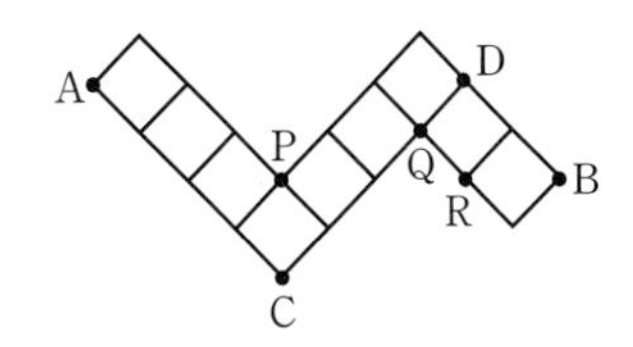

위의 그림과 같이 P지점, Q지점, R지점을 잡자.

C지점과 D지점을 모두 지나지 않으면 P지점과 Q지점, R지점은 반드시 지난다.

따라서 구하는 경우는 A→P→Q→R→B를 지날 때이므로 구하는 최단 경로의 수는

$\frac{4!}{3!}\times\frac{3!}{2!}\times1\times2=4\times3\times1\times2=24$

답 24

050

(1) ${}_7C_r={}_7C_{7-r}$이므로

$7-r=r-3 \qquad \therefore r=5$

(2) ${}_nC_4={}_nC_{n-4}$이므로

$n-4=6 \qquad \therefore n=10$

(3) ${}_nC_2=10$에서 $\frac{n(n-1)}{2\times1}=10$

$n(n-1)=5\times4 \qquad \therefore n=5$

(4) $n(n-1)(n-2)=2\times\frac{n(n-1)}{2\times1}+n(n-1)$

그런데 $n\geq3$이므로 양변을 $n(n-1)$로 나누면

$n-2=1+1 \qquad \therefore n=4$

답 (1) $r=5$ (2) $n=10$ (3) $n=5$ (4) $n=4$

052

(1) 검은 공 7개 중에서 2개를 뽑는 경우의 수는

$_{7}C_{2}=21$

흰 공 5개 중에서 2개를 뽑는 경우의 수는

$_{5}C_{2}=10$

따라서 구하는 경우의 수는

$21\times10=210$

(2) 검은 공 7개 중에서 4개를 뽑는 경우의 수는

$_{7}C_{4}={}_{7}C_{3}=35$

흰 공 5개 중에서 4개를 뽑는 경우의 수는

$_{5}C_{4}={}_{5}C_{1}=5$

따라서 구하는 경우의 수는

$35+5=40$

답 (1) 210 (2) 40

054

(1) 빨강과 노랑 2가지 색을 미리 뽑아 놓고 나머지 5가지 색에서 2가지를 뽑으면 되므로 구하는 경우의 수는

$_{5}C_{2}=10$

(2) 빨강과 노랑 2가지 색을 제외한 나머지 5가지 색에서 4가지 색을 뽑으면 되므로 구하는 경우의 수는

$_{5}C_{4}={}_{5}C_{1}=5$

답 (1) 10 (2) 5

056

(1) 전체 9권 중에서 3권을 뽑는 경우의 수는

$_{9}C_{3}=84$

소설책 4권 중에서 3권을 뽑는 경우의 수는

$_{4}C_{3}={}_{4}C_{1}=4$

따라서 구하는 경우의 수는

$84-4=80$

(2) 전체 9권 중에서 3권을 뽑는 경우의 수는

$_{9}C_{3}=84$

시집 5권 중에서 3권을 뽑는 경우의 수는

$_{5}C_{3}={}_{5}C_{2}=10$

소설책 4권 중에서 3권을 뽑는 경우의 수는

$_{4}C_{3}={}_{4}C_{1}=4$

따라서 구하는 경우의 수는

$84-(10+4)=70$

답 (1) 80 (2) 70

058

(1) $_{6}H_{1}={}_{6+1-1}C_{1}={}_{6}C_{1}=6$

(2) $_{5}H_{2}={}_{5+2-1}C_{2}={}_{6}C_{2}=15$

(3) $_{4}H_{6}={}_{4+6-1}C_{6}={}_{9}C_{6}={}_{9}C_{3}=84$

(4) $_{3}H_{3}={}_{3+3-1}C_{3}={}_{5}C_{3}={}_{5}C_{2}=10$

답 (1) 6 (2) 15 (3) 84 (4) 10

060

(1) 5개의 과일을 산 결과를 상상해 보면

모두 귤 x개, 감 y개, 사과 z개, 배 w개 $(x+y+z+w=5)$의 꼴이므로 서로 다른 4개에서 중복을 허락하여 5개를 택하는 중복조합의 수와 같다.

$\therefore {}_{4}H_{5}={}_{4+5-1}C_{5}={}_{8}C_{5}={}_{8}C_{3}=56$

(2) 무기명으로 투표한 후 그 개표 결과를 상상해 보면

모두 갑 x표, 을 y표, 병 z표$(x+y+z=8)$의 꼴이므로 서로 다른 3개에서 중복을 허락하여 8개를 택하는 중복조합의 수와 같다.

$\therefore {}_{3}H_{8}={}_{3+8-1}C_{8}={}_{10}C_{8}={}_{10}C_{2}=45$

답 (1) 56 (2) 45

062

(1) 전개식의 각 항은 모두 $a^{x}b^{y}(x+y=6)$의 꼴이므로 2개의 문자 a, b에서 중복을 허락하여 6개를 택하는 중복조합의 수와 같다.

$\therefore {}_{2}H_{6}={}_{2+6-1}C_{6}={}_{7}C_{6}={}_{7}C_{1}=7$

(2) 전개식의 각 항은 모두 $a^{x}b^{y}c^{z}(x+y+z=5)$의 꼴이므로 3개의 문자 a, b, c에서 중복을 허락하여 5개를 택하는 중복조합의 수와 같다.

$\therefore {}_{3}H_{5}={}_{3+5-1}C_{5}={}_{7}C_{5}={}_{7}C_{2}=21$

답 (1) 7 (2) 21

064

(1) 4개의 문자 a, b, c, d에서 중복을 허락하여 10개를 뽑는 중복조합의 수와 같으므로

$_{4}H_{10}={}_{4+10-1}C_{10}={}_{13}C_{10}={}_{13}C_{3}=286$

(2) 4개의 문자 a, b, c, d에서 중복을 허락하여 $(10-4)$개를 뽑는 중복조합의 수와 같으므로

$_{4}H_{10-4}={}_{4}H_{6}={}_{4+6-1}C_{6}={}_{9}C_{6}={}_{9}C_{3}=84$

답 (1) 286 (2) 84

065

(1) 주어진 조건은 집합 X의 서로 다른 원소에 집합 Y의 서로 다른 원소가 대응하는 것이므로 함수 f가 일대일함수임을 의미한다.

$f(1)$의 값이 될 수 있는 것은 4, 5, 6, 7의 4가지

$f(2)$의 값이 될 수 있는 것은 $f(1)$의 값을 제외한 3가지

$f(3)$의 값이 될 수 있는 것은 $f(1)$, $f(2)$의 값을 제외한 2가지

따라서 구하는 함수의 개수는 ${}_4P_3=4\times3\times2=24$

(2) 주어진 조건은 x의 값이 커지면 y의 값도 커져야 한다는 것을 의미하므로 4개의 수 4, 5, 6, 7에서 3개를 뽑아 크기가 작은 수부터 순서대로 1, 2, 3에 대응시키면 된다.

따라서 구하는 함수의 개수는 ${}_4C_3={}_4C_1=4$

(3) 주어진 조건은 x의 값이 커지면 y의 값은 크거나 같아져야 한다는 것을 의미하므로 4개의 수 4, 5, 6, 7에서 중복을 허락하여 3개를 뽑아 크기가 작은 수부터 순서대로 1, 2, 3에 대응시키면 된다.

따라서 구하는 함수의 개수는

${}_4H_3={}_{4+3-1}C_3={}_6C_3=20$

답 (1) 24 (2) 4 (3) 20

066

(1) 주사위 눈의 6개의 수 1, 2, 3, 4, 5, 6에서 5개를 뽑아 크기가 작은 수부터 순서대로 a_1, a_2, a_3, a_4, a_5에 대응시키면 된다.

1, 2, 3, 4, 5

1, 3, 4, 5, 6

2, 3, 4, 5, 6

⋮

따라서 구하는 경우의 수는 ${}_6C_5={}_6C_1=6$

(2) 주사위 눈의 6개의 수 1, 2, 3, 4, 5, 6에서 중복을 허락하여 5개를 뽑아 크기가 작은 수부터 순서대로 a_1, a_2, a_3, a_4, a_5에 대응시키면 된다.

1, 1, 1, 1, 1

1, 1, 1, 1, 2

2, 2, 3, 3, 3

⋮

따라서 구하는 경우의 수는

${}_6H_5={}_{6+5-1}C_5={}_{10}C_5=252$

답 (1) 6 (2) 252

067

1회, 2회, 3회에 갚는 금액을 각각 x만 원, y만 원, z만 원이라 하면

$x+y+z=15$ (단, $x\geq1$, $y\geq1$, $z\geq1$)

$x=a+1$, $y=b+1$, $z=c+1$로 놓으면 위의 방정식은

$a+b+c=12$ (단, $a\geq0$, $b\geq0$, $c\geq0$)

$\therefore\ {}_3H_{12}={}_{3+12-1}C_{12}={}_{14}C_{12}={}_{14}C_2=91$

답 91

068

딸기 맛, 오렌지 맛, 레몬 맛, 포도 맛 사탕의 개수를 각각 x, y, z, w라 하면

$x+y+z+w=15$ (단, $x\geq4$, $y\geq3$, $z\geq2$, $w\geq1$)

$x=a+4$, $y=b+3$, $z=c+2$, $w=d+1$로 놓으면

위의 방정식은

$a+b+c+d=5$ (단, $a\geq0$, $b\geq0$, $c\geq0$, $d\geq0$)

$\therefore\ {}_4H_5={}_{4+5-1}C_5={}_8C_5={}_8C_3=56$

답 56

069

주머니에서 꺼낸 빨간 공, 노란 공, 파란 공의 개수를 각각 x, y, z라 하면

$x+y+z=7$ (단, $x\geq1$, $y\geq1$, $z\geq1$)

$x=a+1$, $y=b+1$, $z=c+1$로 놓으면 위의 방정식은

$a+b+c=4$ (단, $a\geq0$, $b\geq0$, $c\geq0$)

$\therefore\ {}_3H_4={}_{3+4-1}C_4={}_6C_4={}_6C_2=15$

답 15

070

(ⅰ) 음이 아닌 정수해의 순서쌍 (x, y, z)의 개수는 3개의 문자 x, y, z에서 중복을 허락하여 10개를 택하는 중복조합의 수와 같으므로

$a={}_3H_{10}={}_{3+10-1}C_{10}={}_{12}C_{10}={}_{12}C_2=66$

(ⅱ) 양의 정수해의 순서쌍 (x, y, z)의 개수는 3개의 문자 x, y, z에서 중복을 허락하여 $(10-3)$개를 택하는 중복조합의 수와 같으므로

$b={}_3H_{10-3}={}_3H_7={}_{3+7-1}C_7={}_9C_7={}_9C_2=36$

(ⅰ), (ⅱ)에서 $a-b=66-36=30$

답 30

071

$a=5!\times2,\ b=5!\times3,\ c=5!$

$\therefore\ a+b+c=5!(2+3+1)=6\times5!=6!=720$

답 720

072

1을 윗면에 고정하면 6은 자동으로 아랫면

⇒ 옆면에 2, 3, 4, 5만 써넣으면 끝

2가 어디에 있든 돌리면 앞면으로 온다.

2를 앞면에 고정하면 5는 자동으로 뒷면

결국 구하는 경우는 왼쪽과 오른쪽에 3, 4를 써넣는 다음 2가지 방법뿐

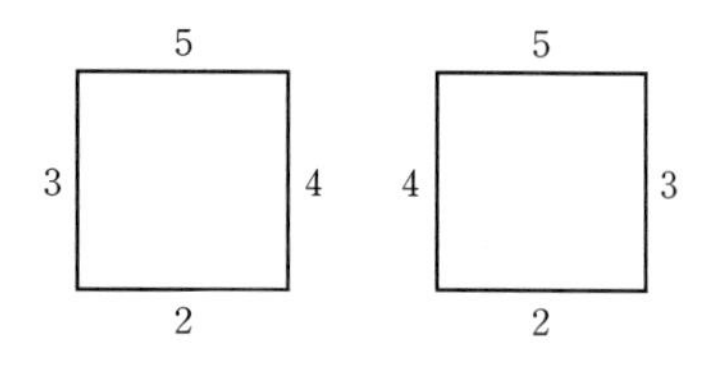

답 2

073

A와 B를 한 묶음으로 생각해서 5개를 원형의 실험 기구에 넣는 경우의 수는

$(5-1)!=4!=24$

또한 A와 B가 자리를 바꾸는 경우의 수는 $2!=2$

따라서 구하는 경우의 수는

$24\times2=48$

답 48

074

오른쪽으로 한 칸 가는 것을 a, 위쪽으로 한 칸 가는 것을 b라 하자.

(i) A에서 B로 가는 최단 경로의 수는

$a, a, a, a, a, a, b, b, b$

를 일렬로 나열하는 경우의 수와 같으므로

$\frac{9!}{6!3!}=84$

(ii) A에서 P로 가는 최단 경로의 수는

a, a, a, a, b

를 일렬로 나열하는 경우의 수와 같으므로

$\frac{5!}{4!}=5$

Q에서 B로 가는 최단 경로의 수는

a, a, b

를 일렬로 나열하는 경우의 수와 같으므로

$\frac{3!}{2!}=3$

따라서 A에서 $\overline{PQ}$를 지나 B로 가는 최단 경로의 수는

$5\times3=15$

(i), (ii)에 의하여 A에서 $\overline{PQ}$를 지나지 않고 B로 가는 최단 경로의 수는

$84-15=69$

답 69

075

s, c, h, l의 순서가 고정되어 있으므로 s, c, h, l을 모두 x로 생각하여 6개의 문자 x, x, x, x, o, o를 일렬로 나열한 후 첫 번째 x는 s, 두 번째 x는 c, 세 번째 x는 h, 네 번째 x는 l로 바꾸면 된다.

따라서 구하는 경우의 수는 $\frac{6!}{4!2!}=15$

답 15

076

5개의 숫자 1, 2, 3, 4, 5 중에서 중복을 허락하여 4개를 택해 일렬로 나열하여 만든 네 자리 자연수가 5의 배수인 경우는 일의 자리의 수가 0 또는 5일 때이다.

따라서 천의 자리, 백의 자리, 십의 자리를 택할 수 있는 경우가 각각 5가지, 일의 자리의 수는 5로 1가지이다.

따라서 구하는 경우의 수는 $5\times5\times5\times1=125$

답 125

077

순서가 정해진 수들을 같은 문자로 생각하여

2, 4를 a, a,

1, 3, 5를 b, b, b,

6을 c

라 하면 구하는 경우의 수는 $\frac{6!}{3!2!}=60$

답 60

078

①, ②, ③, ④는 ${}_4H_{10}$

⑤는 ${}_4\Pi_{10}$

답 ⑤

079

(i) 1개를 사용하여 만들 수 있는 신호의 개수는

$_2\Pi_1=2^1=2$

(ii) 2개를 사용하여 만들 수 있는 신호의 개수는

$_2\Pi_2=2^2=4$

(iii) 3개를 사용하여 만들 수 있는 신호의 개수는

$_2\Pi_3=2^3=8$

(iv) 4개를 사용하여 만들 수 있는 신호의 개수는

$_2\Pi_4=2^4=16$

이상에서 구하는 신호의 개수는

$2+4+8+16=30$

답 30

080

(i) 무기명으로 투표하는 방법의 수는

서로 다른 2명의 후보 이름에서 중복을 허락하여 8개를 택하는 중복조합의 수와 같으므로

$a={}_2H_8={}_{2+8-1}C_8={}_9C_8={}_9C_1=9$

(ii) 기명으로 투표하는 방법의 수는

서로 다른 2명의 후보 이름에서 8개를 택하는 중복순열의 수와 같으므로

$b={}_2\Pi_8=2^8=256$

(i), (ii)에서

$a+b=9+256=265$

답 265

081

$x'=x+1,\ y'=y+1,\ z'=z+1$로 놓으면 $x,\ y,\ z$가 -1 이상의 정수이므로 $x',\ y',\ z'$은 0 이상의 정수이다.

이때 $x=x'-1,\ y=y'-1,\ z=z'-1$이므로

$x+y+z=4$에 대입하면

$(x'-1)+(y'-1)+(z'-1)=4$

$x'+y'+z'=7$ (단, $x'\geq0,\ y'\geq0,\ z'\geq0$) …… ㉠

따라서 구하는 -1 이상의 정수 $x,\ y,\ z$의 순서쌍 $(x,\ y,\ z)$의 개수는 방정식 ㉠을 만족시키는 음이 아닌 정수 $x',\ y',\ z'$의 순서쌍 $(x',\ y',\ z')$의 개수와 같으므로 구하는 개수는

${}_3H_7={}_{3+7-1}C_7={}_9C_7={}_9C_2=36$

답 36

082

$x,\ y,\ z$가 모두 양의 정수이므로

$x+y+z\geq3$

따라서 $3\leq x+y+z<5$이므로

$x+y+z=3$ 또는 $x+y+z=4$

(단, $x\geq1,\ y\geq1,\ z\geq1$)

(i) $x+y+z=3$을 만족시키는 양의 정수 $x,\ y,\ z$의 순서쌍 $(x,\ y,\ z)$의 개수는

${}_3H_{3-3}={}_3H_0=1$

(ii) $x+y+z=4$를 만족시키는 양의 정수 $x,\ y,\ z$의 순서쌍 $(x,\ y,\ z)$의 개수는

${}_3H_{4-3}={}_3H_1={}_{3+1-1}C_1={}_3C_1=3$

(i), (ii)에서

$1+3=4$

답 4

083

$x,\ y,\ z,\ u$는 자연수이므로 $u=1,\ 2,\ 3$

(i) $u=1$일 때, $x+y+z+2=10$

$\therefore\ x+y+z=8$ (단, $x\geq1,\ y\geq1,\ z\geq1$)

위의 방정식을 만족시키는 자연수 $x,\ y,\ z$의 순서쌍 $(x,\ y,\ z)$의 개수는 3개의 문자 $x,\ y,\ z$에서 $(8-3)$개를 택하는 중복조합의 수와 같으므로

${}_3H_{8-3}={}_3H_5={}_{3+5-1}C_5={}_7C_5={}_7C_2=21$

(ii) $u=2$일 때, $x+y+z+4=10$

$\therefore\ x+y+z=6$ (단, $x\geq1,\ y\geq1,\ z\geq1$)

위의 방정식을 만족시키는 자연수 $x,\ y,\ z$의 순서쌍 $(x,\ y,\ z)$의 개수는 3개의 문자 $x,\ y,\ z$에서 $(6-3)$개를 택하는 중복조합의 수와 같으므로

${}_3H_{6-3}={}_3H_3={}_{3+3-1}C_3={}_5C_3={}_5C_2=10$

(iii) $u=3$일 때, $x+y+z+6=10$

$\therefore\ x+y+z=4$ (단, $x\geq1,\ y\geq1,\ z\geq1$)

위의 방정식을 만족시키는 자연수 $x,\ y,\ z$의 순서쌍 $(x,\ y,\ z)$의 개수는 3개의 문자 $x,\ y,\ z$에서 $(4-3)$개를 택하는 중복조합의 수와 같으므로

${}_3H_{4-3}={}_3H_1={}_{3+1-1}C_1={}_3C_1=3$

이상에서 주어진 방정식을 만족시키는 자연수 $x,\ y,\ z$의 순서쌍 $(x,\ y,\ z)$의 개수는

$21+10+3=34$

답 34

084

흰 구슬 2개를 두 상자에 나누어 넣을 때, 흰 구슬을 넣을 상자 2개를 정하는 경우의 수는

${}_3C_2={}_3C_1=3$

빈 상자가 없어야 하므로 검은 구슬 1개를 흰 구슬이 들어 있지 않은 상자에 넣은 다음 남은 4개의 검은 구슬을 3개의 상자에 넣는 경우의 수는

${}_3H_4={}_{3+4-1}C_4={}_6C_4={}_6C_2=15$

따라서 구하는 경우의 수는

$3\times15=45$

답 45

085

$f(1)$의 값을 정하는 경우의 수는 3이다.

$f(3)$, $f(4)$, $f(5)$의 값을 정하는 경우의 수는 6개의 수 3, 4, 5, 6, 7, 8에서 중복을 허락하여 3개를 택하는 중복조합의 수와 같으므로

${}_6H_3={}_{6+3-1}C_3={}_8C_3=56$

따라서 구하는 함수의 개수는

$3\times56=168$

답 168

086

$\mathrm{A}\to\mathrm{B}\to\mathrm{D}$: $\frac{4!}{2!2!}\times\frac{6!}{3!3!}=120$

$\mathrm{A}\to\mathrm{C}\to\mathrm{D}$: $\frac{7!}{4!3!}\times\frac{3!}{2!}=105$

$\mathrm{A}\to\mathrm{B}\to\mathrm{C}\to\mathrm{D}$: $\frac{4!}{2!2!}\times\frac{3!}{2!}\times\frac{3!}{2!}=54$

따라서 A지점을 출발하여 B지점 또는 C지점을 지나 D지점으로 가는 최단 경로의 수는

$120+105-54=171$

답 171

2 이항정리

088

(1) $(3a+b)^4$의 전개식의 일반항은

${}_4C_r(3a)^{4-r}b^r={}_4C_r3^{4-r}a^{4-r}b^r$

이때 a^2b^2항이 되려면

$4-r=2$ $\quad\therefore r=2$

따라서 a^2b^2의 계수는

${}_4C_2\times3^{4-2}=6\times9=54$

(2) $\left(3x^2+\frac{1}{x}\right)^6$의 전개식의 일반항은

${}_6C_r(3x^2)^{6-r}\left(\frac{1}{x}\right)^r={}_6C_r3^{6-r}x^{12-3r}$

이때 상수항이 되려면

$12-3r=0$ $\quad\therefore r=4$

따라서 상수항은 ${}_6C_4\times3^{6-4}=15\times9=135$

답 (1) 54 (2) 135

090

$\left(mx^3+\frac{2}{x^2}\right)^4$의 전개식의 일반항은

${}_4C_r(mx^3)^{4-r}\left(\frac{2}{x^2}\right)^r={}_4C_rm^{4-r}2^rx^{12-5r}$

이때 x^2항이 되려면

$12-5r=2$, $5r=10$ $\quad\therefore r=2$

그런데 x^2의 계수가 6이므로

${}_4C_2m^{4-2}2^2=6$, $m^2=\frac{1}{4}$

$\therefore m=\frac{1}{2}$ 또는 $m=-\frac{1}{2}$

답 $\frac{1}{2}$, $-\frac{1}{2}$

092

$(1+x)^4$의 전개식의 일반항은

${}_4C_r1^{4-r}x^r={}_4C_rx^r$

$(2+x)^5$의 전개식의 일반항은

${}_5C_s2^{5-s}x^s$

$(1+x)^4(2+x)^5$의 전개식의 일반항은

${}_4C_r{}_5C_s2^{5-s}x^{r+s}$

이때 x항이 되려면 $r+s=1$이어야 하고,

이것을 만족시키는 순서쌍 (r, s)는

$(0, 1)$ 또는 $(1, 0)$ ⬅ $r\ge0$, $s\ge0$

따라서 x의 계수는

${}_4C_0\times{}_5C_1\times2^{5-1}+{}_4C_1\times{}_5C_0\times2^{5-0}=80+128=208$

답 208

094

[1단계] 분배법칙을 쓰면

$$(x+1)\left(x-\frac{1}{x}\right)^{10}=x\left(x-\frac{1}{x}\right)^{10}+\left(x-\frac{1}{x}\right)^{10}$$

$\left(x-\frac{1}{x}\right)^{10}$의 전개식의 일반항은

$${}_{10}C_r x^{10-r}\left(-\frac{1}{x}\right)^r={}_{10}C_r(-1)^r x^{10-2r} \quad \cdots\cdots ㉠$$

[2단계] 앞쪽이 x^2항이 되려면 ㉠에서 x항이 있어야 하는데 존재하지 않으므로 앞쪽은 x^2항이 될 수 없다.

[3단계] 뒤쪽이 x^2항이 되려면

$10-2r=2 \qquad \therefore r=4$

[4단계] 이 값을 대입하면 끝.

$\therefore {}_{10}C_4\times(-1)^4=210$

답 210

096

$(a-b+2c)^6$의 전개식의 일반항은

$$\frac{6!}{p!q!r!}a^p(-b)^q(2c)^r$$

$$=\frac{6!}{p!q!r!}\times(-1)^q\times 2^r\times a^p b^q c^r$$

여기서 ab^2c^3항이 되려면

$p=1,\ q=2,\ r=3$

따라서 구하는 계수는

$$\frac{6!}{1!2!3!}\times(-1)^2\times 2^3=480$$

답 480

098

$(x^2+x+1)^6$의 전개식의 일반항은

$$\frac{6!}{p!q!r!}(x^2)^p x^q 1^r=\frac{6!}{p!q!r!}x^{2p+q}$$

여기서 x^5항이 되려면 $2p+q=5$

$\therefore p=0,\ q=5$ 또는 $p=1,\ q=3$

또는 $p=2,\ q=1$ ⬅ $p\ge 0,\ q\ge 0$

이때 $p+q+r=6$이므로

$p=0,\ q=5$일 때, $r=1$

$p=1,\ q=3$일 때, $r=2$

$p=2,\ q=1$일 때, $r=3$

따라서 구하는 계수는

$$\frac{6!}{0!5!1!}+\frac{6!}{1!3!2!}+\frac{6!}{2!1!3!}=6+60+60=126$$

답 126

099

$\left(2x^3-\frac{1}{x}\right)^5$의 전개식의 일반항은

$${}_5C_r(2x^3)^{5-r}\left(-\frac{1}{x}\right)^r={}_5C_r 2^{5-r}(-1)^r x^{15-4r}$$

이때 x^3항이 되려면 $15-4r=3 \qquad \therefore r=3$

따라서 x^3의 계수는

${}_5C_3\times 2^2\times(-1)^3=-40$

답 -40

100

$\left(x-\frac{a}{x^2}\right)^6$의 전개식의 일반항은

$${}_6C_r x^{6-r}\left(-\frac{a}{x^2}\right)^r={}_6C_r(-a)^r x^{6-3r}$$

이때 상수항이 되려면

$6-3r=0$일 때이므로 $r=2$

그런데 상수항이 60이므로

${}_6C_2(-a)^2=60,\ a^2=4$

$\therefore a=2\ (\because a>0)$

답 2

101

$\left(ax-\frac{1}{x}\right)^4$의 전개식의 일반항은

$${}_4C_r(ax)^{4-r}\left(-\frac{1}{x}\right)^r={}_4C_r a^{4-r}(-1)^r x^{4-2r}$$

이때 x^2항이 되려면 $4-2r=2$

$2r=2 \qquad \therefore r=1$

그런데 x^2의 계수가 32이므로

${}_4C_1\times a^{4-1}\times(-1)^1=32$

$a^3=-8 \qquad \therefore a=-2$

답 -2

102

$(1+2x)^6(1-x)$의 전개식에서 x^3항은

(x^3항)×(상수항)과 (x^2항)×(x항)일 때 나타난다.

$(1+2x)^6$의 전개식의 일반항은 ${}_6C_r 2^r x^r$이므로

$(1+2x)^6$에서 x^3의 계수는 ${}_6C_3 2^3=160$

$(1+2x)^6$에서 x^2의 계수는 ${}_6C_2 2^2=60$

따라서 $(1+2x)^6(1-x)$의 전개식에서 x^3의 계수는

$160-60=100$

답 100

103

$\left(x+\frac{1}{x}+1\right)^5=(x+x^{-1}+1)^5$

$(x+x^{-1}+1)^5$의 전개식의 일반항은

$\frac{5!}{p!q!r!}x^p x^{-q}\times 1^r=\frac{5!}{p!q!r!}x^{p-q}$

이때 상수항은

$p-q=0$, $p+q+r=5$ (단, $p\geq 0$, $q\geq 0$, $r\geq 0$)

를 만족해야 한다.

이를 만족하는 순서쌍 (p, q, r)는

$(0, 0, 5)$, $(1, 1, 3)$, $(2, 2, 1)$이다.

따라서 상수항은

$\frac{5!}{5!}+\frac{5!}{3!}+\frac{5!}{2!2!}=1+20+30=51$

답 51

104

$(x+x^2+x^3)^3$의 전개식의 일반항은

$\frac{3!}{p!q!r!}x^p(x^2)^q(x^3)^r=\frac{3!}{p!q!r!}x^{p+2q+3r}$

이때 x^5항은

$p+q+r=3$, $p+2q+3r=5$

(단, $p\geq 0$, $q\geq 0$, $r\geq 0$)를 만족해야 한다.

이를 만족하는 순서쌍 (p, q, r)는

$(1, 2, 0)$, $(2, 0, 1)$이다.

따라서 x^5의 계수는

$\frac{3!}{1!2!0!}+\frac{3!}{2!0!1!}=3+3=6$

답 6

106

${}_2C_2={}_3C_3$이고, ${}_nC_r={}_{n-1}C_{r-1}+{}_{n-1}C_r$이므로

파스칼의 삼각형을 이용하면

${}_2C_2+{}_3C_2+{}_4C_2+{}_5C_2+\cdots+{}_{10}C_2$

$=\underline{{}_3C_3+{}_3C_2}+{}_4C_2+{}_5C_2+\cdots+{}_{10}C_2$

$=\underline{{}_4C_3+{}_4C_2}+{}_5C_2+\cdots+{}_{10}C_2$

$=\underline{{}_5C_3+{}_5C_2}+\cdots+{}_{10}C_2$

$\vdots$

$=\underline{{}_{10}C_3+{}_{10}C_2}$

$={}_{11}C_3$

따라서 주어진 식의 값은 ④와 같다.

답 ④

108

(1) ${}_nC_0+{}_nC_1+{}_nC_2+\cdots+{}_nC_n=2^n$이고,

${}_nC_0=1$이므로

${}_nC_1+{}_nC_2+{}_nC_3+\cdots+{}_nC_n=2^n-1$

즉, 주어진 부등식은

$500<2^n-1<1000$

$\therefore 501<2^n<1001$

그런데 $2^8=256$, $2^9=512$, $2^{10}=1024$이므로

$n=9$

(2) ${}_{19}C_0+{}_{19}C_1+{}_{19}C_2+\cdots+{}_{19}C_{19}=2^{19}$이므로

${}_{19}C_0+{}_{19}C_1+{}_{19}C_2+\cdots+{}_{19}C_9$

$={}_{19}C_{10}+{}_{19}C_{11}+{}_{19}C_{12}+\cdots+{}_{19}C_{19}$

$=\frac{1}{2}\times 2^{19}=2^{18}$

따라서 $\sum_{k=0}^{9}{}_{19}C_k=2^{18}$이므로

$\log_2\left(\sum_{k=0}^{9}{}_{19}C_k\right)=\log_2 2^{18}$

$=18\log_2 2=18$

(3) ${}_{99}C_1+{}_{99}C_3+{}_{99}C_5+\cdots+{}_{99}C_{99}=\frac{1}{2}\times 2^{99}=2^{98}$

이므로

(주어진 식)$=\log_2 2^{98}$

$=98\log_2 2=98$

답 (1) 9 (2) 18 (3) 98

109

${}_1C_0={}_2C_0$이고, ${}_nC_r={}_{n-1}C_{r-1}+{}_{n-1}C_r$이므로

파스칼의 삼각형을 이용하면

${}_1C_0+{}_2C_1+{}_3C_2+{}_4C_3+\cdots+{}_{10}C_9$

$={}_2C_0+{}_2C_1+{}_3C_2+{}_4C_3+\cdots+{}_{10}C_9$

$={}_3C_1+{}_3C_2+{}_4C_3+\cdots+{}_{10}C_9$

$={}_4C_2+{}_4C_3+\cdots+{}_{10}C_9$

$\vdots$

$={}_{10}C_8+{}_{10}C_9$

$={}_{11}C_9$

답 ④

110

${}_{17}C_1+{}_{17}C_3+{}_{17}C_5+\cdots+{}_{17}C_{17}=\frac{1}{2}\times 2^{17}=2^{16}$이므로

$\log_2({}_{17}C_1+{}_{17}C_3+{}_{17}C_5+\cdots+{}_{17}C_{17})=\log_2 2^{16}$

$=16\log_2 2=16$

답 16

111

$_n C_0 + {}_n C_1 \times 3 + {}_n C_2 \times 3^2 + {}_n C_3 \times 3^3 + \cdots + {}_n C_n \times 3^n$

$= (1+3)^n = 4^n = 2^{2n}$

이므로 $\log_2 2^{2n} = 100$에서

$2n = 100 \qquad \therefore n = 50$

답 50

112

① $\sum_{r=0}^{49} {}_{99}C_r$는 99차 이항계수의 합의 왼쪽 절반이므로

$\sum_{r=0}^{49} {}_{99}C_r = \frac{1}{2} \times 2^{99} = 2^{98}$

② $\sum_{r=0}^{49} {}_{99}C_{2r}$는 99차 이항계수의 짝수 번째 항의 합이므로

$\sum_{r=0}^{49} {}_{99}C_{2r} = \frac{1}{2} \times 2^{99} = 2^{98}$

③ ${}_n C_0$이 빠져 있으므로 $\sum_{r=1}^{n} {}_n C_r = 2^n - 1$

④ $(1+x)^n = \sum_{r=0}^{n} {}_n C_r x^r$에 $x=2$를 대입한 것이므로

$\sum_{r=0}^{n} {}_n C_r 2^r = (1+2)^n = 3^n$

⑤ $(a+b)^n = \sum_{r=0}^{n} {}_n C_r a^{n-r} b^r$에 $a=3$, $b=7$을 대입한 것이므로

$\sum_{r=0}^{n} {}_n C_r 3^{n-r} 7^r = (3+7)^n = 10^n$

따라서 옳지 않은 것은 ③이다.

답 ③

113

ㄱ. ${}_7C_0 + {}_7C_1 + {}_7C_2 + \cdots + {}_7C_7 = 2^7$ (참)

ㄴ. ${}_6C_0 + {}_6C_2 + {}_6C_4 + {}_6C_6 = {}_6C_1 + {}_6C_3 + {}_6C_5 = \frac{2^6}{2} = 2^5$

이므로 ${}_6C_0 - {}_6C_1 + {}_6C_2 - \cdots + {}_6C_6 = 0$ (거짓)

ㄷ. ${}_8C_0 + {}_8C_1 + {}_8C_2 + \cdots + {}_8C_8 = 2^8$에서

${}_8C_0 = {}_8C_8$, ${}_8C_1 = {}_8C_7$, ${}_8C_2 = {}_8C_6$, ${}_8C_3 = {}_8C_5$이므로

${}_8C_4 + 2({}_8C_5 + {}_8C_6 + {}_8C_7 + {}_8C_8) = 2^8$

$2({}_8C_5 + {}_8C_6 + {}_8C_7 + {}_8C_8) = 186$

$\therefore {}_8C_5 + {}_8C_6 + {}_8C_7 + {}_8C_8 = 93$ (거짓)

따라서 옳은 것은 ㄱ이다.

답 ㄱ

114

(1) $\sum_{r=0}^{n} {}_n C_r = {}_n C_0 + {}_n C_1 + {}_n C_2 + \cdots + {}_n C_n = 2^n$

$\sum_{n=0}^{10} \left(\sum_{r=0}^{n} {}_n C_r \right) = \sum_{n=0}^{10} 2^n = 1 + 2 + 2^2 + \cdots + 2^{10}$

$= \frac{1 \times (2^{11} - 1)}{2-1} = 2^{11} - 1 = 2047$

(2) $\sum_{r=0}^{5} {}_{11}C_{2r} = {}_{11}C_0 + {}_{11}C_2 + {}_{11}C_4 + \cdots + {}_{11}C_{10}$

$= \frac{1}{2} \times 2^{11} = 2^{10}$

$\therefore \log_4 \left(\sum_{r=0}^{5} {}_{11}C_{2r} \right) = \log_{2^2} 2^{10} = \frac{10}{2} \log_2 2 = 5$

(3) $\sum_{r=0}^{16} {}_{33}C_r = {}_{33}C_0 + {}_{33}C_1 + {}_{33}C_2 + \cdots + {}_{33}C_{16}$

$= \frac{1}{2} \times 2^{33} = 2^{32}$

$\therefore \log_{\frac{1}{2}} \left(\sum_{r=0}^{16} {}_{33}C_r \right) = \log_{2^{-1}} 2^{32} = -32 \log_2 2 = -32$

답 (1) 2047 (2) 5 (3) -32

115

$(1+ax)^7$의 전개식의 일반항은

${}_7C_r 1^{7-r} (ax)^r = {}_7C_r a^r x^r$

이때 x항이 되려면 $r=1$

그런데 x의 계수가 14이므로

${}_7C_1 \times a^1 = 14$, $7a = 14$

$\therefore a = 2$

x^2항이 되려면 $r=2$

따라서 x^2의 계수는

${}_7C_2 \times 2^2 = 21 \times 4 = 84$

답 84

116

x^3의 계수는 ${}_5C_3 \times a^2 = 10a^2$이고,

x^4의 계수는 ${}_5C_4 \times a = 5a$이다.

따라서 $10a^2 = 5a$에서

$5a(2a-1) = 0$

$\therefore a = \frac{1}{2}$ ($\because a > 0$)

답 $\frac{1}{2}$

117

$\left(2x^3 + \frac{a}{x^2}\right)^4$의 전개식의 일반항은

${}_4C_r (2x^3)^{4-r} \left(\frac{a}{x^2}\right)^r = {}_4C_r 2^{4-r} a^r x^{12-5r}$

이때 x^2항이 되려면

$12 - 5r = 2$

$\therefore r = 2$

그런데 x^2의 계수가 12이므로

${}_4C_2 \times 2^{4-2} \times a^2 = 12$, $24a^2 = 12$

$\therefore a^2 = \frac{1}{2}$

답 $\frac{1}{2}$

118

(1) $(1-x)^{10}$의 전개식의 일반항은

$_{10}C_r 1^{10-r}(-x)^r = {}_{10}C_r(-1)^r x^r$

$(2-x)^3$의 전개식의 일반항은

$_3C_s 2^{3-s}(-x)^s = {}_3C_s 2^{3-s}(-1)^s x^s$

$(1-x)^{10}(2-x)^3$의 전개식의 일반항은

$_{10}C_r \times {}_3C_s \times 2^{3-s}(-1)^{r+s}x^{r+s}$

이때 x항이 되려면 $r+s=1$이어야 하고,

이것을 만족시키는 순서쌍 (r, s)는

$(0, 1)$ 또는 $(1, 0)$ ⬅ $r \geq 0$, $s \geq 0$

따라서 x의 계수는

$_{10}C_0 \times {}_3C_1 \times 2^2 \times (-1) + {}_{10}C_1 \times {}_3C_0 \times 2^3 \times (-1)$

$= -12 + (-80) = -92$

(2) [1단계] 분배법칙을 쓰면

$(2x^2+3)\left(x+\frac{1}{x}\right)^4$

$=2x^2\left(x+\frac{1}{x}\right)^4 + 3\left(x+\frac{1}{x}\right)^4$

$\left(x+\frac{1}{x}\right)^4$의 전개식의 일반항은

$_4C_r x^{4-r}\left(\frac{1}{x}\right)^r = {}_4C_r x^{4-2r}$

[2단계] 앞쪽이 상수항이 되려면

$4-2r=-2 \quad \therefore r=3$

[3단계] 뒤쪽이 상수항이 되려면

$4-2r=0 \quad \therefore r=2$

[4단계] 두 값을 대입하여 더하면 끝.

$\therefore 2 \times {}_4C_3 + 3 \times {}_4C_2 = 2 \times 4 + 3 \times 6 = 26$

답 (1) -92 (2) 26

119

주어진 식은 첫째항이 $1+x$, 공비가 $1+x$, 항수가 10인 등비수열의 합이므로

$(1+x)+(1+x)^2+(1+x)^3+\cdots+(1+x)^{10}$

$=\frac{(1+x)\{(1+x)^{10}-1\}}{(1+x)-1}$

$=\frac{(1+x)^{11}-(1+x)}{x}$ …… ㉠

주어진 식의 전개식에서 x의 계수는 ㉠의 $(1+x)^{11}$의 전개식에서의 x^2의 계수와 같다.

이때 $(1+x)^{11}$의 전개식의 일반항은 $_{11}C_r x^r$

x^2항이 되려면 $r=2$

따라서 구하는 계수는 $_{11}C_2=55$

답 55

120

$\left(x^2+\frac{2}{x}\right)^6$의 전개식의 일반항은

$_6C_r(x^2)^{6-r}\left(\frac{2}{x}\right)^r = {}_6C_r 2^r x^{12-3r}$

이때 x^3항이 되려면

$12-3r=3,\ 3r=9 \quad \therefore r=3$

즉, x^3의 계수는

$a_3 = {}_6C_3 \times 2^3 = 160$

또한 상수항이 되려면

$12-3r=0,\ 3r=12 \quad \therefore r=4$

즉, 상수항은

$_6C_4 \times 2^4 = 240$

$\therefore \frac{a_3}{a_0} = \frac{160}{240} = \frac{2}{3}$

답 ⑤

121

서로 다른 종류의 21봉지의 과자에서 11봉지 이상을 택하는 방법의 수는

$_{21}C_{11}+{}_{21}C_{12}+{}_{21}C_{13}+\cdots+{}_{21}C_{21}$

이때 $_{21}C_0+{}_{21}C_1+{}_{21}C_2+\cdots+{}_{21}C_{21}=2^{21}$이고

$_{21}C_{11}+{}_{21}C_{12}+{}_{21}C_{13}+\cdots+{}_{21}C_{21}$

$={}_{21}C_0+{}_{21}C_1+{}_{21}C_2+\cdots+{}_{21}C_{10}$

$\therefore {}_{21}C_{11}+{}_{21}C_{12}+{}_{21}C_{13}+\cdots+{}_{21}C_{21}$

$=\frac{1}{2}\times 2^{21}=2^{20}$

답 ④

122

$({}_{50}C_0)^2+({}_{50}C_1)^2+\cdots+({}_{50}C_{50})^2$

$={}_{50}C_0 \times {}_{50}C_{50} + {}_{50}C_1 \times {}_{50}C_{49} + \cdots + {}_{50}C_{50} \times {}_{50}C_0$

이므로 주어진 식은 $(1+x)^{50}(1+x)^{50}$, 즉 $(1+x)^{100}$의 전개식에서 x^{50}의 계수와 같다.

따라서 $(1+x)^{100}$에서 x^{50}의 계수는 $_{100}C_{50}$이므로 구하는 값은 $_{100}C_{50}$이다.

답 $_{100}C_{50}$

123

$11^{10}=(1+10)^{10}$

$={}_{10}C_0+{}_{10}C_1\times 10+{}_{10}C_2\times 10^2+\cdots+{}_{10}C_{10}\times 10^{10}$

이때 $_{10}C_r 10^r$에서 $r\geq 2$이면 100으로 나누어떨어지므로 11^{10}을 100으로 나누었을 때의 나머지는

$_{10}C_0+{}_{10}C_1\times 10$을 100으로 나누었을 때의 나머지와 같다.

따라서 ${}_{10}C_0+{}_{10}C_1\times10=101$이므로 구하는 나머지는 1이다.

답 ①

124

각 열의 합은 2, 2^2, 2^3, $\cdots$, 2^{10}으로 첫째항이 2이고 공비가 2인 등비수열을 이루므로 모든 수의 합은

$$\frac{2(2^{10}-1)}{2-1}=2^{11}-2=2048-2=2046$$

답 ②

125

$\left(x+\frac{p}{x}\right)^n$의 전개식의 일반항은

${}_nC_r x^{n-r}\left(\frac{p}{x}\right)^r={}_nC_r p^r x^{n-2r}$

상수항은 $n-2r=0$일 때이므로 $r=\frac{n}{2}$

즉, 상수항은

${}_nC_{\frac{n}{2}}p^{\frac{n}{2}}=160=2^5\times5$

이때 n은 짝수이므로 n 대신에 2, 4를 대입하여 계산하면 성립하지 않고,

$n=6$일 때, ${}_6C_3p^3=5\times2^2\times p^3=2^5\times5$이므로

$p=2$이다.

$\therefore np=6\times2=12$

답 12

126

${}_{2k}C_1+{}_{2k}C_3+{}_{2k}C_5+\cdots+{}_{2k}C_{2k-1}=\frac{1}{2}\times2^{2k}=2^{2k-1}$

이므로

$$f(5)=\sum_{k=1}^{5}2^{2k-1}=\frac{1}{2}\sum_{k=1}^{5}4^k$$

$$=\frac{1}{2}\times\frac{4(4^5-1)}{4-1}=682$$

답 682

127

${}_3H_0+{}_3H_1+{}_3H_2+{}_3H_3+{}_3H_4+{}_3H_5$

$={}_2C_0+{}_3C_1+{}_4C_2+{}_5C_3+{}_6C_4+{}_7C_5$

$={}_3C_0+{}_3C_1+{}_4C_2+{}_5C_3+{}_6C_4+{}_7C_5$

$={}_4C_1+{}_4C_2+{}_5C_3+{}_6C_4+{}_7C_5$

$\vdots$

$={}_7C_4+{}_7C_5$

$={}_8C_5={}_8C_3=56$

답 56

128

$({}_2C_1+{}_2C_2)+({}_3C_2+{}_3C_3)+({}_4C_3+{}_4C_4)+\cdots+({}_{10}C_9+{}_{10}C_{10})$

$={}_3C_2+{}_4C_3+{}_5C_4+\cdots+{}_{11}C_{10}$

$=3+4+5+\cdots+11$

$=\frac{11\times12}{2}-(1+2)$

$=63$

답 ③

129

$14^7=(1+13)^7$

$={}_7C_0+{}_7C_1\times13+{}_7C_2\times13^2+\cdots+{}_7C_7\times13^7$

이때 ${}_7C_1\times13+{}_7C_2\times13^2+\cdots+{}_7C_6\times13^6$은 7로 나누어떨어지므로 14^7을 7로 나누었을 때의 나머지는 ${}_7C_0+{}_7C_7\times13^7$을 7로 나누었을 때의 나머지와 같다.

따라서 ${}_7C_0+{}_7C_7\times13^7=13^7+1$이므로 오늘부터 14^7일째 되는 날은 금요일 다음 날인 토요일이다.

답 토요일

130

원소의 개수가 1인 부분집합의 개수는 ${}_{100}C_1$

원소의 개수가 3인 부분집합의 개수는 ${}_{100}C_3$

원소의 개수가 5인 부분집합의 개수는 ${}_{100}C_5$

$\vdots$

원소의 개수가 99인 부분집합의 개수는 ${}_{100}C_{99}$

$\therefore {}_{100}C_1+{}_{100}C_3+{}_{100}C_5+\cdots+{}_{100}C_{99}=2^{99}$

답 2^{99}

131

$N=59^5+5\times59^4+10\times59^3+10\times59^2+5\times59+1$

$={}_5C_0\times59^5+{}_5C_1\times59^4+{}_5C_2\times59^3+{}_5C_3\times59^2+{}_5C_4\times59+{}_5C_5$

$=(59+1)^5=60^5=2^{10}\times3^5\times5^5$

따라서 구하는 약수의 개수는

$(10+1)(5+1)(5+1)=396$

답 396

II 확률

1 확률의 뜻과 활용

133

표본공간을 S라 하면

$S=\{1, 2, 3, 4, 5\}$, $A=\{1, 2, 3\}$, $B=\{2, 4\}$

(1) $A\cup B=\{1, 2, 3, 4\}$

(2) $A\cap B=\{2\}$

(3) $A^C=\{4, 5\}$

답 (1) $\{1, 2, 3, 4\}$ (2) $\{2\}$ (3) $\{4, 5\}$

135

$A=\{2, 4, 6\}$, $B=\{5, 6\}$, $C=\{1, 3, 5\}$에서

$A\cap B=\{6\}$, $B\cap C=\{5\}$, $C\cap A=\varnothing$

따라서 서로 배반사건인 두 사건은 A와 C이다.

답 A와 C

137

(i) 세 개의 주사위를 동시에 던질 때, 일어날 수 있는 모든 경우의 수는 $6\times6\times6=216$

(ii) 나오는 세 눈의 수가 모두 같은 경우는
$(1, 1, 1)$, $(2, 2, 2)$, $(3, 3, 3)$, $(4, 4, 4)$, $(5, 5, 5)$, $(6, 6, 6)$으로 6가지

(i), (ii)에서 구하는 확률은 $\frac{6}{216}=\frac{1}{36}$

답 $\frac{1}{36}$

139

(i) 두 개의 주사위를 동시에 던질 때, 일어날 수 있는 모든 경우의 수는 $6\times6=36$

(ii) 나오는 두 눈의 수의 차가 4 이상인 경우는 4 또는 5이다.
두 눈의 수의 차가 4인 경우:
$(1, 5)$, $(2, 6)$, $(5, 1)$, $(6, 2)$로 4가지
두 눈의 수의 차가 5인 경우:
$(1, 6)$, $(6, 1)$로 2가지
즉, 두 눈의 수의 차가 4 이상인 경우의 수는
$4+2=6$

(i), (ii)에서 구하는 확률은 $\frac{6}{36}=\frac{1}{6}$

답 $\frac{1}{6}$

141

(1) (i) 8개의 문자를 일렬로 나열하는 모든 경우의 수는 $8!$

(ii) t를 맨 처음에, l을 맨 나중에 나열하는 경우의 수는 t, l을 제외한 나머지 6개의 문자를 일렬로 나열하는 경우의 수와 같으므로 $6!$

(i), (ii)에서 구하는 확률은 $\frac{6!}{8!}=\frac{1}{56}$

(2) (i) 7명이 한 줄로 서는 모든 경우의 수는 $7!$

(ii)

한1 한2	중1 중2 중3	일1	일2

(전체 $4!$, 한1 한2: $2!$, 중1 중2 중3: $3!$)

한국인 2명과 중국인 3명이 각각 이웃하는 경우의 수는
한국인 2명과 중국인 3명을 각각 한 덩어리로 생각하여 세운 후 한국인 2명끼리, 중국인 3명끼리 각각 자리를 바꾸는 경우의 수와 같으므로
$4!\times2!\times3!$

(i), (ii)에서 구하는 확률은 $\frac{4!\times2!\times3!}{7!}=\frac{2}{35}$

답 (1) $\frac{1}{56}$ (2) $\frac{2}{35}$

143

(i) 8명이 원탁에 둘러앉는 모든 경우의 수는
$(8-1)!=7!$

(ii) 각 남편이 모두 자신의 아내와 이웃하여 앉는 경우의 수는
각각의 부부를 한 덩어리로 생각하여 원탁에 앉힌 후 남편과 아내끼리 자리를 바꾸는 경우의 수와 같으므로
$(4-1)!\times2!\times2!\times2!\times2!$
$=3!\times2!\times2!\times2!\times2!$

(i), (ii)에서 구하는 확률은
$\frac{3!\times2!\times2!\times2!\times2!}{7!}=\frac{2}{105}$

답 $\frac{2}{105}$

145

(i) 전체 10개의 공에서 4개의 공을 동시에 꺼내는 모든 경우의 수는 ${}_{10}C_4=210$

(ii) 흰 공 4개에서 2개를 꺼내고, 검은 공 6개에서 2개를 꺼내는 경우의 수는
${}_4C_2\times{}_6C_2=6\times15=90$

(ⅰ), (ⅱ)에서 구하는 확률은 $\frac{90}{210}=\frac{3}{7}$

답 $\frac{3}{7}$

147

(ⅰ) 20개의 제비 중에서 3개의 제비를 동시에 뽑는 모든 경우의 수는 ${}_{20}C_3=1140$

(ⅱ) 2개만 당첨 제비인 경우의 수는 일반 제비 15개에서 1개를 뽑고, 당첨 제비 5개에서 2개를 뽑는 경우의 수이므로

${}_{15}C_1\times{}_5C_2=15\times10=150$

(ⅰ), (ⅱ)에서 구하는 확률은 $\frac{150}{1140}=\frac{5}{38}$

답 $\frac{5}{38}$

149

1000개의 씨앗을 심어 그중 890개가 발아하였으므로 구하는 확률은 $\frac{890}{1000}=\frac{89}{100}$

답 $\frac{89}{100}$

151

5번에 1번 꼴로 2개 모두 검은 공이므로 2개 모두 검은 공이 나올 확률은 $\frac{1}{5}$이다.

검은 공이 n개 들어 있다고 하면 2개 모두 검은 공이 나올 확률은 $\frac{{}_nC_2}{{}_6C_2}$이므로

$\frac{{}_nC_2}{{}_6C_2}=\frac{1}{5}$, ${}_nC_2=\frac{1}{5}\times{}_6C_2$

$\frac{n(n-1)}{2}=\frac{1}{5}\times\frac{6\times5}{2}$

$n^2-n-6=0$, $(n-3)(n+2)=0$

그런데 $n\geq2$이므로 $n=3$

따라서 주머니 속에 검은 공은 3개 들어 있다고 볼 수 있다.

답 3개

153

(1) (ⅰ) 전체 경우는 반지름의 길이가 1인 원 전체

$\Rightarrow$ (전체 넓이)$=\pi\times1^2=\pi$

(ⅱ) 해당 경우는

$|x-y|\leq1$

$\Rightarrow -1\leq x-y\leq1$

$\Rightarrow \begin{cases}-1\leq x-y\\ x-y\leq1\end{cases}$

$\Rightarrow \begin{cases}y\leq x+1\\ y\geq x-1\end{cases}$

즉, 해당 경우는 오른쪽 그림의 색칠한 부분으로 두 직각삼각형과 두 부채꼴로 이루어져 있다.

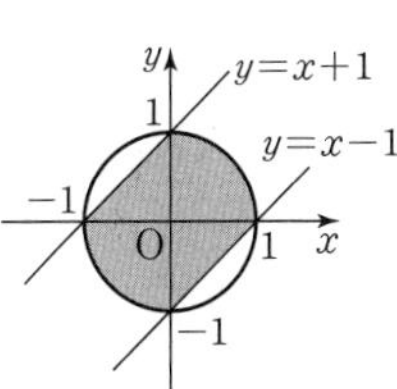

∴ (해당 넓이)

$=2\times$ ◺ $+2\times$ ◝

$=2\times\left(\frac{1}{2}\times1\times1\right)+2\times\left(\frac{1}{4}\times\pi\times1^2\right)$

$=1+\frac{\pi}{2}$

∴ (구하는 확률)$=\frac{\text{(해당 넓이)}}{\text{(전체 넓이)}}$

$=\frac{1+\frac{\pi}{2}}{\pi}=\frac{2+\pi}{2\pi}$

(2) (ⅰ) 전체 경우는 정사각형 전체

$\Rightarrow$ (전체 넓이)$=10\times10=100$

(ⅱ) 문제의 해당 경우, 실제로 점 P를 찍어 보자.

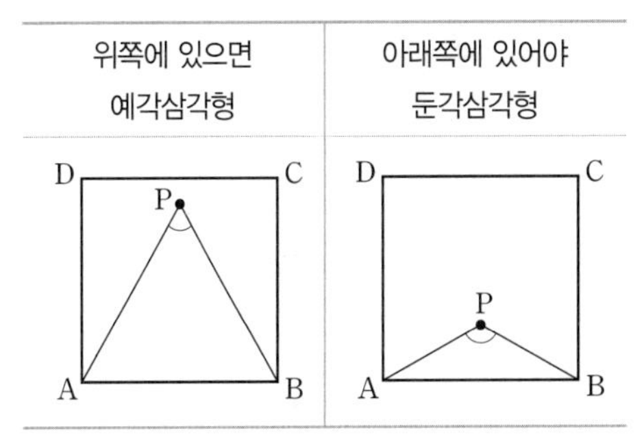

예각과 둔각의 경계가 90°임에 착안하면 ∠APB가 90°인 점들이 경계가 된다.

지름의 원주각은 90°이므로 해당 경우는 선분 AB를 지름으로 하는 반원의 내부

∴ (해당 넓이)

=(반지름의 길이가 5인 반원의 넓이)

$=\frac{1}{2}\times\pi\times5^2=\frac{25}{2}\pi$

∴ (구하는 확률)$=\frac{\text{(해당 넓이)}}{\text{(전체 넓이)}}$

$=\frac{\frac{25}{2}\pi}{100}=\frac{\pi}{8}$

답 (1) $\frac{2+\pi}{2\pi}$ (2) $\frac{\pi}{8}$

154

(ⅰ) 한 개의 주사위를 두 번 던질 때, 일어날 수 있는 모든 경우의 수는 $6\times6=36$

(ⅱ) 두 번째 나오는 눈의 수가 첫 번째 나오는 눈의 수보다 큰 경우는

$(1, 2), (1, 3), (1, 4), (1, 5), (1, 6),$

$(2, 3), (2, 4), (2, 5), (2, 6),$

$(3, 4), (3, 5), (3, 6),$

$(4, 5), (4, 6),$

$(5, 6)$

으로 15가지이다.

(ⅰ), (ⅱ)에서 구하는 확률은 $\frac{15}{36}=\frac{5}{12}$

답 $\frac{5}{12}$

155

$a^2-2ab+b^2=0$이므로 $(a-b)^2=0$

따라서 $a=b$일 확률은 $\frac{6}{36}=\frac{1}{6}$

답 $\frac{1}{6}$

156

(ⅰ) B, A, N, A, N, A에서 A가 3개, N이 2개이므로 6개의 문자를 일렬로 나열하는 모든 경우의 수는

$\frac{6!}{3!\times2!}=60$

(ⅱ) 2개의 N이 이웃하는 경우의 수는 2개의 N을 한 덩어리로 생각하여 일렬로 나열한 후 N끼리 자리를 바꾸는 경우의 수와 같다.

이때 A는 3개이고 N끼리는 자리를 바꾸어도 같은 경우이므로

$\frac{5!}{3!}\times1=20$

(ⅰ), (ⅱ)에서 구하는 확률은 $\frac{20}{60}=\frac{1}{3}$

답 $\frac{1}{3}$

157

(1) (ⅰ) 10개의 제비 중에서 4개를 뽑는 모든 경우의 수는 ${}_{10}C_4=210$

(ⅱ) 4개 모두 당첨 제비인 경우의 수는 당첨 제비 6개에서 4개를 뽑는 경우의 수이므로

${}_6C_4={}_6C_2=15$

(ⅰ), (ⅱ)에서 구하는 확률은 $\frac{15}{210}=\frac{1}{14}$

(2) (ⅰ) 9개의 구슬에서 3개를 꺼내는 모든 경우의 수는 ${}_9C_3=84$

(ⅱ) 흰 구슬 4개에서 1개를 꺼내고, 검은 구슬 5개에서 2개를 꺼내는 경우의 수는

${}_4C_1\times{}_5C_2=4\times10=40$

(ⅰ), (ⅱ)에서 구하는 확률은 $\frac{40}{84}=\frac{10}{21}$

답 (1) $\frac{1}{14}$ (2) $\frac{10}{21}$

158

8개의 공 중에서 2개의 공을 동시에 꺼내는 모든 경우의 수는 ${}_8C_2=28$

한 개의 공에 적힌 수가 다른 공에 적힌 수의 약수인 경우는

$(2, 4), (2, 6), (2, 8), (3, 6), (3, 9), (4, 8)$

로 6가지

따라서 구하는 확률은 $\frac{6}{28}=\frac{3}{14}$

답 $\frac{3}{14}$

159

8개의 점 중 세 점을 택하는 모든 방법의 수는

${}_8C_3=56$

주어진 원에서 하나의 지름에 대하여 2개의 직각이등변삼각형을 만들 수 있고, 8개의 점으로 만들 수 있는 지름은 4개이므로 직각이등변삼각형의 개수는

$2\times4=8$

따라서 직각이등변삼각형이 될 확률은

$\frac{8}{56}=\frac{1}{7}$

답 $\frac{1}{7}$

161

2의 배수인 사건을 A, 5의 배수인 사건을 B라 하면

$A=\{2, 4, 6, 8, 10\}$, $B=\{5, 10\}$, $A\cap B=\{10\}$

따라서 $n(A)=5$, $n(B)=2$, $n(A\cap B)=1$이므로

$$\begin{aligned}\mathrm{P}(A\cup B)&=\mathrm{P}(A)+\mathrm{P}(B)-\mathrm{P}(A\cap B)\\&=\frac{5}{10}+\frac{2}{10}-\frac{1}{10}=\frac{3}{5}\end{aligned}$$

답 $\frac{3}{5}$

163

모두 흰 공인 사건을 A, 모두 검은 공인 사건을 B, 모두 붉은 공인 사건을 C라 하면

$P(A)=\frac{{}_2C_2}{{}_{10}C_2}$, $P(B)=\frac{{}_3C_2}{{}_{10}C_2}$, $P(C)=\frac{{}_5C_2}{{}_{10}C_2}$

이때 세 사건 A, B, C는 동시에 일어나지 않으므로

서로 배반사건이다.

따라서 구하는 확률은

$$P(A\cup B\cup C)=P(A)+P(B)+P(C)$$
$$=\frac{{}_2C_2}{{}_{10}C_2}+\frac{{}_3C_2}{{}_{10}C_2}+\frac{{}_5C_2}{{}_{10}C_2}$$
$$=\frac{1}{45}+\frac{3}{45}+\frac{10}{45}=\frac{14}{45}$$

답 $\frac{14}{45}$

165

'적어도 한 개가 불량품인 사건'의 여사건은

'3개 모두 불량품이 아닌 사건'이다.

3개 모두 불량품이 아닐 확률은

$\frac{{}_6C_3}{{}_8C_3}=\frac{5}{14}$

따라서 적어도 한 개가 불량품일 확률은

$1-\frac{5}{14}=\frac{9}{14}$

답 $\frac{9}{14}$

167

'세 수의 곱이 짝수인 사건'의 여사건은

'세 수의 곱이 홀수인 사건'이다.

세 수의 곱이 홀수일 확률은

세 수가 모두 홀수인 경우의 확률이므로

$\frac{{}_{10}C_3}{{}_{20}C_3}=\frac{2}{19}$

따라서 세 수의 곱이 짝수일 확률은

$1-\frac{2}{19}=\frac{17}{19}$

답 $\frac{17}{19}$

169

카드에 적힌 수가 2의 배수인 사건을 A, 3의 배수인 사건을 B라 하면 카드에 적힌 수가 2의 배수도 3의 배수도 아닐 확률은

$P(A^C\cap B^C)=P((A\cup B)^C)=1-P(A\cup B)$

이때 $P(A)=\frac{10}{20}$, $P(B)=\frac{6}{20}$, $P(A\cap B)=\frac{3}{20}$

이므로

$$P(A\cup B)=P(A)+P(B)-P(A\cap B)$$
$$=\frac{10}{20}+\frac{6}{20}-\frac{3}{20}=\frac{13}{20}$$

따라서 구하는 확률은

$1-\frac{13}{20}=\frac{7}{20}$

답 $\frac{7}{20}$

170

④ $P(A\cup B)=P(A)+P(B)-P(A\cap B)$

답 ④

171

모두 A형인 사건을 A, 모두 B형인 사건을 B, 모두 O형인 사건을 C라 하면

$P(A)=\frac{{}_2C_2}{{}_9C_2}$, $P(B)=\frac{{}_3C_2}{{}_9C_2}$, $P(C)=\frac{{}_4C_2}{{}_9C_2}$

그런데 세 사건 A, B, C는 동시에 일어나지 않으므로

서로 배반사건이다.

따라서 구하는 확률은

$$P(A\cup B\cup C)=P(A)+P(B)+P(C)$$
$$=\frac{{}_2C_2}{{}_9C_2}+\frac{{}_3C_2}{{}_9C_2}+\frac{{}_4C_2}{{}_9C_2}$$
$$=\frac{1}{36}+\frac{3}{36}+\frac{6}{36}$$
$$=\frac{5}{18}$$

답 $\frac{5}{18}$

172

'적어도 한 개가 흰 공인 사건'의 여사건은

'2개 모두 검은 공인 사건'이다.

2개 모두 검은 공일 확률은

$\frac{{}_8C_2}{{}_{10}C_2}=\frac{28}{45}$

따라서 적어도 한 개가 흰 공일 확률은

$1-\frac{28}{45}=\frac{17}{45}$

답 $\frac{17}{45}$

173

'흰 바둑돌이 2개 이하인 사건'의 여사건은

'흰 바둑돌이 3개인 사건'이다.

3개 모두 흰 바둑돌일 확률은

$\frac{{}_7C_3}{{}_{10}C_3}=\frac{7}{24}$

따라서 흰 바둑돌이 2개 이하일 확률은

$1-\frac{7}{24}=\frac{17}{24}$

답 $\frac{17}{24}$

174

한국 지리를 선택한 학생이 뽑히는 사건을 A, 세계 지리를 선택한 학생이 뽑히는 사건을 B라 하면

$\mathrm{P}(A)=\frac{22}{35}$, $\mathrm{P}(B)=\frac{17}{35}$

한국 지리와 세계 지리 중 어느 것도 선택하지 않은 학생이 4명이므로 한국 지리 또는 세계 지리를 선택한 학생이 뽑힐 확률은

$\mathrm{P}(A\cup B)=1-\frac{4}{35}=\frac{31}{35}$

한국 지리와 세계 지리를 모두 선택한 학생이 뽑힐 확률은 $\mathrm{P}(A\cap B)$이고

$\mathrm{P}(A\cup B)=\mathrm{P}(A)+\mathrm{P}(B)-\mathrm{P}(A\cap B)$이므로

$$\mathrm{P}(A\cap B)=\mathrm{P}(A)+\mathrm{P}(B)-\mathrm{P}(A\cup B)$$
$$=\frac{22}{35}+\frac{17}{35}-\frac{31}{35}=\frac{8}{35}$$

답 $\frac{8}{35}$

175

두 사건 A, B가 서로 배반사건이면 $\mathrm{P}(A\cap B)=0$이고

$A\cup B=S$이므로 $\mathrm{P}(S)=\mathrm{P}(A\cup B)=1$

따라서 $\mathrm{P}(A\cup B)=\mathrm{P}(A)+\mathrm{P}(B)-\mathrm{P}(A\cap B)$에서

$1=\mathrm{P}(A)+\mathrm{P}(B)$이고,

$\mathrm{P}(B)=3\mathrm{P}(A)$에서 $\mathrm{P}(A)=\frac{1}{3}\mathrm{P}(B)$이므로

$1=\frac{1}{3}\mathrm{P}(B)+\mathrm{P}(B)$, $\frac{4}{3}\mathrm{P}(B)=1$

$\therefore \mathrm{P}(B)=\frac{3}{4}$

답 $\frac{3}{4}$

176

(i) 한 개의 주사위를 두 번 던질 때, 일어날 수 있는 모든 경우의 수는 $6\times6=36$

(ii) 일차방정식 $ax-b=0$이 2 이상의 해를 가지려면

$x=\frac{b}{a}$에서 $\frac{b}{a}\geq2$, 즉 $b\geq2a$이어야 한다.

$a=1$일 때, $b=2, 3, 4, 5, 6$으로 5가지

$a=2$일 때, $b=4, 5, 6$으로 3가지

$a=3$일 때, $b=6$으로 1가지

즉, 주어진 일차방정식이 2 이상의 해를 갖는 경우의 수는 $5+3+1=9$

(i), (ii)에서 구하는 확률은 $\frac{9}{36}=\frac{1}{4}$

답 $\frac{1}{4}$

177

(i) 집합 A의 원소의 개수가 6이므로 일어날 수 있는 모든 경우의 수는 $2^6=64$

(ii) a_1을 원소로 갖는 부분집합을 택하는 경우의 수는 $2^{6-1}=32$

(i), (ii)에서 구하는 확률은 $\frac{32}{64}=\frac{1}{2}$

답 $\frac{1}{2}$

178

(i) 9명의 학생이 원탁에 둘러앉는 모든 경우의 수는 $(9-1)!=8!$

(ii) 어느 여학생끼리도 서로 이웃하지 않는 경우의 수는 남학생 6명을 먼저 원탁에 앉힌 후 남학생과 남학생 사이의 6개의 자리 중 여학생이 앉을 3개의 자리를 택하는 경우의 수와 같으므로

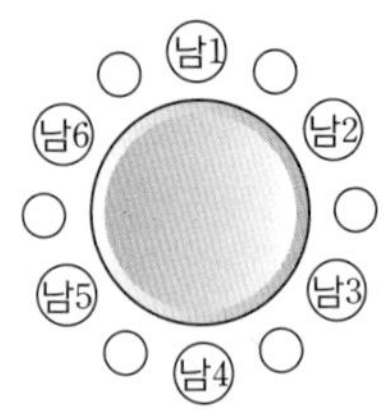

$(6-1)!\times{}_6\mathrm{P}_3=5!\times{}_6\mathrm{P}_3$

(i), (ii)에서 구하는 확률은 $\frac{5!\times{}_6\mathrm{P}_3}{8!}=\frac{5}{14}$

답 $\frac{5}{14}$

179

(i) 주어진 4개의 숫자 중에서 중복을 허락하여 세 자리의 정수를 만드는 모든 경우의 수는

$3\times{}_4\Pi_2=3\times4^2=48$

(ii) 어느 자리에도 숫자 3이 쓰이지 않는 세 자리의 정수는

맨 앞자리에는 0, 3을 제외한 2개의 숫자가 올 수 있고,

나머지 두 자리에는 3을 제외한 3개의 숫자가 중복하여 올 수 있으므로

$2\times{}_3\Pi_2=2\times3^2=18$

(i), (ii)에서 구하는 확률은 $\frac{18}{48}=\frac{3}{8}$

답 $\frac{3}{8}$

180

15개의 좌석에 5명을 앉히면 10개의 빈 좌석이 생기게 된다.

5명이 어느 누구도 서로 이웃하지 않게 앉으려면 10개의 빈 좌석을 기준으로 양 끝과 사이사이에 5명을 앉히면 된다.

즉, 그 경우의 수는 11개의 자리 중에서 5개의 자리를 택하는 순열의 수와 같다.

따라서 구하는 확률은 $\frac{{}_{11}P_5}{{}_{15}P_5}=\frac{2}{13}$

답 $\frac{2}{13}$

181

9번에 2번 꼴로 2개 모두 당첨 제비이므로 2개 모두 당첨 제비를 꺼낼 확률은 $\frac{2}{9}$이다.

당첨 제비가 n개 들어 있다고 하면 2개 모두 당첨 제비일 확률은 $\frac{{}_nC_2}{{}_{10}C_2}$이므로 $\frac{{}_nC_2}{{}_{10}C_2}=\frac{2}{9}$

${}_nC_2=\frac{2}{9}\times{}_{10}C_2$, $\frac{n(n-1)}{2}=\frac{2}{9}\times\frac{10\times9}{2}$

$n^2-n-20=0$, $(n-5)(n+4)=0$

그런데 $n\geq2$이므로 $n=5$

따라서 구하는 당첨 제비의 개수는 5이다.

답 5

182

(i) 8개의 점 중에서 3개의 점을 택하는 모든 경우의 수는 ${}_8C_3=56$

(ii) 8개의 점 중에서 2개의 점을 택하여 만들 수 있는 지름은 4개이고, 각 지름을 한 변으로 하는 직각삼각형을 6개씩 만들 수 있으므로 직각삼각형의 개수는

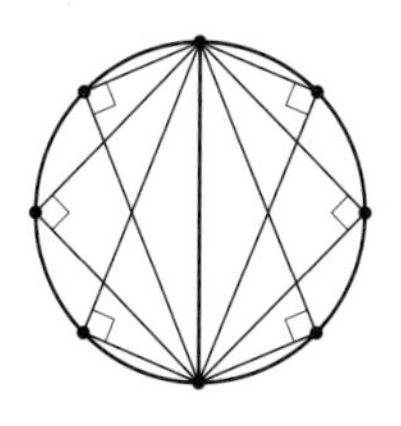

$4\times6=24$

(i), (ii)에서 구하는 확률은 $\frac{24}{56}=\frac{3}{7}$

답 $\frac{3}{7}$

183

$$\begin{aligned}P(A\cap B)&=P(A\cup B)-P(A-B)-P(B-A)\\&=P(A\cup B)-P(A\cap B^C)-P(B\cap A^C)\\&=\frac{2}{3}-\frac{1}{6}-\frac{1}{6}=\frac{1}{3}\end{aligned}$$

답 ④

184

'적어도 한쪽 끝에 모음이 오는 사건'의 여사건은 '양 끝에 모두 자음이 오는 사건'이다.

8개의 문자를 일렬로 나열하는 모든 경우의 수는 $8!$

양 끝에 모두 자음이 오는 경우의 수는 양 끝에 오는 자음 2개를 먼저 택하여 나열한 후 남은 6개의 문자를 일렬로 나열하는 경우의 수와 같으므로 ${}_5P_2\times6!$

즉, 양 끝에 모두 자음이 올 확률은 $\frac{{}_5P_2\times6!}{8!}=\frac{5}{14}$

따라서 적어도 한쪽 끝에 모음이 올 확률은

$1-\frac{5}{14}=\frac{9}{14}$

답 $\frac{9}{14}$

185

'적어도 한 개가 검은 공인 사건'의 여사건은 '2개 모두 흰 공인 사건'이다.

2개 모두 흰 공일 확률은 $\frac{{}_3C_2}{{}_{n+3}C_2}$이므로

적어도 한 개가 검은 공일 확률은

$1-\frac{{}_3C_2}{{}_{n+3}C_2}=\frac{7}{10}$, $\frac{{}_3C_2}{{}_{n+3}C_2}=\frac{3}{10}$

$3\times{}_{n+3}C_2=10\times{}_3C_2$

$3\times\frac{(n+3)(n+2)}{2}=10\times\frac{3\times2}{2}$

$(n+3)(n+2)=20$

$n^2+5n-14=0$, $(n-2)(n+7)=0$

그런데 $n\geq1$이므로 $n=2$

답 2

186

(i) $n(A)=0$인 경우 집합 B로 가능한 경우의 수는 $2^3=8$

(ii) $n(A)=1$인 경우 집합 B로 가능한 경우의 수는 ${}_3C_1\times2^2=12$

(iii) $n(A)=2$인 경우 집합 B로 가능한 경우의 수는 ${}_3C_2\times2^1=6$

(iv) $n(A)=3$인 경우 집합 B로 가능한 경우의 수는 ${}_3C_3\times2^0=1$

이상에서 가능한 경우의 수는 $8+12+6+1=27$

이때 집합 $\{1, 2, 3\}$의 부분집합 중 중복을 허용하여 임의로 서로 다른 두 집합을 선택하는 경우의 수는

$8\times8=64$

따라서 구하는 확률은 $\frac{27}{64}$

답 $\frac{27}{64}$

187

주사위 한 개를 던져서 나오는 눈의 수가

2 이하인 사건을 A라 하면 $\mathrm{P}(A)=\frac{1}{3}$

3 이상인 사건을 B라 하면 $\mathrm{P}(B)=\frac{2}{3}$

3번째 시행에서 4가 적혀 있는 카드가 뒤집어질 경우는 다음과 같다.

(i) ABA 또는 ABB인 경우의 확률:

$\frac{1}{3}\times\frac{2}{3}\times\left(\frac{1}{3}+\frac{2}{3}\right)=\frac{2}{9}$

(ii) AAB인 경우의 확률:

$\frac{1}{3}\times\frac{1}{3}\times\frac{2}{3}=\frac{2}{27}$

(iii) BAA 또는 BAB인 경우의 확률:

$\frac{2}{3}\times\frac{1}{3}\times\left(\frac{1}{3}+\frac{2}{3}\right)=\frac{2}{9}$

이상에서 구하는 확률은

$\frac{2}{9}+\frac{2}{27}+\frac{2}{9}=\frac{14}{27}$

답 $\frac{14}{27}$

188

모든 경우의 수는 $8\times8=64$

첫 번째 맞힌 숫자를 a, 두 번째 맞힌 숫자를 b라 하자.

(i) $b-a>3$인 경우의 수는

$a=1$일 때, $b=5$, 6, 7, 8로 4가지

$a=2$일 때, $b=6$, 7, 8로 3가지

$a=3$일 때, $b=7$, 8로 2가지

$a=4$일 때, $b=8$로 1가지

이므로 $4+3+2+1=10$

(ii) $a-b>3$인 경우의 수는

(i)과 마찬가지 방법으로 10

(i), (ii)에서 두 수의 차가 3보다 큰 경우의 수는

$10\times2=20$

따라서 구하는 확률은 $\frac{20}{64}=\frac{5}{16}$

답 $\frac{5}{16}$

189

택한 3명이 모두 서로 다른 학년의 학생이어야 하므로

구하는 확률은 $\frac{{}_4\mathrm{C}_1\times{}_3\mathrm{C}_1\times{}_2\mathrm{C}_1}{{}_9\mathrm{C}_3}=\frac{2}{7}$

답 $\frac{2}{7}$

190

$i^m\times(-i)^n=(-1)^n\times i^{m+n}$

$i^{m+n}\times(-1)^n$의 값이 1이 되는 경우는

n이 짝수이면서 $m+n=4$, 8, 12이거나

n이 홀수이면서 $m+n=2$, 6, 10인 경우이다.

(i) n이 짝수이고 $m+n=4$, 8, 12인 경우는

(2, 2), (2, 6), (4, 4), (6, 2), (6, 6)

으로 5가지이다.

(ii) n이 홀수이고 $m+n=2$, 6, 10인 경우는

(1, 1), (1, 5), (3, 3), (5, 1), (5, 5)

로 5가지이다.

따라서 구하는 확률은 $\frac{5+5}{36}=\frac{5}{18}$

답 $\frac{5}{18}$

191

[실행 3]까지 할 때, 상자 B의 흰 공의 개수가 홀수가 되려면

(i) [실행 2]에서는 상자 B에서 검은 공 2개를 상자 A로 넣고, [실행 3]에서는 상자 A에서 검은 공 1개, 흰 공 1개를 상자 B로 넣는 경우

$\frac{{}_{10}\mathrm{C}_2}{{}_{12}\mathrm{C}_2}\times\frac{{}_8\mathrm{C}_1\times{}_2\mathrm{C}_1}{{}_{10}\mathrm{C}_2}=\frac{8}{33}$

(ii) [실행 2]에서는 상자 B에서 검은 공 1개, 흰 공 1개를 상자 A로 넣고, [실행 3]에서는 상자 A에서 흰 공 2개를 상자 B로 넣는 경우

$\frac{{}_{10}\mathrm{C}_1\times{}_2\mathrm{C}_1}{{}_{12}\mathrm{C}_2}\times\frac{{}_9\mathrm{C}_2}{{}_{10}\mathrm{C}_2}=\frac{8}{33}$

(i), (ii)에서 $\frac{8}{33}+\frac{8}{33}=\frac{16}{33}$

답 $\frac{16}{33}$

192

8개의 꼭짓점에서 2개의 꼭짓점을 택하는 방법의 수는

${}_8\mathrm{C}_2=28$

한 모서리의 길이가 1인 정육면체의 두 꼭짓점 사이의 거리는 1, $\sqrt{2}$, $\sqrt{3}$ 중 하나이다.

(i) 거리가 1일 확률: $\frac{12}{28}=\frac{3}{7}$

(ii) 거리가 $\sqrt{2}$일 확률: $\frac{12}{28}=\frac{3}{7}$

(iii) 거리가 $\sqrt{3}$일 확률: $\frac{4}{28}=\frac{1}{7}$

이상에서 거리가 $\frac{3}{2}$ 이상일 확률은 $\frac{1}{7}$이다.

답 $\frac{1}{7}$

2 조건부확률

194

(i) $P(B|A)=\frac{P(A\cap B)}{P(A)}$에서 $0.5=\frac{P(A\cap B)}{0.2}$

$\therefore P(A\cap B)=0.1$

(ii) $P(A|B)=\frac{P(A\cap B)}{P(B)}=\frac{0.1}{0.3}=\frac{1}{3}$

답 $\frac{1}{3}$

196

6의 약수의 눈이 나오는 사건을 A, 짝수의 눈이 나오는 사건을 B라 하면

$A=\{1, 2, 3, 6\}$, $B=\{2, 4, 6\}$, $A\cap B=\{2, 6\}$

따라서 6의 약수의 눈이 나왔을 때, 그것이 짝수일 확률은

$$P(B|A)=\frac{P(A\cap B)}{P(A)}=\frac{\frac{2}{6}}{\frac{4}{6}}=\frac{1}{2}$$

> 다른 풀이

6의 약수의 눈이 나오는 경우는 1, 2, 3, 6으로 4가지이고, 이 중에서 짝수인 경우는 2, 6으로 2가지이므로

$$P(B|A)=\frac{n(A\cap B)}{n(A)}=\frac{2}{4}=\frac{1}{2}$$

답 $\frac{1}{2}$

198

임의로 뽑은 한 학생이 여학생인 사건을 A, 수학을 선호하는 학생인 사건을 B라 하면

$P(A)=\frac{28}{60}=\frac{7}{15}$, $P(A\cap B)=\frac{12}{60}=\frac{1}{5}$

따라서 구하는 확률은

$$P(B|A)=\frac{P(A\cap B)}{P(A)}=\frac{\frac{1}{5}}{\frac{7}{15}}=\frac{3}{7}$$

답 $\frac{3}{7}$

200

혈액형이 A형인 학생을 뽑는 사건을 A, 여학생을 뽑는 사건을 B라 하면

A형인 여학생을 뽑는 사건은 $A\cap B$이므로

$P(A)=\frac{32}{100}$, $P(A\cap B)=\frac{16}{100}$

따라서 임의로 뽑은 한 학생의 혈액형이 A형이었을 때, 그 학생이 여학생일 확률은

$$P(B|A)=\frac{P(A\cap B)}{P(A)}=\frac{\frac{16}{100}}{\frac{32}{100}}=\frac{1}{2}$$

답 $\frac{1}{2}$

202

갑이 뒷면이 노란색인 카드를 뒤집는 사건을 A, 을이 뒷면이 노란색인 카드를 뒤집는 사건을 B라 하면

갑이 뒷면이 노란색인 카드를 뒤집을 확률은

$P(A)=\frac{5}{8}$

갑이 뒷면이 노란색인 카드를 뒤집었을 때, 을이 뒷면이 노란색인 카드를 뒤집을 확률은

$P(B|A)=\frac{4}{7}$

따라서 구하는 확률은

$P(A\cap B)=P(A)P(B|A)=\frac{5}{8}\times\frac{4}{7}=\frac{5}{14}$

답 $\frac{5}{14}$

204

암에 걸린 사람을 택하는 사건을 A, 의사가 암에 걸렸다고 진단하는 사건을 E라 하면

암에 걸리지 않은 사람을 택하는 사건은 A^C이므로

$P(A)=0.2$, $P(A^C)=0.8$

$P(E|A)=0.9$, $P(E|A^C)=0.05$

따라서 구하는 확률은

$$\begin{aligned}P(E)&=P(A\cap E)+P(A^C\cap E)\\&=P(A)P(E|A)+P(A^C)P(E|A^C)\\&=0.2\times0.9+0.8\times0.05=0.22\end{aligned}$$

답 0.22

206

주머니 A, B를 선택하는 사건을 각각 A, B라 하고 레몬맛 사탕을 꺼내는 사건을 E라 하면

(i) 주머니 A에서 레몬맛 사탕을 꺼낼 확률은

$P(A\cap E)=P(A)P(E|A)=\frac{1}{2}\times\frac{4}{10}=\frac{1}{5}$

(ii) 주머니 B에서 레몬맛 사탕을 꺼낼 확률은

$P(B\cap E)=P(B)P(E|B)=\frac{1}{2}\times\frac{5}{8}=\frac{5}{16}$

(i), (ii)에서 레몬맛 사탕을 꺼낼 확률은

$P(E)=P(A\cap E)+P(B\cap E)=\frac{1}{5}+\frac{5}{16}=\frac{41}{80}$

따라서 꺼낸 사탕이 레몬맛 사탕이었을 때, 그 사탕이 주머니 A에 들어 있던 사탕일 확률은

$$P(A|E)=\frac{P(A\cap E)}{P(E)}=\frac{\frac{1}{5}}{\frac{41}{80}}=\frac{16}{41}$$

답 $\frac{16}{41}$

207

$P(A\cup B)=P(A)+P(B)-P(A\cap B)$에서

$\frac{3}{4}=\frac{1}{3}+\frac{1}{2}-P(A\cap B)$

$\therefore P(A\cap B)=\frac{1}{12}$

$$\therefore P(B|A)=\frac{P(A\cap B)}{P(A)}=\frac{\frac{1}{12}}{\frac{1}{3}}=\frac{1}{4}$$

답 $\frac{1}{4}$

208

1차 시험에 합격하는 사건을 A, 2차 시험에 합격하는 사건을 B라 하면

$P(A)=\frac{1}{5}$, $P(A\cap B)=\frac{1}{20}$

따라서 1차 시험에 합격하였을 때, 2차 시험에 합격할 확률은

$$P(B|A)=\frac{P(A\cap B)}{P(A)}=\frac{\frac{1}{20}}{\frac{1}{5}}=\frac{1}{4}$$

답 $\frac{1}{4}$

209

한 개의 공을 주머니 A, B에서 꺼내는 사건을 각각 A, B라 하고, 흰 공인 사건을 C라 하면

흰 공이 A주머니에서 나왔을 확률은 $P(A|C)$이다.

$P(A\cap C)=\frac{2}{3}\times\frac{2}{5}=\frac{4}{15}$,

$P(B\cap C)=\frac{1}{3}\times\frac{3}{6}=\frac{1}{6}$이므로

$P(C)=P(A\cap C)+P(B\cap C)=\frac{4}{15}+\frac{1}{6}=\frac{13}{30}$

$$\therefore P(A|C)=\frac{P(A\cap C)}{P(C)}=\frac{\frac{4}{15}}{\frac{13}{30}}=\frac{8}{13}$$

답 $\frac{8}{13}$

210

제품이 불량품인 경우는 어느 생산 라인에서 생산되었는지에 따라 다음 세 가지 경우로 나눌 수 있다.

(i) A생산 라인에서 생산했고, 불량품인 경우

이때의 확률 p_1은

$p_1=\frac{50}{100}\times\frac{1}{100}=\frac{5}{1000}$

(ii) B생산 라인에서 생산했고, 불량품인 경우

이때의 확률 p_2는

$p_2=\frac{30}{100}\times\frac{3}{100}=\frac{9}{1000}$

(iii) C생산 라인에서 생산했고, 불량품인 경우

이때의 확률 p_3은

$p_3=\frac{20}{100}\times\frac{2}{100}=\frac{4}{1000}$

따라서 구하는 확률은 (i) 또는 (ii) 또는 (iii)인 경우 중에서 (i)의 확률을 의미하므로

$$\frac{p_1}{p_1+p_2+p_3}=\frac{\frac{5}{1000}}{\frac{5}{1000}+\frac{9}{1000}+\frac{4}{1000}}=\frac{5}{18}$$

답 $\frac{5}{18}$

211

이 학급에서 선택된 한 학생이 배드민턴 수업을 받는 사건을 A, 남학생인 사건을 B라 하면 구하는 확률은

$$P(B|A)=\frac{P(A\cap B)}{P(A)}=\frac{\frac{11}{30}}{\frac{20}{30}}=\frac{11}{20}$$

답 $\frac{11}{20}$

212

비가 오는 경우를 ○, 오지 않는 경우를 ×라 하면 목요일에 비가 오는 경우와 그 때의 확률은 다음 표와 같다.

화요일	수요일	목요일	확률
○	○	○	$\frac{1}{3}\times\frac{1}{3}\times\frac{1}{3}=\frac{1}{27}$
○	×	○	$\frac{1}{3}\times\frac{2}{3}\times\frac{1}{4}=\frac{1}{18}$
×	○	○	$\frac{2}{3}\times\frac{1}{4}\times\frac{1}{3}=\frac{1}{18}$
×	×	○	$\frac{2}{3}\times\frac{3}{4}\times\frac{1}{4}=\frac{1}{8}$

따라서 구하는 확률은

$$\frac{1}{27}+\frac{1}{18}+\frac{1}{18}+\frac{1}{8}=\frac{59}{216}$$

답 $\frac{59}{216}$

214

$A=\{2, 4, 6, 8, 10\}$, $B=\{5, 10\}$이므로

$A\cap B=\{10\}$

$\mathrm{P}(A)=\frac{1}{2}$, $\mathrm{P}(B)=\frac{1}{5}$, $\mathrm{P}(A\cap B)=\frac{1}{10}$이므로

$\mathrm{P}(A\cap B)=\mathrm{P}(A)\mathrm{P}(B)$

따라서 두 사건 A와 B는 서로 독립이다.

답 독립

216

두 사건 A, B가 서로 독립이므로

$$\begin{aligned}\mathrm{P}(A\cup B)&=\mathrm{P}(A)+\mathrm{P}(B)-\mathrm{P}(A)\mathrm{P}(B)\\&=0.5+0.6-0.5\times0.6=0.8\end{aligned}$$

답 0.8

218

(1) 2명이 모두 과녁에 명중시킬 확률은

$$\frac{2}{3}\times\frac{4}{5}=\frac{8}{15}$$

(2) 한 명만 과녁에 명중시키는 경우는 다른 한 명이 명중시키지 못하는 경우이므로 다음 두 가지가 있다.

(i) A는 명중시키고, B는 명중시키지 못할 확률:

$$\frac{2}{3}\times\left(1-\frac{4}{5}\right)=\frac{2}{15}$$

(ii) A는 명중시키지 못하고, B는 명중시킬 확률:

$$\left(1-\frac{2}{3}\right)\times\frac{4}{5}=\frac{4}{15}$$

(i), (ii)에서 구하는 확률은 $\frac{2}{15}+\frac{4}{15}=\frac{2}{5}$

(3) 2명이 모두 과녁에 명중시키지 못할 확률은

$$\left(1-\frac{2}{3}\right)\times\left(1-\frac{4}{5}\right)=\frac{1}{15}$$

따라서 적어도 한 사람이 과녁에 명중시킬 확률은

1 − (2명이 모두 명중시키지 못할 확률)

$$=1-\frac{1}{15}=\frac{14}{15}$$

답 (1) $\frac{8}{15}$ (2) $\frac{2}{5}$ (3) $\frac{14}{15}$

220

을이 당첨 제비를 뽑는 경우는 갑이 어떤 제비를 뽑았는지에 따라 다음 두 가지 경우로 나눌 수 있다.

(i) 갑이 당첨 제비를 뽑고, 을이 당첨 제비를 뽑는 경우

이때의 확률 p_1은

$$p_1=\frac{3}{10}\times\frac{2}{9}=\frac{1}{15}$$

(ii) 갑이 당첨 제비가 아닌 제비를 뽑고, 을이 당첨 제비를 뽑는 경우

이때의 확률 p_2는

$$p_2=\frac{7}{10}\times\frac{3}{9}=\frac{7}{30}$$

따라서 구하는 확률은 (i) 또는 (ii)의 확률을 의미하므로

$$p_1+p_2=\frac{1}{15}+\frac{7}{30}=\frac{3}{10}$$

› 참고

10개의 제비 중 3개의 당첨 제비가 들어 있으므로 갑이 당첨 제비를 뽑을 확률은 $\frac{3}{10}$이다.

따라서 갑이 당첨될 확률과 을이 당첨될 확률은 같다.

답 $\frac{3}{10}$

222

첫 번째에 어떤 공을 꺼냈는지에 따라 다음 그림과 같이 세 가지 경우로 구분된다.

이때 첫 번째 꺼낸 공을 하나 더 추가한 후 두 번째 공을 꺼냄에 유의한다.

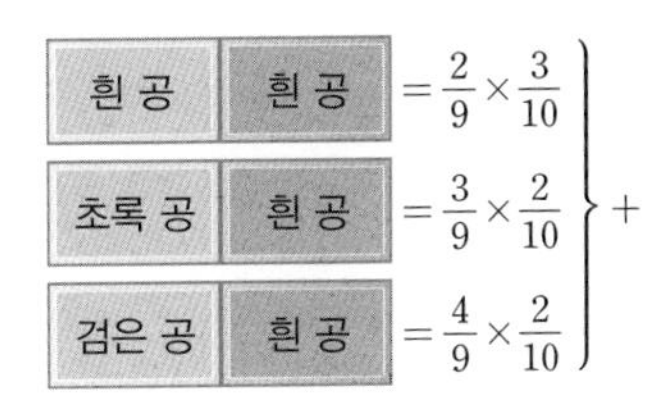

∴ (두 번째 꺼낸 공이 흰 공일 확률)

$$=\frac{2}{9}\times\frac{3}{10}+\frac{3}{9}\times\frac{2}{10}+\frac{4}{9}\times\frac{2}{10}=\frac{2}{9}$$

답 $\frac{2}{9}$

224

전체 경우와 해당 경우를 그림으로 나타내면 다음과 같다.

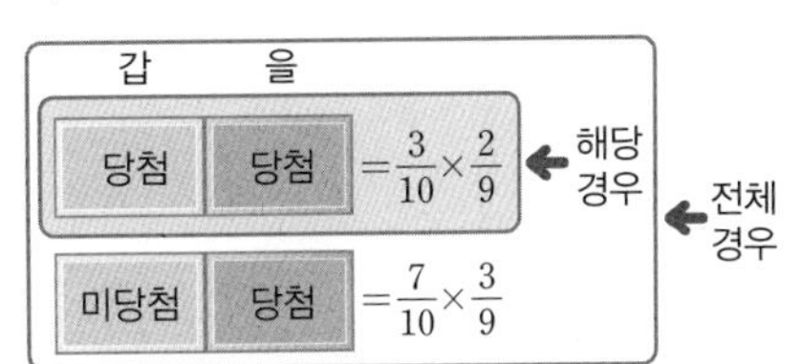

$\therefore$ (구하는 확률) $=\dfrac{(\text{해당 경우})}{(\text{전체 경우})}$

$$=\frac{\frac{3}{10}\times\frac{2}{9}}{\frac{3}{10}\times\frac{2}{9}+\frac{7}{10}\times\frac{3}{9}}=\frac{2}{9}$$

답 $\frac{2}{9}$

226

불량품이 나오는 경우는 어떤 공장에서 생산되었는지에 따라 다음 두 가지 경우로 나눌 수 있다.

(i) 공장 A에서 생산한 제품이고, 이 제품이 불량품인 경우

이때의 확률 p_1은

$$p_1=\frac{70}{100}\times\frac{2}{100}=\frac{14}{1000}$$

(ii) 공장 B에서 생산한 제품이고, 이 제품이 불량품인 경우

이때의 확률 p_2는

$$p_2=\frac{30}{100}\times\frac{1}{100}=\frac{3}{1000}$$

따라서 구하는 확률은 (i) 또는 (ii)인 경우 중에서 (ii)의 확률을 의미하므로

$$\frac{p_2}{p_1+p_2}=\frac{\frac{3}{1000}}{\frac{14}{1000}+\frac{3}{1000}}=\frac{3}{17}$$

답 $\frac{3}{17}$

228

처음에 꺼내 먹은 만두가 고기만두일 확률은 $\frac{3}{10}$이다.

그 후 고기만두가 하나 빠지므로 나중에 꺼내 먹은 만두가 김치만두일 확률은 $\frac{7}{9}$이다.

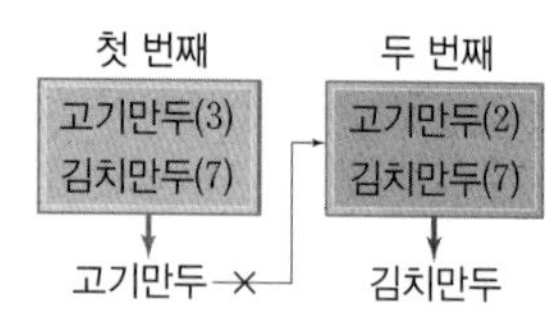

$\therefore$ (구하는 확률) $=\frac{3}{10}\times\frac{7}{9}$

$$=\frac{7}{30}$$

답 $\frac{7}{30}$

230

A가 이기는 경우를 나열해 보자.

(i) A가 한 번에 성공
(ii) A가 실패, B도 실패, 그 다음에 A가 성공
(iii) A가 실패, B도 실패, A가 또 실패, B도 또 실패, 그 다음에 A가 성공
⋮

이런 확률들을 무한히 더해 가면 된다.

각 시행에서 성공할 확률은 $\frac{1}{2}$, 실패할 확률은 $\frac{1}{2}$이므로 그림으로 나타내면 다음과 같다.

○ ⟶ $\frac{1}{2}$

××○ ⟶ $\frac{1}{2}\times\frac{1}{2}\times\frac{1}{2}$

××××○ ⟶ $\frac{1}{2}\times\frac{1}{2}\times\frac{1}{2}\times\frac{1}{2}\times\frac{1}{2}$

⋮ ⋮

$\therefore$ (구하는 확률) $=\frac{1}{2}+\left(\frac{1}{2}\right)^3+\left(\frac{1}{2}\right)^5+\cdots$

$$=\frac{\frac{1}{2}}{1-\left(\frac{1}{2}\right)^2}=\frac{2}{3}$$

답 $\frac{2}{3}$

232

주머니에서 한 개의 공을 한 번 꺼낼 때, 빨간 공이 나올 확률은 $\frac{3}{7}$이다.

공을 5번 반복해서 꺼낼 때, 빨간 공이 r번 나올 확률 $P(r)$는 $P(r)={}_5C_r\left(\frac{3}{7}\right)^r\left(\frac{4}{7}\right)^{5-r}$

$$\therefore \frac{P(3)}{P(2)}=\frac{{}_5C_3\left(\frac{3}{7}\right)^3\left(\frac{4}{7}\right)^2}{{}_5C_2\left(\frac{3}{7}\right)^2\left(\frac{4}{7}\right)^3}=\frac{3}{4}$$

답 $\frac{3}{4}$

234

아무도 치유되지 않을 확률은

$${}_4C_0\left(\frac{3}{5}\right)^0\left(\frac{2}{5}\right)^{4-0}=\frac{16}{625}$$

따라서 구하는 확률은

$$1-\frac{16}{625}=\frac{609}{625}$$

답 $\frac{609}{625}$

236

○× 문제 한 개를 전혀 읽지 않고 답을 맞힐 확률은 $\frac{1}{2}$이고, 시험에서 합격하는 경우는 문제 10개 중 8개 또는 9개 또는 10개를 맞히는 경우이다.

(i) 10개 중 8개를 맞힐 확률은

$${}_{10}C_8\left(\frac{1}{2}\right)^8\left(\frac{1}{2}\right)^2=\frac{45}{2^{10}}$$

(ii) 10개 중 9개를 맞힐 확률은

$${}_{10}C_9\left(\frac{1}{2}\right)^9\left(\frac{1}{2}\right)^1=\frac{10}{2^{10}}$$

(iii) 10개 중 10개를 맞힐 확률은

$${}_{10}C_{10}\left(\frac{1}{2}\right)^{10}\left(\frac{1}{2}\right)^0=\frac{1}{2^{10}}$$

이상에서 구하는 확률은

$$\frac{45}{2^{10}}+\frac{10}{2^{10}}+\frac{1}{2^{10}}=\frac{56}{2^{10}}=\frac{7}{128}$$

답 $\frac{7}{128}$

238

(i) 동전을 4번 던질 때, 앞면이 몇 번 나와야 하는지를 간파하는 것이 핵심.

(ii) 추상적으로만 생각하지 말고 실제로 게임을 진행하며 시행착오를 한다. 앞면만 4번이면 어디에 도착할까?

(iii) 이제 아이디어가 보인다.
A−B−C−D−E−A는 거리가 5이므로 앞면만 4번이면 안 된다. 한 번은 뒷면이라야 한다. 동전을 4번 던질 때, 앞면이 3번 나올 확률은?

$\therefore$ (구하는 확률)$={}_4C_3\left(\frac{1}{2}\right)^3\left(\frac{1}{2}\right)^{4-3}=\frac{1}{4}$

답 $\frac{1}{4}$

239

두 사건 A, B는 서로 독립이므로

$P(A|B)=P(A)$, $P(B|A)=P(B)$

$\therefore P(A)=P(B)=\frac{3}{4}$

또, $P(A\cap B)=P(A)P(B)=\frac{3}{4}\times\frac{3}{4}=\frac{9}{16}$이므로

$$P(A\cup B)=P(A)+P(B)-P(A\cap B)$$
$$=\frac{3}{4}+\frac{3}{4}-\frac{9}{16}=\frac{15}{16}$$

답 $\frac{15}{16}$

240

각 사람이 성공하는 사건은 서로 독립이므로

2명이 모두 성공하지 못할 확률은

$$\left(1-\frac{2}{3}\right)\times\left(1-\frac{3}{4}\right)=\frac{1}{12}$$

따라서 적어도 한 사람이 성공할 확률은

1−(2명이 모두 성공하지 못할 확률)

$$=1-\frac{1}{12}=\frac{11}{12}$$

답 $\frac{11}{12}$

241

주사위를 던진 후 동전을 던진다.

⇒ 주사위의 눈에 따라 경우를 구분해 계산한다.

①	1의 눈	3번 중 앞면이 2번
②	1이 아닌 눈	4번 중 앞면이 2번

① (1의 눈)×(3번 중 앞면이 2번)

$$=\frac{1}{6}\times{}_3C_2\left(\frac{1}{2}\right)^2\left(\frac{1}{2}\right)^{3-2}=\frac{1}{16}$$

② (1이 아닌 눈)×(4번 중 앞면이 2번)

$$=\frac{5}{6}\times{}_4C_2\left(\frac{1}{2}\right)^2\left(\frac{1}{2}\right)^{4-2}=\frac{5}{16}$$

$\therefore$ (앞면이 2번 나올 확률)= ①+②

$$=\frac{1}{16}+\frac{5}{16}$$
$$=\frac{3}{8}$$

답 $\frac{3}{8}$

242

한 개의 주사위를 한 번 던질 때, 3의 배수의 눈이 나올 확률은 $\frac{1}{3}$이다.

주사위를 5번 반복해서 던질 때, 3의 배수의 눈이 2번 나올 확률 p는

$$p={}_5C_2\left(\frac{1}{3}\right)^2\left(\frac{2}{3}\right)^3=\frac{80}{3^5}$$

$$\therefore \log_3\frac{p}{80}=\log_3\left(\frac{80}{3^5}\times\frac{1}{80}\right)$$
$$=\log_3\frac{1}{3^5}$$
$$=\log_3 3^{-5}=-5$$

답 −5

243

(i) 4마리의 애완견 중 3마리가 완치될 확률은

$${}_{4}C_{3}\left(\frac{3}{4}\right)^{3}\left(\frac{1}{4}\right)^{1}=\frac{27}{64}$$

(ii) 4마리의 애완견 중 4마리가 완치될 확률은

$${}_{4}C_{4}\left(\frac{3}{4}\right)^{4}\left(\frac{1}{4}\right)^{0}=\frac{81}{256}$$

따라서 구하는 확률은

$$\frac{27}{64}+\frac{81}{256}=\frac{189}{256}$$

답 $\frac{189}{256}$

244

'탄환을 2발 이상 표적에 명중시키는 사건'은

'탄환을 한 발만 표적에 명중시키거나 모두 표적에 명중시키지 못하는 사건'의 여사건이다.

(i) 탄환을 한 발만 표적에 명중시킬 확률은

$${}_{4}C_{1}\left(\frac{2}{3}\right)^{1}\left(\frac{1}{3}\right)^{3}=\frac{8}{81}$$

(ii) 탄환을 모두 표적에 명중시키지 못할 확률은

$${}_{4}C_{0}\left(\frac{2}{3}\right)^{0}\left(\frac{1}{3}\right)^{4}=\frac{1}{81}$$

따라서 탄환을 2발 이상 표적에 명중시킬 확률은

$$1-\left(\frac{8}{81}+\frac{1}{81}\right)=1-\frac{1}{9}=\frac{8}{9}$$

> 다른 풀이

여사건의 확률로 계산하는 것이 더 간단하지만

(2발 명중시킬 확률)+(3발 명중시킬 확률)

+(4발 명중시킬 확률)

로 계산해도 그 결과는 같다. 즉,

$${}_{4}C_{2}\left(\frac{2}{3}\right)^{2}\left(\frac{1}{3}\right)^{2}+{}_{4}C_{3}\left(\frac{2}{3}\right)^{3}\left(\frac{1}{3}\right)^{1}+{}_{4}C_{4}\left(\frac{2}{3}\right)^{4}\left(\frac{1}{3}\right)^{0}$$

$$=\frac{24}{81}+\frac{32}{81}+\frac{16}{81}$$

$$=\frac{8}{9}$$

답 $\frac{8}{9}$

245

안경을 안 쓴 학생을 뽑는 사건을 A, 여학생을 뽑는 사건을 B라 하면

안경을 안 쓴 여학생을 뽑는 사건은 $A\cap B$이므로

$$\mathrm{P}(A)=\frac{19}{30},\ \mathrm{P}(A\cap B)=\frac{9}{30}$$

따라서 임의로 뽑은 한 학생이 안경을 안 쓴 학생이었을 때, 그 학생이 여학생일 확률은

$$\mathrm{P}(B|A)=\frac{\mathrm{P}(A\cap B)}{\mathrm{P}(A)}=\frac{\frac{9}{30}}{\frac{19}{30}}=\frac{9}{19}$$

> 다른 풀이

안경을 안 쓴 학생을 뽑는 사건을 A, 여학생을 뽑는 사건을 B라 하면

안경을 안 쓴 여학생을 뽑는 사건은 $A\cap B$이므로

주어진 표에서

$n(A)=19,\ n(A\cap B)=9$

따라서 임의로 뽑은 한 학생이 안경을 안 쓴 학생일 때, 그 학생이 여학생일 확률은

$$\mathrm{P}(B|A)=\frac{n(A\cap B)}{n(A)}=\frac{9}{19}$$

답 $\frac{9}{19}$

246

비가 오는 경우를 ○, 오지 않은 경우를 ×라 하면 토요일과 일요일에 비가 오는 경우와 그 때의 확률은 다음 표와 같다.

금요일	토요일	일요일	확률
○	○	○	$0.7\times0.7\times0.7=0.343$
×	○	○	$0.3\times0.4\times0.7=0.084$

따라서 구하는 확률은

$0.343+0.084=0.427$

답 0.427

247

직원 360명 중 한 명을 뽑을 때, 재직 연수가 10년 미만인 사건을 A, 조직개편안에 찬성하는 사건을 B라 하면

$$\mathrm{P}(A)=\frac{120}{360}=\frac{1}{3},\ \mathrm{P}(B)=\frac{150}{360}=\frac{5}{12},$$

$$\mathrm{P}(A\cap B)=\frac{a}{360}$$

이때 두 사건 A, B가 서로 독립이므로

$\mathrm{P}(A\cap B)=\mathrm{P}(A)\mathrm{P}(B)$가 성립한다.

따라서 $\frac{a}{360}=\frac{1}{3}\times\frac{5}{12}$이므로

$a=50$

답 50

248

두 사건 A와 C는 서로 독립이므로

$\mathrm{P}(A\cap C)=\mathrm{P}(A)\mathrm{P}(C)$에서

$\frac{1}{4}=\mathrm{P}(A)\times\frac{1}{2}\qquad\therefore\ \mathrm{P}(A)=\frac{1}{2}$

또, A와 B는 서로 배반사건이므로

$\mathrm{P}(A\cap B)=0$

따라서 $\mathrm{P}(A\cup B)=\mathrm{P}(A)+\mathrm{P}(B)$이므로

$\frac{3}{4}=\frac{1}{2}+\mathrm{P}(B)\qquad\therefore\ \mathrm{P}(B)=\frac{1}{4}$

답 $\frac{1}{4}$

249

$\mathrm{P}(A^C)=\frac{1}{5}$에서 $\mathrm{P}(A)=\frac{4}{5}$

$\mathrm{P}(B^C)=\frac{7}{10}$에서 $\mathrm{P}(B)=\frac{3}{10}$

$\mathrm{P}(A^C\cap B^C)=\mathrm{P}((A\cup B)^C)=1-\mathrm{P}(A\cup B)$이므로

$\frac{1}{10}=1-\mathrm{P}(A\cup B)$

$\therefore\ \mathrm{P}(A\cup B)=\frac{9}{10}$

따라서 $\mathrm{P}(A\cup B)=\mathrm{P}(A)+\mathrm{P}(B)-\mathrm{P}(A\cap B)$에서

$\frac{9}{10}=\frac{4}{5}+\frac{3}{10}-\mathrm{P}(A\cap B)$

$\therefore\ \mathrm{P}(A\cap B)=\frac{1}{5}$

$\therefore\ \mathrm{P}(B|A)=\frac{\mathrm{P}(A\cap B)}{\mathrm{P}(A)}=\frac{\frac{1}{5}}{\frac{4}{5}}=\frac{1}{4}$

답 $\frac{1}{4}$

250

주머니 B에서 검은 구슬을 꺼내는 경우는

주머니 A에서 어떤 공을 꺼냈는지에 따라 다음 두 가지 경우로 나눌 수 있다.

(i) 주머니 A에서 흰 구슬을 꺼내고, 이를 주머니 B에 넣은 후 주머니 B에서 검은 구슬을 꺼내는 경우

이때의 확률 p_1은

$p_1=\frac{3}{5}\times\frac{4}{7}=\frac{12}{35}$

(ii) 주머니 A에서 검은 구슬을 꺼내고, 이를 주머니 B에 넣은 후 주머니 B에서 검은 구슬을 꺼내는 경우

이때의 확률 p_2는

$p_2=\frac{2}{5}\times\frac{5}{7}=\frac{2}{7}$

따라서 구하는 확률은 (i) 또는 (ii)의 확률을 의미하므로

$p_1+p_2=\frac{12}{35}+\frac{2}{7}=\frac{22}{35}$

답 $\frac{22}{35}$

251

야구팀이 주말 경기에서 이기는 경우는 비가 오는지 오지 않는지에 따라 다음 두 가지 경우로 나눌 수 있다.

(i) 주말에 비가 오고, 주말 경기에서 이기는 경우

이때의 확률 p_1은

$p_1=0.3\times0.4=0.12$

(ii) 주말에 비가 오지 않고, 주말 경기에서 이기는 경우

이때의 확률 p_2는

$p_2=(1-0.3)\times0.6=0.42$

따라서 구하는 확률은 (i) 또는 (ii)의 확률을 의미하므로

$p_1+p_2=0.12+0.42=0.54$

답 0.54

252

을이 꺼낸 공이 흰 공인 경우는 갑이 어떤 공을 꺼냈는지에 따라 다음 두 가지 경우로 나눌 수 있다.

(i) 갑이 흰 공을 꺼내고, 을이 흰 공을 꺼내는 경우

이때의 확률 p_1은

$p_1=\frac{3}{5}\times\frac{2}{4}=\frac{3}{10}$

(ii) 갑이 붉은 공을 꺼내고, 을이 흰 공을 꺼내는 경우

이때의 확률 p_2는

$p_2=\frac{2}{5}\times\frac{3}{4}=\frac{3}{10}$

따라서 구하는 확률은 (i) 또는 (ii)인 경우 중에서 (i)의 확률을 의미하므로

$\frac{p_1}{p_1+p_2}=\frac{\frac{3}{10}}{\frac{3}{10}+\frac{3}{10}}=\frac{1}{2}$

답 $\frac{1}{2}$

253

한 개의 동전을 한 번 던져서 앞면이 나올 확률은 $\frac{1}{2}$, 뒷면이 나올 확률은 $\frac{1}{2}$이다.

점 O에서 점 A까지 이동하려면 동쪽으로 4칸, 북쪽으로 3칸 이동해야 하므로 동전의 앞면이 4번, 뒷면이 3번 나와야 한다.

따라서 구하는 확률은 한 개의 동전을 7번 던져서 앞면이 4번 나올 확률을 의미하므로

$${}_7C_4\left(\frac{1}{2}\right)^4\left(\frac{1}{2}\right)^3=\frac{35}{128}$$

답 $\frac{35}{128}$

254

다섯 번째 세트에서 A가 우승을 하려면 네 번째 세트까지 A가 2세트를 이기고 2세트를 진 후, 다섯 번째 세트에서 A가 이겨야 한다.

따라서 구하는 확률은

$${}_4C_2\left(\frac{1}{3}\right)^2\left(\frac{2}{3}\right)^2\times\frac{1}{3}=\frac{8}{81}$$

답 $\frac{8}{81}$

255

A, B가 주문한 것이 서로 다른 사건을 X, A, B가 주문한 것이 모두 아이스크림인 사건을 Y라 하자.

$$\mathrm{P}(X)=\frac{{}_5C_1\times{}_4C_1}{{}_5C_1\times{}_5C_1}=\frac{4}{5}$$

$$\mathrm{P}(X\cap Y)=\frac{{}_2C_1\times{}_1C_1}{{}_5C_1\times{}_5C_1}=\frac{2}{25}$$

따라서 구하는 확률 $\mathrm{P}(Y|X)$는

$$\mathrm{P}(Y|X)=\frac{\mathrm{P}(X\cap Y)}{\mathrm{P}(X)}=\frac{\frac{2}{25}}{\frac{4}{5}}=\frac{1}{10}$$

답 $\frac{1}{10}$

256

(i) 주사위 S를 택한 후 이 주사위를 2번 던졌을 때 두 번 모두 1이 나올 확률

$$\frac{1}{2}\times\frac{3}{6}\times\frac{3}{6}=\frac{1}{8}$$

(ii) 주사위 T를 택한 후 이 주사위를 2번 던졌을 때 두 번 모두 1이 나올 확률

$$\frac{1}{2}\times\frac{2}{6}\times\frac{2}{6}=\frac{1}{18}$$

따라서 구하는 확률은 (i) 또는 (ii)인 경우 중에서 (ii)의 확률을 의미하므로

$$\frac{\frac{1}{18}}{\frac{1}{8}+\frac{1}{18}}=\frac{4}{13}$$

답 $\frac{4}{13}$

257

주어진 조건을 표로 나타내면 다음과 같다.

	A회사	B회사	합계
오류 있음	$10\times\frac{x}{100}=\frac{x}{10}$	$20\times\frac{5}{100}=1$	$\frac{x}{10}+1$
오류 없음	$10\times\left(1-\frac{x}{100}\right)$	$20\times\frac{95}{100}=19$	$10\times\left(1-\frac{x}{100}\right)+19$
계	10	20	

선택한 서버에서 오류가 발견된 사건을 A, 선택한 서버가 B회사의 컴퓨터 서버인 사건을 B라 하면

$$\mathrm{P}(B|A)=\frac{n(A\cap B)}{n(A)}=\frac{1}{\frac{x}{10}+1}=\frac{10}{13}$$

$$\frac{10}{x+10}=\frac{10}{13},\ x+10=13$$

$\therefore x=3$

답 3

258

휴대전화를 학교, 체육관, 공원 세 곳에 놓고 오는 사건을 각각 A, B, C라 하고, 휴대전화를 잃어버리는 사건을 Z라 하면

$$\mathrm{P}(A)=\frac{1}{5},\ \mathrm{P}(B)=\frac{4}{5}\times\frac{1}{5}=\frac{4}{25}$$

$$\mathrm{P}(C)=\frac{4}{5}\times\frac{4}{5}\times\frac{1}{5}=\frac{16}{125}$$

세 곳 중 어느 한 곳에 두고 올 확률 $\mathrm{P}(Z)$는

$$\mathrm{P}(Z)=\mathrm{P}(A)+\mathrm{P}(B)+\mathrm{P}(C)=\frac{1}{5}+\frac{4}{25}+\frac{16}{125}=\frac{61}{125}$$

따라서 휴대전화를 방문한 곳에 놓고 왔을 때, 공원에 놓고 왔을 확률은

$$\mathrm{P}(C|Z)=\frac{\mathrm{P}(C\cap Z)}{\mathrm{P}(Z)}$$

$$=\frac{\frac{16}{125}}{\frac{61}{125}}=\frac{16}{61}$$

답 $\frac{16}{61}$

> 참고

휴대전화를 학교, 체육관, 공원 세 곳에 놓고 오는 사건이 각각 A, B, C이므로

$\mathrm{P}(A)=\mathrm{P}(A\cap Z)$,

$\mathrm{P}(B)=\mathrm{P}(B\cap Z)$,

$\mathrm{P}(C)=\mathrm{P}(C\cap Z)$

259

'적어도 한 번 앞면이 나오는 사건'의 여사건은

'모두 뒷면이 나오는 사건'이다.

동전을 n번 던질 때, 적어도 한 번 앞면이 나올 확률은

$$1-{}_{n}\mathrm{C}_{0}\left(\frac{1}{2}\right)^{0}\left(\frac{1}{2}\right)^{n}\ge 0.99$$

$$\frac{1}{100}\ge\left(\frac{1}{2}\right)^{n} \qquad \therefore\ 2^{n}\ge 100$$

이때 $2^6=64$, $2^7=128$이므로 $n\ge 7$

따라서 동전을 7번 이상 던져야 한다.

답 7번

260

사은품으로 2병의 A음료수를 받는 사건을 A라 하면

사건 A가 일어나는 경우에 대한 확률은

(i) 5병 중 2병의 병뚜껑에 '한 병 더'라는 글씨가 있고 사은품으로 받은 2병의 병뚜껑에 '한 병 더'라는 글씨가 없는 경우

$${}_{5}\mathrm{C}_{2}\left(\frac{1}{10}\right)^{2}\left(\frac{9}{10}\right)^{3}\times{}_{2}\mathrm{C}_{0}\left(\frac{1}{10}\right)^{0}\left(\frac{9}{10}\right)^{2}=\frac{9^5}{10^6}$$

(ii) 5병 중 1병의 병뚜껑에 '한 병 더'라는 글씨가 있고 사은품으로 받은 1병의 병뚜껑에도 '한 병 더'라는 글씨가 있고, 또 다시 받은 사은품의 병뚜껑에는 '한 병 더'라는 글씨가 없는 경우

$${}_{5}\mathrm{C}_{1}\left(\frac{1}{10}\right)^{1}\left(\frac{9}{10}\right)^{4}\times\frac{1}{10}\times\frac{9}{10}=\frac{9^5\times 5}{10^7}$$

(i), (ii)에서

$$\mathrm{P}(A)=\frac{9^5}{10^6}+\frac{9^5\times 5}{10^7}$$

$$=\frac{3^{11}}{2\times 10^6}$$

$$=\frac{3^{11}}{2^7\times 5^6}$$

따라서 $a=11$, $b=7$, $c=6$이므로

$a+b+c=11+7+6=24$

답 24

261

학생 A와 B가 서로 다른 구역의 좌석을 배정받는 사건을 T, 학생 C와 D가 같은 구역에 있는 같은 열의 좌석을 배정받는 사건을 U라 하면

$$\mathrm{P}(T)=\frac{2\times({}_{3}\mathrm{C}_{1}\times 2!\times 3!)}{5!}$$

$$=\frac{3}{5}$$

두 학생 A, B가 서로 다른 구역에 배정받을 때,

두 학생 C, D가 (나) 구역의 2열에 배정받아야 하므로

$$\mathrm{P}(U\cap T)=\frac{2\times(2!\times 1\times 2!)}{5!}$$

$$=\frac{1}{15}$$

$$\therefore\ \mathrm{P}(U|T)=\frac{\mathrm{P}(U\cap T)}{\mathrm{P}(T)}$$

$$=\frac{\frac{1}{15}}{\frac{3}{5}}=\frac{1}{9}$$

답 $\frac{1}{9}$

III 통계

1 확률분포

263

확률의 총합은 1이므로

$a+2a+3a=1 \qquad \therefore a=\frac{1}{6}$

$\therefore P(X^2-1=0)=P(X=-1)+P(X=1)$

$=\frac{1}{6}+\frac{3}{6}=\frac{2}{3}$

답 $\frac{2}{3}$

265

확률의 총합은 1이므로

$P(X=1)+P(X=2)+P(X=3)+P(X=4)=1$

에서 $\frac{1}{k}+\frac{2}{k}+\frac{3}{k}+\frac{4}{k}=1,\ \frac{10}{k}=1$

$\therefore k=10$

답 10

267

(1) 확률변수 X가 취할 수 있는 값은 0, 1, 2이고,

그 확률을 각각 구하면

$P(X=0)=$(흰 공 0개, 검은 공 2개를 꺼낼 확률)

$=\frac{{}_2C_0\times{}_4C_2}{{}_6C_2}=\frac{2}{5}$

$P(X=1)=$(흰 공 1개, 검은 공 1개를 꺼낼 확률)

$=\frac{{}_2C_1\times{}_4C_1}{{}_6C_2}=\frac{8}{15}$

$P(X=2)=$(흰 공 2개, 검은 공 0개를 꺼낼 확률)

$=\frac{{}_2C_2\times{}_4C_0}{{}_6C_2}=\frac{1}{15}$

따라서 확률변수 X의 확률분포를 표로 나타내면 다음과 같다.

X	0	1	2	합계
$P(X=x)$	$\frac{2}{5}$	$\frac{8}{15}$	$\frac{1}{15}$	1

(2) $P(1\le X\le 2)=P(X=1)+P(X=2)$

$=\frac{8}{15}+\frac{1}{15}=\frac{3}{5}$

답 (1) 풀이 참조 (2) $\frac{3}{5}$

269

평균: $E(X)=0\times\frac{1}{5}+1\times\frac{3}{5}+2\times\frac{1}{5}=1$

분산: $E(X^2)=0^2\times\frac{1}{5}+1^2\times\frac{3}{5}+2^2\times\frac{1}{5}=\frac{7}{5}$

$\therefore V(X)=E(X^2)-\{E(X)\}^2=\frac{7}{5}-1^2=\frac{2}{5}$

표준편차: $\sigma(X)=\sqrt{V(X)}=\sqrt{\frac{2}{5}}=\frac{\sqrt{10}}{5}$

답 평균: 1, 분산: $\frac{2}{5}$, 표준편차: $\frac{\sqrt{10}}{5}$

271

동전의 앞면을 H, 뒷면을 T라 할 때, 동전 2개를 동시에 던져 받을 수 있는 금액은 다음과 같다.

(H, H) ➡ $100+100=200$(원)

(H, T) ➡ $100+0=100$(원)

(T, H) ➡ $0+100=100$(원)

(T, T) ➡ $0+0=0$(원)

즉, 확률변수 X가 취할 수 있는 값은 0, 100, 200이고, X의 확률분포를 표로 나타내면 다음과 같다.

X	0	100	200	합계
$P(X=x)$	$\frac{1}{4}$	$\frac{1}{2}$	$\frac{1}{4}$	1

따라서 확률변수 X의 기댓값은

$E(X)=0\times\frac{1}{4}+100\times\frac{1}{2}+200\times\frac{1}{4}=100$

답 100

273

[1단계] 확률변수 X가 취할 수 있는 값은 0, 1, 2이고,

그 확률을 각각 구하면

$P(X=0)=$(흰 공 0개, 검은 공 2개를 꺼낼 확률)

$=\frac{{}_3C_0\times{}_4C_2}{{}_7C_2}=\frac{2}{7}$

$P(X=1)=$(흰 공 1개, 검은 공 1개를 꺼낼 확률)

$=\frac{{}_3C_1\times{}_4C_1}{{}_7C_2}=\frac{4}{7}$

$P(X=2)=$(흰 공 2개, 검은 공 0개를 꺼낼 확률)

$=\frac{{}_3C_2\times{}_4C_0}{{}_7C_2}=\frac{1}{7}$

[2단계]

X	0	1	2	합계
X^2	0	1	4	
$P(X=x)$	$\frac{2}{7}$	$\frac{4}{7}$	$\frac{1}{7}$	1

X의 평균과 분산을 구하면

$E(X)=0\times\frac{2}{7}+1\times\frac{4}{7}+2\times\frac{1}{7}=\frac{6}{7}$

$$E(X^2)=0\times\frac{2}{7}+1\times\frac{4}{7}+4\times\frac{1}{7}=\frac{8}{7}$$

$$\therefore V(X)=E(X^2)-\{E(X)\}^2$$

$$=\frac{8}{7}-\left(\frac{6}{7}\right)^2=\frac{20}{49}$$

[3단계] 따라서 확률변수 X의 표준편차는

$$\sigma(X)=\sqrt{V(X)}=\sqrt{\frac{20}{49}}=\frac{2\sqrt{5}}{7}$$

답 $\frac{2\sqrt{5}}{7}$

275

평균: $E(2X-5)=2E(X)-5=2\times3-5=1$

분산: $V(2X-5)=2^2V(X)=4\times9=36$

표준편차: $\sigma(2X-5)=|2|\sigma(X)$

$=2\times3$ ⬅ $\sigma(X)=\sqrt{V(X)}=3$

$=6$

답 평균: 1, 분산: 36, 표준편차: 6

277

[1단계] 확률변수 X의 평균과 분산을 구한다.

$$E(X)=0\times\frac{1}{5}+1\times\frac{3}{10}+2\times\frac{3}{10}+3\times\frac{1}{5}$$

$$=\frac{3}{2}$$

$$E(X^2)=0^2\times\frac{1}{5}+1^2\times\frac{3}{10}+2^2\times\frac{3}{10}+3^2\times\frac{1}{5}$$

$$=\frac{33}{10}$$

$$\therefore V(X)=E(X^2)-\{E(X)\}^2$$

$$=\frac{33}{10}-\left(\frac{3}{2}\right)^2=\frac{21}{20}$$

[2단계] 확률변수 Y의 평균과 분산을 구한다.

$$E(Y)=E(10X+5)=10E(X)+5$$

$$=10\times\frac{3}{2}+5=20$$

$$V(Y)=V(10X+5)=10^2V(X)$$

$$=100\times\frac{21}{20}=105$$

답 평균: 20, 분산: 105

279

확률변수 X가 취할 수 있는 값은 0, 1, 2이고

그 확률은 각각

$$P(X=0)=\frac{{}_3C_2}{{}_5C_2}=\frac{3}{10},\ P(X=1)=\frac{{}_2C_1\times{}_3C_1}{{}_5C_2}=\frac{6}{10}$$

$$P(X=2)=\frac{{}_2C_2}{{}_5C_2}=\frac{1}{10}$$

이므로 X의 확률분포를 표로 나타내면 다음과 같다.

X	0	1	2	합계
$P(X=x)$	$\frac{3}{10}$	$\frac{6}{10}$	$\frac{1}{10}$	1

따라서 확률변수 X에 대하여

$$E(X)=0\times\frac{3}{10}+1\times\frac{6}{10}+2\times\frac{1}{10}=\frac{4}{5}$$

$$E(X^2)=0^2\times\frac{3}{10}+1^2\times\frac{6}{10}+2^2\times\frac{1}{10}=1$$

$$\therefore V(X)=E(X^2)-\{E(X)\}^2=1-\left(\frac{4}{5}\right)^2=\frac{9}{25}$$

$$\therefore V(5X+3)=5^2V(X)=25\times\frac{9}{25}=9$$

답 9

281

$3(X-1)^3$의 확률분포를 표로 나타내면 다음과 같다.

$3(X-1)^3$	-24	-3	0
X	-1	0	1
$P(X=x)$	$\frac{1}{2}$	$\frac{1}{3}$	$\frac{1}{6}$

$$\therefore E(3(X-1)^3)$$

$$=(-24)\times\frac{1}{2}+(-3)\times\frac{1}{3}+0\times\frac{1}{6}=-13$$

답 -13

282

확률의 총합은 1이므로

$$P(X=1)+P(X=2)+P(X=3)+P(X=4)=1$$

에서 $\frac{k}{2^1}+\frac{k}{2^2}+\frac{k}{2^3}+\frac{k}{2^4}=1$

$$\left(\frac{1}{2}+\frac{1}{2^2}+\frac{1}{2^3}+\frac{1}{2^4}\right)k=1$$

$$\frac{15}{16}k=1 \qquad \therefore k=\frac{16}{15}$$

답 $\frac{16}{15}$

283

확률변수 X가 취할 수 있는 값은 10000, 5000, 0이고, X의 확률분포는 다음 표와 같다.

X	10000	5000	0	합계
$P(X=x)$	$\frac{1}{10}$	$\frac{2}{5}$	$\frac{1}{2}$	1

따라서 확률변수 X의 기댓값은

$$E(X)=10000\times\frac{1}{10}+5000\times\frac{2}{5}+0\times\frac{1}{2}$$

$$=3000$$

답 3000

284

확률변수 Y의 평균이 0, 표준편차가 1이므로

$$\mathrm{E}(Y)=\mathrm{E}\left(\frac{X+b}{a}\right)=\frac{\mathrm{E}(X)+b}{a}=0 \quad \cdots\cdots ㉠$$

$$\sigma(Y)=\sigma\left(\frac{X+b}{a}\right)=\left|\frac{1}{a}\right|\sigma(X)=1 \quad \cdots\cdots ㉡$$

이때 $\mathrm{E}(X)=10$, $\sigma(X)=2$이므로

이를 ㉠, ㉡에 각각 대입하면

$\frac{10+b}{a}=0$, $\left|\frac{1}{a}\right|\times2=1$

$\therefore a=2,\ b=-10\ (\because a>0)$

$\therefore a-b=2-(-10)=12$

답 12

285

$\mathrm{E}(Y)=5$, $\mathrm{E}(Y^2)=28$에서

$\mathrm{V}(Y)=\mathrm{E}(Y^2)-\{\mathrm{E}(Y)\}^2=28-25=3$

이때 $Y=\frac{X-100}{4}$에서 $X=4Y+100$이므로

$\mathrm{E}(X)=\mathrm{E}(4Y+100)=4\mathrm{E}(Y)+100$

$=4\times5+100=120$

$\mathrm{V}(X)=\mathrm{V}(4Y+100)=4^2\mathrm{V}(Y)=16\times3=48$

답 $\mathrm{E}(X)=120$, $\mathrm{V}(X)=48$

286

[1단계] 확률변수 X의 평균을 구한다.

확률의 총합은 1이므로

$\frac{3}{10}+p+\frac{1}{10}+p+p=1$, $3p=\frac{3}{5}$

$\therefore p=\frac{1}{5}$

$\therefore \mathrm{E}(X)=1\times\frac{3}{10}+2\times\frac{1}{5}+3\times\frac{1}{10}+4\times\frac{1}{5}$

$+5\times\frac{1}{5}$

$=\frac{14}{5}$

[2단계] 확률변수 $5X+3$의 평균을 구한다.

$\mathrm{E}(5X+3)=5\mathrm{E}(X)+3=5\times\frac{14}{5}+3=17$

답 17

287

[1단계] 확률변수 X의 평균과 분산을 구한다.

$\mathrm{E}(X)=0\times\frac{2}{7}+1\times\frac{3}{7}+2\times\frac{2}{7}=1$

$\mathrm{E}(X^2)=0^2\times\frac{2}{7}+1^2\times\frac{3}{7}+2^2\times\frac{2}{7}=\frac{11}{7}$

$\therefore \mathrm{V}(X)=\mathrm{E}(X^2)-\{\mathrm{E}(X)\}^2=\frac{11}{7}-1^2=\frac{4}{7}$

[2단계] 확률변수 $7X$의 분산을 구한다.

$\mathrm{V}(7X)=7^2\mathrm{V}(X)=49\times\frac{4}{7}=28$

답 28

289

(1) 한 개의 동전을 한 번 던질 때, 앞면이 나올 확률은

$\frac{1}{2}$이므로 확률변수 X는 이항분포 $\mathrm{B}\left(10,\ \frac{1}{2}\right)$을 따른다.

따라서 확률변수 X의 확률질량함수는

$\mathrm{P}(X=x)={}_{10}\mathrm{C}_x\left(\frac{1}{2}\right)^x\left(\frac{1}{2}\right)^{10-x}={}_{10}\mathrm{C}_x\left(\frac{1}{2}\right)^{10}$

(단, $x=0,\ 1,\ 2,\ \cdots,\ 10$)

(2) $\mathrm{P}(X=4)={}_{10}\mathrm{C}_4\left(\frac{1}{2}\right)^{10}=\frac{105}{512}$

답 (1) $\mathrm{P}(X=x)={}_{10}\mathrm{C}_x\left(\frac{1}{2}\right)^{10}$

(단, $x=0,\ 1,\ 2,\ \cdots,\ 10$)

(2) $\frac{105}{512}$

291

(1) 평균은 $\mathrm{E}(X)=25\times\frac{1}{5}=5$

분산은 $\mathrm{V}(X)=25\times\frac{1}{5}\times\frac{4}{5}=4$

표준편차는 $\sigma(X)=\sqrt{4}=2$

(2) 평균은 $\mathrm{E}(X)=120\times\frac{1}{6}=20$

분산은 $\mathrm{V}(X)=120\times\frac{1}{6}\times\frac{5}{6}=\frac{50}{3}$

표준편차는 $\sigma(X)=\sqrt{\frac{50}{3}}=\frac{5\sqrt{6}}{3}$

답 (1) 평균: 5, 분산: 4, 표준편차: 2

(2) 평균: 20, 분산: $\frac{50}{3}$, 표준편차: $\frac{5\sqrt{6}}{3}$

293

제품 한 개를 검사할 때, 불량품이 나올 확률은

$\frac{5}{100}=\frac{1}{20}$이므로 확률변수 X는 이항분포

$\mathrm{B}\left(100,\ \frac{1}{20}\right)$을 따른다.

따라서 확률변수 X의

평균은 $\mathrm{E}(X)=100\times\frac{1}{20}=5$,

분산은 $\mathrm{V}(X)=100\times\frac{1}{20}\times\frac{19}{20}=\frac{19}{4}$

답 평균: 5, 분산: $\frac{19}{4}$

295

평균이 0.8이므로

$np=0.8$ ...... ㉠

표준편차가 0.8이므로 $q=1-p$인 q에 대하여

$\sqrt{npq}=0.8$ $\quad\therefore npq=0.64$ ...... ㉡

㉠을 ㉡에 대입하면

$0.8q=0.64$ $\quad\therefore q=0.8$

$\therefore p=1-q=1-0.8=0.2$

$p=0.2$를 ㉠에 대입하면 $0.2n=0.8$

$\therefore n=4$

답 $n=4$, $p=0.2$

297

(1) 한 개의 동전을 한 번 던질 때, 앞면이 나올 확률은 $\frac{1}{2}$이다.

따라서 확률변수 X는 이항분포 $\mathrm{B}\left(10, \frac{1}{2}\right)$을 따르므로

$\mathrm{E}(X)=10\times\frac{1}{2}=5$

$\therefore \mathrm{E}(2X+5)=2\mathrm{E}(X)+5=2\times5+5=15$(원)

(2) 확률변수 X는 이항분포 $\mathrm{B}\left(100, \frac{1}{5}\right)$을 따르므로

$\mathrm{E}(X)=100\times\frac{1}{5}=20$,

$\mathrm{V}(X)=100\times\frac{1}{5}\times\frac{4}{5}=16$

따라서 $\mathrm{V}(X)=\mathrm{E}(X^2)-\{\mathrm{E}(X)\}^2$에서

$16=\mathrm{E}(X^2)-20^2$

$\therefore \mathrm{E}(X^2)=416$

답 (1) 15원 (2) 416

298

확률변수 X의 확률질량함수는

$\mathrm{P}(X=x)={}_n\mathrm{C}_x\left(\frac{1}{2}\right)^x\left(\frac{1}{2}\right)^{n-x}={}_n\mathrm{C}_x\left(\frac{1}{2}\right)^n$이므로

$\mathrm{P}(X=2)=10\mathrm{P}(X=1)$에서

${}_n\mathrm{C}_2\left(\frac{1}{2}\right)^n=10\times{}_n\mathrm{C}_1\left(\frac{1}{2}\right)^n$

${}_n\mathrm{C}_2=10\times{}_n\mathrm{C}_1$

$\frac{n(n-1)}{2}=10n$, $n^2-21n=0$

$n(n-21)=0$

이때 n은 자연수이므로 $n=21$

답 21

299

혈액암 치료제의 완치율이 0.8이므로 확률변수 X는 이항분포 $\mathrm{B}(10000, 0.8)$을 따른다.

따라서 확률변수 X의 표준편차는

$\sigma(X)=\sqrt{10000\times0.8\times0.2}=40$

답 40

300

한 개의 주사위를 한 번 던질 때, 3의 배수의 눈이 나올 확률은 $\frac{1}{3}$이다.

따라서 확률변수 X는 이항분포 $\mathrm{B}\left(180, \frac{1}{3}\right)$을 따르므로

$\mathrm{E}(X)=180\times\frac{1}{3}=60$

$\mathrm{V}(X)=180\times\frac{1}{3}\times\frac{2}{3}=40$

$\mathrm{V}(X)=\mathrm{E}(X^2)-\{\mathrm{E}(X)\}^2$에서

$40=\mathrm{E}(X^2)-60^2$

$\therefore \mathrm{E}(X^2)=40+3600=3640$

답 3640

301

확률변수 X는 이항분포 $\mathrm{B}\left(72, \frac{1}{6}\right)$을 따르므로

$\mathrm{E}(X)=72\times\frac{1}{6}=12$

$\mathrm{V}(X)=72\times\frac{1}{6}\times\frac{5}{6}=10$

따라서 확률변수 $2X-4$의 평균과 분산은

$\mathrm{E}(2X-4)=2\mathrm{E}(X)-4=2\times12-4=20$

$\mathrm{V}(2X-4)=2^2\mathrm{V}(X)=4\times10=40$

답 평균: 20, 분산: 40

302

확률변수 X가 이항분포 $\mathrm{B}\left(100, \frac{1}{10}\right)$을 따르므로

$\mathrm{E}(X)=100\times\frac{1}{10}=10$

$\mathrm{V}(X)=100\times\frac{1}{10}\times\frac{9}{10}=9$

(1) (주어진 식)$=\mathrm{E}(X)-10$

(2) (주어진 식)$=\mathrm{E}(X^2)$이므로

$\mathrm{V}(X)=\mathrm{E}(X^2)-\{\mathrm{E}(X)\}^2$에서

$9=\mathrm{E}(X^2)-10^2$

$\therefore \mathrm{E}(X^2)=9+100=109$

답 (1) 10 (2) 109

303

확률변수 X가 취할 수 있는 값은 0, 1, 2, 3, 4이므로 받을 수 있는 상금 5^X의 확률분포는 다음과 같다.

5^X	$P(X=x)$
1	${}_4C_0\left(\frac{1}{2}\right)^0\left(\frac{1}{2}\right)^4$
5	${}_4C_1\left(\frac{1}{2}\right)^1\left(\frac{1}{2}\right)^3$
5^2	${}_4C_2\left(\frac{1}{2}\right)^2\left(\frac{1}{2}\right)^2$
5^3	${}_4C_3\left(\frac{1}{2}\right)^3\left(\frac{1}{2}\right)^1$
5^4	${}_4C_4\left(\frac{1}{2}\right)^4\left(\frac{1}{2}\right)^0$
합계	1

따라서 구하는 기댓값은

$$E(5^X)=\sum_{k=0}^{4}5^k\times{}_4C_k\left(\frac{1}{2}\right)^k\left(\frac{1}{2}\right)^{4-k}$$

$$=\sum_{k=0}^{4}{}_4C_k\left(\frac{5}{2}\right)^k\left(\frac{1}{2}\right)^{4-k}=\left(\frac{5}{2}+\frac{1}{2}\right)^4$$

$$=3^4=81$$

답 81

305

(1) 확률밀도함수의 그래프와 x축 사이의 전체 넓이는 1이므로

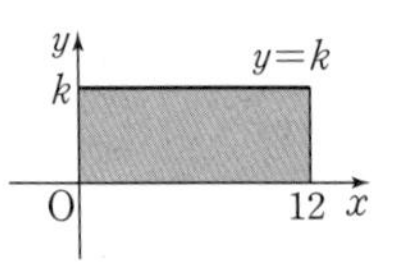

$12\times k=1$

$\therefore k=\frac{1}{12}$

(2) 구하는 확률은 오른쪽 그림의 색칠한 부분의 넓이와 같으므로

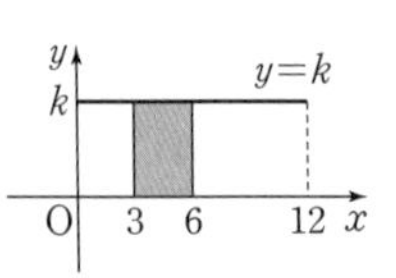

$P(3\le X\le 6)=(6-3)\times k$

$=3k=3\times\frac{1}{12}$

$=\frac{1}{4}$

(3) 구하는 확률은 오른쪽 그림의 색칠한 부분의 넓이와 같으므로

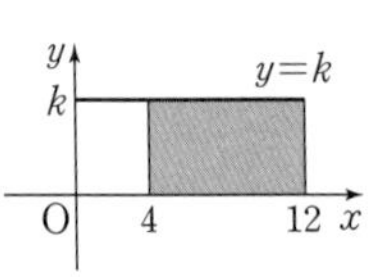

$P(X\ge 4)=(12-4)\times k=8k$

$=8\times\frac{1}{12}=\frac{2}{3}$

(4) $P(X\le 4)=1-P(X\ge 4)=1-\frac{2}{3}=\frac{1}{3}$

답 (1) $\frac{1}{12}$ (2) $\frac{1}{4}$ (3) $\frac{2}{3}$ (4) $\frac{1}{3}$

307

(1) x의 값의 범위에 따른 확률변수 X의 확률밀도함수 $y=f(x)$의 그래프를 그리면 오른쪽 그림과 같다.

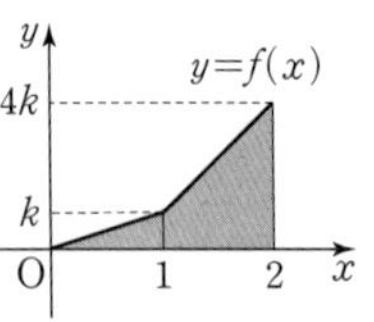

확률밀도함수의 그래프와 x축 및 직선 $x=2$로 둘러싸인 부분의 넓이는 1이므로

$\frac{1}{2}\times 1\times k+\frac{1}{2}\times 1\times(k+4k)=1$

$3k=1 \quad \therefore k=\frac{1}{3}$

(2) $k=\frac{1}{3}$이므로 확률밀도함수 $f(x)$는 다음과 같다.

$$f(x)=\begin{cases}\frac{1}{3}x & (0\le x\le 1)\\ x-\frac{2}{3} & (1\le x\le 2)\end{cases}$$

확률 $P(0\le X\le 1)$은 함수 $y=f(x)$의 그래프와 x축 및 두 직선 $x=0$, $x=1$로 둘러싸인 부분의 넓이와 같으므로

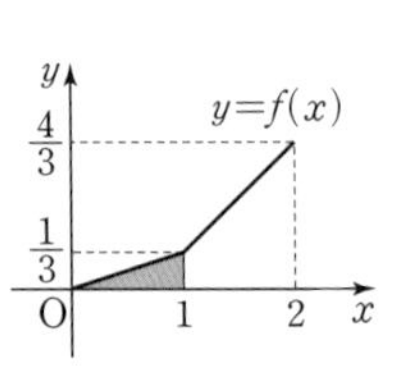

$P(0\le X\le 1)=\frac{1}{2}\times 1\times\frac{1}{3}=\frac{1}{6}$

(3) 확률 $P(1\le X\le 2)$는 함수 $y=f(x)$의 그래프와 x축 및 두 직선 $x=1$, $x=2$로 둘러싸인 부분의 넓이와 같으므로

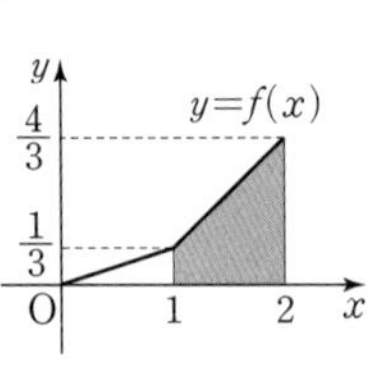

$P(1\le X\le 2)=1-\frac{1}{6}=\frac{5}{6}$

답 (1) $\frac{1}{3}$ (2) $\frac{1}{6}$ (3) $\frac{5}{6}$

309

(1), (2), (3)의 평균을 순서대로 $m_{(1)}$, $m_{(2)}$, $m_{(3)}$, 표준편차를 순서대로 $\sigma_{(1)}$, $\sigma_{(2)}$, $\sigma_{(3)}$이라 하자.

평균은 대칭축에 위치한다.

➡ 오른쪽으로 갈수록 평균이 크다.

$\therefore m_{(1)}<m_{(2)}<m_{(3)}$

표준편차가 커지면 분산된 정도가 커져 넓게 퍼지고, 표준편차가 작아지면 분산된 정도가 작아져 평균으로 집중한다.

➡ 높이가 낮고 폭이 넓을수록 표준편차가 크다.

$\therefore \sigma_{(3)}<\sigma_{(2)}<\sigma_{(1)}$

따라서 평균이 가장 큰 것은 (3)이고, 표준편차가 가장 큰 것은 (1)이다.

답 평균이 가장 큰 것: (3), 표준편차가 가장 큰 것: (1)

311

정규분포곡선은 직선 $x=16$에 대하여 대칭이므로

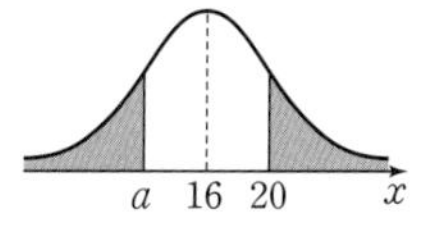

$\mathrm{P}(X\le a)=\mathrm{P}(X\ge 20)$에서

$\dfrac{a+20}{2}=16 \qquad \therefore a=12$

답 12

313

(1) $\mathrm{P}(Z\ge 1.5)$

$=\mathrm{P}(Z\ge 0)-\mathrm{P}(0\le Z\le 1.5)$

$=0.5-0.4332$

$=0.0668$

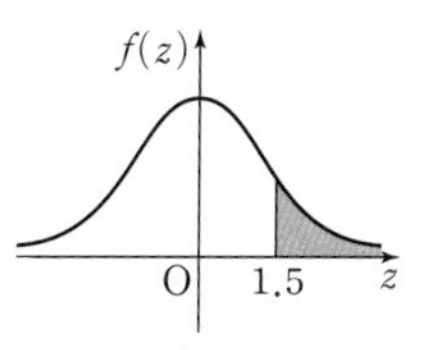

(2) $\mathrm{P}(1\le Z\le 2)$

$=\mathrm{P}(0\le Z\le 2)-\mathrm{P}(0\le Z\le 1)$

$=0.4772-0.3413$

$=0.1359$

답 (1) 0.0668 (2) 0.1359

315

$\mathrm{P}(Z\le c)=0.5+\mathrm{P}(0\le Z\le c)$

$=0.8413$

$\therefore \mathrm{P}(0\le Z\le c)=0.3413$

따라서 표준정규분포표를 이용하면

$c=1$

답 1

317

확률변수 X가 정규분포 $\mathrm{N}(80,\ 10^2)$을 따르므로

$Z=\dfrac{X-80}{10}$은 표준정규분포 $\mathrm{N}(0,\ 1)$을 따른다.

(1) $X=50$일 때

$Z=\dfrac{50-80}{10}=-3$,

$X=100$일 때

$Z=\dfrac{100-80}{10}=2$이므로

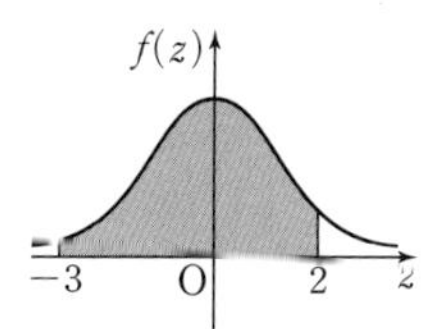

$\mathrm{P}(50\le X\le 100)=\mathrm{P}(-3\le Z\le 2)$

$=\mathrm{P}(0\le Z\le 3)+\mathrm{P}(0\le Z\le 2)$

$=0.4987+0.4772$

$=0.9759$

(2) $X=60$일 때 $Z=\dfrac{60-80}{10}=-2$이므로

$\mathrm{P}(X\ge 60)$

$=\mathrm{P}(Z\ge -2)$

$=0.5+\mathrm{P}(0\le Z\le 2)$

$=0.5+0.4772$

$=0.9772$

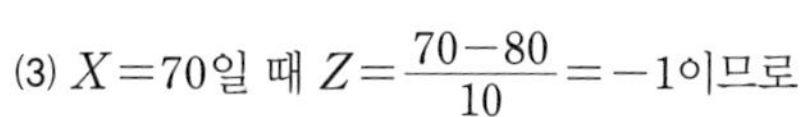

(3) $X=70$일 때 $Z=\dfrac{70-80}{10}=-1$이므로

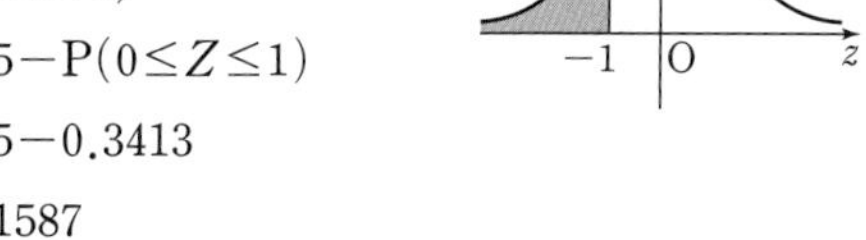

$\mathrm{P}(X\le 70)$

$=\mathrm{P}(Z\le -1)$

$=\mathrm{P}(Z\ge 1)$

$=0.5-\mathrm{P}(0\le Z\le 1)$

$=0.5-0.3413$

$=0.1587$

답 (1) 0.9759 (2) 0.9772 (3) 0.1587

319

학생들의 몸무게를 X kg이라 하면 확률변수 X는 정규분포 $\mathrm{N}(60,\ 4^2)$을 따르므로 $Z=\dfrac{X-60}{4}$은 표준정규분포 $\mathrm{N}(0,\ 1)$을 따른다.

(1) $\mathrm{P}(56\le X\le 68)$

$=\mathrm{P}\left(\dfrac{56-60}{4}\le Z\le \dfrac{68-60}{4}\right)$

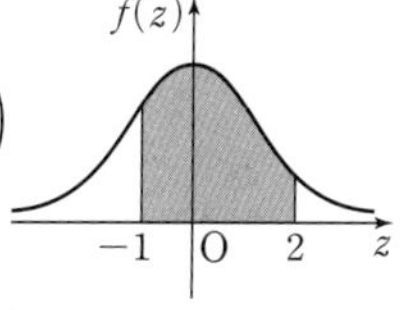

$=\mathrm{P}(-1\le Z\le 2)$

$=\mathrm{P}(0\le Z\le 1)+\mathrm{P}(0\le Z\le 2)$

$=0.34+0.48$

$=0.82$

따라서 몸무게가 56 kg 이상 68 kg 이하인 학생은 전체의 82 %이다.

(2) $\mathrm{P}(X\le 54)$

$=\mathrm{P}\left(Z\le \dfrac{54-60}{4}\right)$

$=\mathrm{P}(Z\le -1.5)$

$=\mathrm{P}(Z\ge 1.5)$

$=0.5-\mathrm{P}(0\le Z\le 1.5)$

$=0.5-0.43$

$=0.07$

따라서 전체 학생 수가 2000명이므로 몸무게가 54 kg 이하인 학생은

$0.07\times 2000=140$(명)

답 (1) 82 % (2) 140명

321

[1단계] 학생들의 국어 성적을 X점이라 하면

확률변수 X는 정규분포 $N(63, 7^2)$을 따른다.

a점 이상이 80등 이내라고 하면

$P(X \geq a) = \frac{80}{500} = 0.16$

[2단계] 확률변수 $Z = \frac{X-63}{7}$은 표준정규분포

$N(0, 1)$을 따르므로

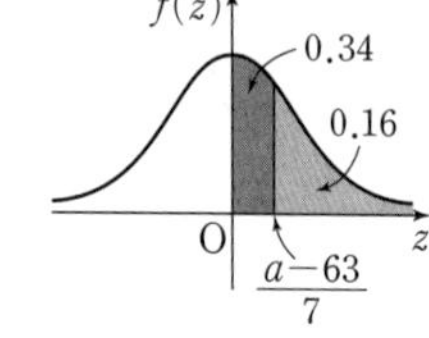

$P(X \geq a)$

$= P\left(Z \geq \frac{a-63}{7}\right)$

$= 0.5 - P\left(0 \leq Z \leq \frac{a-63}{7}\right)$

$= 0.16$

$\therefore P\left(0 \leq Z \leq \frac{a-63}{7}\right) = 0.34$

[3단계] 표준정규분포표에서 $P(0 \leq Z \leq 1) = 0.34$

이므로 $\frac{a-63}{7} = 1$ $\quad \therefore a = 70$

따라서 국어 성적이 상위 80등 이내에 들기 위해서는 70점 이상을 받아야 한다.

답 70점

323

(1) [1단계] 한 개의 동전을 100번 던질 때, 앞면이 나오는 횟수를 X라 하면 확률변수 X는 이항분포

$B\left(100, \frac{1}{2}\right)$을 따르므로

$m = 100 \times \frac{1}{2} = 50$, $\sigma^2 = 100 \times \frac{1}{2} \times \frac{1}{2} = 25$

이때 $n = 100$은 충분히 큰 수이므로 확률변수 X는 정규분포 $N(50, 5^2)$을 따른다.

[2단계] 확률변수 $Z = \frac{X-50}{5}$은 표준정규분포

$N(0, 1)$을 따르므로 구하는 확률은

$P(40 \leq X \leq 55)$

$= P\left(\frac{40-50}{5} \leq Z \leq \frac{55-50}{5}\right)$

$= P(-2 \leq Z \leq 1)$

$= P(0 \leq Z \leq 2) + P(0 \leq Z \leq 1)$

$= 0.4772 + 0.3413$

$= 0.8185$

(2) [1단계] 씨앗을 150개 뿌렸을 때, 발아한 씨앗의 개수를 X라 하면 확률변수 X는 이항분포

$B\left(150, \frac{3}{5}\right)$을 따르므로

$m = 150 \times \frac{3}{5} = 90$

$\sigma^2 = 150 \times \frac{3}{5} \times \frac{2}{5} = 36$

이때 $n = 150$은 충분히 큰 수이므로 확률변수 X는 정규분포 $N(90, 6^2)$을 따른다.

[2단계] 확률변수 $Z = \frac{X-90}{6}$은 표준정규분포

$N(0, 1)$을 따르므로 구하는 확률은

$P(X \geq 99)$

$= P\left(Z \geq \frac{99-90}{6}\right)$

$= P(Z \geq 1.5)$

$= 0.5 - P(0 \leq Z \leq 1.5)$

$= 0.5 - 0.4332$

$= 0.0668$

(3) [1단계] 300명의 학생을 뽑을 때, 안경을 쓴 학생 수를 X명이라 하면 확률변수 X는 이항분포

$B\left(300, \frac{1}{4}\right)$을 따르므로

$m = 300 \times \frac{1}{4} = 75$

$\sigma^2 = 300 \times \frac{1}{4} \times \frac{3}{4} = \frac{225}{4}$

이때 $n = 300$은 충분히 큰 수이므로 확률변수 X는 정규분포 $N\left(75, \left(\frac{15}{2}\right)^2\right)$을 따른다.

[2단계] 확률변수 $Z = \frac{X-75}{\frac{15}{2}}$는 표준정규분포

$N(0, 1)$을 따르므로 구하는 확률은

$P(X \leq 60)$

$= P\left[Z \leq \frac{60-75}{\frac{15}{2}}\right]$

$= P(Z \leq -2)$

$= P(Z \geq 2)$

$= 0.5 - P(0 \leq Z \leq 2)$

$= 0.5 - 0.4772$

$= 0.0228$

답 (1) 0.8185 (2) 0.0668 (3) 0.0228

324

$0\le x\le 2$에서 정의된 함수 $y=f(x)$가 확률밀도함수가 되려면

(i) $0\le x\le 2$에서 $f(x)\ge 0$

(ii) $y=f(x)$의 그래프와 x축 사이의 전체 넓이는 1임을 만족해야 한다.

[가] $1\le x\le 2$에서 $f(x)\le 0$이므로 확률밀도함수의 그래프가 될 수 없다.

[나] $0\le x\le 2$에서 $f(x)\ge 0$이고, $y=f(x)$의 그래프와 x축 사이의 전체 넓이는

$\frac{1}{2}\times 2\times 1=1$

즉, 확률밀도함수의 그래프가 될 수 있다.

[다] $0\le x\le 2$에서 $f(x)\ge 0$이지만 $y=f(x)$의 그래프와 x축 사이의 전체 넓이는

$\frac{1}{2}\times \pi\times 1^2=\frac{1}{2}\pi$

즉, 확률밀도함수의 그래프가 될 수 없다.

따라서 확률밀도함수의 그래프가 될 수 있는 것은 [나]이다.

답 [나]

325

(i) 평균은 대칭축에 위치한다.

➡ 오른쪽으로 갈수록 평균이 크다.

$\therefore m_A=m_B<m_C$

(ii) 분산이 커지면 분산된 정도가 커져 넓게 퍼지고, 분산이 작아지면 분산된 정도가 작아져 평균으로 집중한다.

➡ 높이가 낮고 폭이 넓을수록 분산이 크다.

$\therefore V_B<V_A=V_C$

따라서 주어진 곡선 A, B, C가 나타내는 정규분포의 평균과 분산의 대소 관계를 바르게 나타낸 것은 ②이다.

답 ②

326

$X=n$일 때 $Z=\frac{n-n}{\frac{n}{2}}=0$,

$X=120$일 때 $Z=\frac{120-n}{\frac{n}{2}}=\frac{240-2n}{n}$이므로

$P(n\le X\le 120)=P\left(0\le Z\le \frac{240-2n}{n}\right)$

$=P(0\le Z\le 1)$

따라서 $\frac{240-2n}{n}=1$이므로 $3n=240$

$\therefore n=80$

답 80

327

$X=64$일 때 $Z=\frac{64-62}{4}=0.5$,

$X=68$일 때 $Z=\frac{68-62}{4}=1.5$이므로

$P(64\le X\le 68)$

$=P(0.5\le Z\le 1.5)$

$=P(0\le Z\le 1.5)$

$\quad -P(0\le Z\le 0.5)$

$=0.4332-0.1915$

$=0.2417$

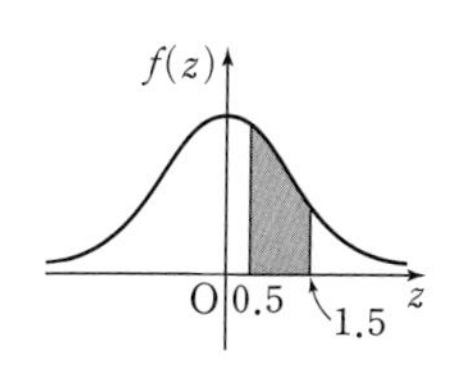

답 0.2417

328

[1단계] 확률변수 X는 이항분포 $B\left(72, \frac{2}{3}\right)$를 따르므로

$m=72\times\frac{2}{3}=48$, $\sigma^2=72\times\frac{2}{3}\times\frac{1}{3}=4^2$

이때 $n=72$는 충분히 큰 수이므로 확률변수 X는 정규분포 $N(48, 4^2)$을 따른다.

[2단계] 확률변수 $Z=\frac{X-48}{4}$은 표준정규분포 $N(0, 1)$을 따르므로 구하는 확률은

$P(44\le X\le 56)$

$=P\left(\frac{44-48}{4}\le Z\le \frac{56-48}{4}\right)$

$=P(-1\le Z\le 2)$

$=P(0\le Z\le 1)$

$\quad +P(0\le Z\le 2)$

$=0.3413+0.4772$

$=0.8185$

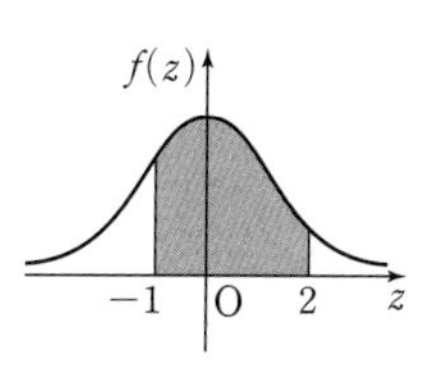

답 0.8185

329

확률의 총합은 1이므로

$\sum_{x=1}^{8}P(X=x)$

$=\sum_{x=1}^{8}\frac{k}{x(x+1)}$

$=k\sum_{x=1}^{8}\left(\frac{1}{x}-\frac{1}{x+1}\right)$

$=k\left\{\left(1-\frac{1}{2}\right)+\left(\frac{1}{2}-\frac{1}{3}\right)+\cdots+\left(\frac{1}{8}-\frac{1}{9}\right)\right\}$

$=k\left(1-\frac{1}{9}\right)$

$=\frac{8}{9}k=1$

$\therefore k=\frac{9}{8}$

답 $\frac{9}{8}$

330

확률변수 X가 취할 수 있는 값은 50, 100, 500이고, X의 확률분포는 다음 표와 같다.

X	50	100	500	합계
$P(X=x)$	$\frac{2}{5}$	$\frac{1}{5}$	$\frac{2}{5}$	1

$\therefore E(X)=50\times\frac{2}{5}+100\times\frac{1}{5}+500\times\frac{2}{5}$

$=240$

답 240

331

확률변수 X가 취할 수 있는 값은 1, 2, 4이고, X의 확률분포는 다음 표와 같다.

X	1	2	4	합계
$P(X=x)$	$\frac{1}{3}$	$\frac{1}{2}$	$\frac{1}{6}$	1

따라서 $E(X)=1\times\frac{1}{3}+2\times\frac{1}{2}+4\times\frac{1}{6}=2$이므로

$E(5X+3)=5E(X)+3=5\times2+3=13$

답 13

332

$E(Y)=11$, $E(Y^2)=124$이므로

$V(Y)=E(Y^2)-\{E(Y)\}^2=124-11^2=3$

$Y=\frac{1}{2}X+5$에서 $X=2Y-10$이므로

$E(X)=E(2Y-10)=2E(Y)-10$

$=2\times11-10=12$

$V(X)=V(2Y-10)=2^2V(Y)$

$=4\times3=12$

$\therefore E(X^2)=V(X)+\{E(X)\}^2$

$=12+12^2=156$

답 156

333

확률의 총합은 1이므로

$b+\frac{1}{4}+\frac{1}{4}=1 \qquad \therefore b=\frac{1}{2}$

확률변수 X의 평균이 4이므로

$E(X)=2\times\frac{1}{2}+4\times\frac{1}{4}+a\times\frac{1}{4}=2+\frac{a}{4}=4$

$\therefore a=8$

따라서 $E(X^2)=2^2\times\frac{1}{2}+4^2\times\frac{1}{4}+8^2\times\frac{1}{4}=22$

이므로

$V(X)=E(X^2)-\{E(X)\}^2=22-4^2=6$

답 6

334

평균이 4이므로

$np=4 \qquad \cdots\cdots ㉠$

분산이 2이므로 $q=1-p$인 q에 대하여

$npq=2 \qquad \cdots\cdots ㉡$

㉠을 ㉡에 대입하면

$4q=2 \qquad \therefore q=\frac{1}{2}$

$\therefore p=1-q=1-\frac{1}{2}=\frac{1}{2}$

$p=\frac{1}{2}$을 ㉠에 대입하면

$\frac{1}{2}n=4 \qquad \therefore n=8$

따라서 확률변수 X는 이항분포 $B\left(8, \frac{1}{2}\right)$을 따르므로 확률변수 X의 확률질량함수는

$P(X=x)={}_8C_x\left(\frac{1}{2}\right)^x\left(\frac{1}{2}\right)^{8-x}={}_8C_x\left(\frac{1}{2}\right)^8$

$\therefore \frac{P(X=3)}{P(X=2)}=\frac{{}_8C_3\left(\frac{1}{2}\right)^8}{{}_8C_2\left(\frac{1}{2}\right)^8}=\frac{{}_8C_3}{{}_8C_2}=2$

답 2

335

(1) 확률밀도함수 $y=f(x)$의 그래프와 x축 사이의 전체 넓이는 1이므로

$\frac{1}{2}\times(1+4)\times k=1 \qquad \therefore k=\frac{2}{5}$

(2) 구하는 확률은 오른쪽 그림의 색칠한 부분의 넓이와 같으므로

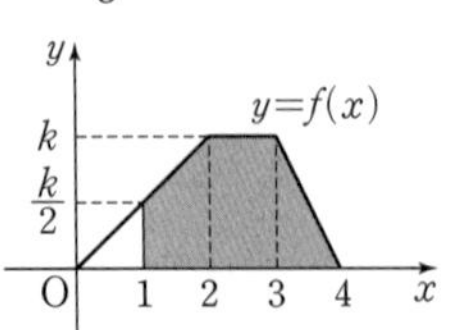

$$P(1 \le X \le 4) = 1 - \frac{1}{2} \times 1 \times \frac{k}{2} = 1 - \frac{k}{4}$$
$$= 1 - \frac{1}{4} \times \frac{2}{5} = \frac{9}{10}$$

답 (1) $\frac{2}{5}$ (2) $\frac{9}{10}$

336

정규분포곡선은 직선 $x=m$에 대하여 대칭이므로
$P(X \le 20) = P(X \ge 28)$에서

$$m = \frac{20+28}{2} = 24$$

또, $V(3X-6) = 3^2 V(X) = 9\sigma^2 = 36$이므로
$\sigma^2 = 4 \quad \therefore \sigma = 2$
$\therefore m + \sigma = 24 + 2 = 26$

답 26

337

확률변수 X가 정규분포 $N(50, 10^2)$을 따르므로
$Z = \frac{X-50}{10}$은 표준정규분포 $N(0, 1)$을 따른다.
또, 확률변수 Y가 정규분포 $N(40, 8^2)$을 따르므로
$Z = \frac{Y-40}{8}$은 표준정규분포 $N(0, 1)$을 따른다.

$$P(50 \le X \le k) = P\left(\frac{50-50}{10} \le Z \le \frac{k-50}{10}\right)$$
$$= P\left(0 \le Z \le \frac{k-50}{10}\right)$$
$$P(24 \le Y \le 40) = P\left(\frac{24-40}{8} \le Z \le \frac{40-40}{8}\right)$$
$$= P(-2 \le Z \le 0)$$
$$= P(0 \le Z \le 2)$$

따라서 $\frac{k-50}{10} = 2$이므로 $k = 70$

답 70

338

학생들의 한 달 동안의 참고서 구입 비용을 X만 원이라 하면 확률변수 X는 정규분포 $N(6, 2^2)$을 따르므로
$Z = \frac{X-6}{2}$은 표준정규분포 $N(0, 1)$을 따른다.
따라서 구하는 확률은

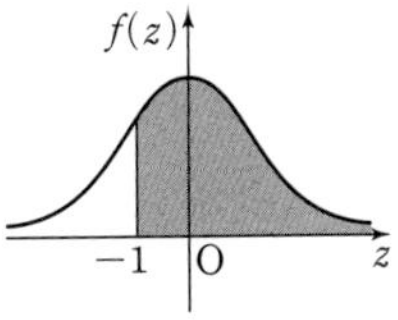

$$P(X \ge 4) = P\left(Z \ge \frac{4-6}{2}\right)$$
$$= P(Z \ge -1)$$
$$= 0.5 + P(0 \le Z \le 1)$$
$$= 0.5 + 0.3413$$
$$= 0.8413$$

답 0.8413

339

[1단계] 확률변수 X가 정규분포 $N(78, 7^2)$을 따르므로

확률변수 $Z = \frac{X-78}{7}$은 표준정규분포 $N(0, 1)$을 따른다.

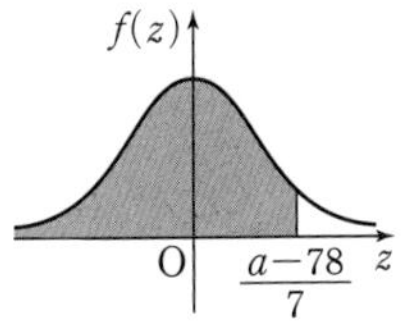

$$P(X \le a)$$
$$= P\left(Z \le \frac{a-78}{7}\right)$$
$$= P(Z \le 0) + P\left(0 \le Z \le \frac{a-78}{7}\right)$$
$$= 0.5 + P\left(0 \le Z \le \frac{a-78}{7}\right)$$
$$= 0.9772$$
$$\therefore P\left(0 \le Z \le \frac{a-78}{7}\right) = 0.4772$$

[2단계] 그런데 표준정규분포표에서
$P(0 \le Z \le 2) = 0.4772$이므로
$$\frac{a-78}{7} = 2$$
$\therefore a = 92$

답 92

340

[1단계] 100명의 이동전화 이용자 중 통화에 성공한 사람의 수를 X명이라 하면 확률변수 X는 이항분포 $B(100, 0.8)$을 따르므로

$$m = 100 \times 0.8 = 80$$
$$\sigma^2 = 100 \times 0.8 \times 0.2 = 16$$

이때 $n=100$은 충분히 큰 수이므로 확률변수 X는 정규분포 $N(80, 4^2)$을 따른다.

[2단계] 확률변수 $Z = \frac{X-80}{4}$은 표준정규분포 $N(0, 1)$을 따르므로 구하는 확률은

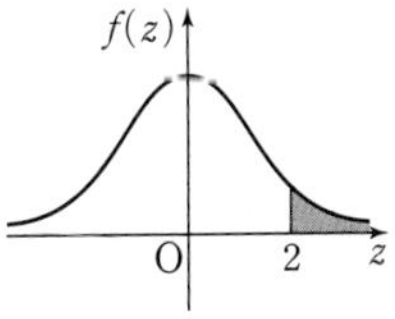

$$P(X \ge 88)$$
$$= P\left(Z \ge \frac{88-80}{4}\right)$$
$$= P(Z \ge 2)$$
$$= 0.5 - P(0 \le Z \le 2)$$
$$= 0.5 - 0.4772$$
$$= 0.0228$$

답 0.0228

341

자연수 $k(4 \le k \le n)$에 대하여 확률변수 X의 값이 k일 확률은 1부터 $(k-1)$까지의 자연수가 적혀 있는 카드 중에서 서로 다른 3장의 카드와 k가 적혀 있는 카드를 선택하는 경우의 수를 전체 경우의 수로 나누는 것이므로

$$P(X=k)=\frac{\boxed{{}_{k-1}C_3}}{{}_nC_4}$$

이다. 자연수 $r(1 \le r \le k)$에 대하여

$${}_kC_r=\frac{k}{r}\times{}_{k-1}C_{r-1}$$

즉, $k\times{}_{k-1}C_3=4\times\boxed{{}_kC_4}$이다.

그러므로

$$\begin{aligned}E(X)&=\sum_{k=4}^{n}\{k\times P(X=k)\}\\&=\frac{1}{{}_nC_4}\sum_{k=4}^{n}(k\times{}_{k-1}C_3)\\&=\frac{4}{{}_nC_4}\sum_{k=4}^{n}{}_kC_4\end{aligned}$$

이다. $\sum_{k=4}^{n}{}_kC_4={}_{n+1}C_5$이므로

$$\begin{aligned}E(X)&=\frac{4}{{}_nC_4}\times{}_{n+1}C_5\\&=\frac{4\times4!\times(n-4)!}{n!}\times\frac{(n+1)!}{5!(n-4)!}\\&=(n+1)\times\boxed{\frac{4}{5}}\end{aligned}$$

이다.

따라서 $f(k)={}_{k-1}C_3,\ g(k)={}_kC_4,\ a=\frac{4}{5}$이므로

$$\begin{aligned}a\times f(6)\times g(5)&=\frac{4}{5}\times{}_5C_3\times{}_5C_4\\&=\frac{4}{5}\times10\times5=40\end{aligned}$$

답 40

342

확률변수 X가 정규분포 $N(m,\ 5^2)$을 따르고,

$f(10)=f(20)$일 때 $m=15$,

$f(4)=f(22)$일 때 $m=13$

이므로 주어진 조건을 만족하는 m은 $13<m<15$이어야 한다.

즉, $m=14$이므로

$$\begin{aligned}P(17\le X\le18)&=P\left(\frac{17-14}{5}\le Z\le\frac{18-14}{5}\right)\\&=P(0.6\le Z\le0.8)\\&=P(0\le Z\le0.8)-P(0\le Z\le0.6)\\&=0.288-0.226=0.062\end{aligned}$$

답 0.062

343

한 개의 동전을 20번 던질 때 앞면이 나오는 횟수를 확률변수 X라 하면 뒷면이 나오는 횟수는 $20-X=Y$이다.

이때 Y는 이항분포 $B\left(20,\ \frac{1}{2}\right)$을 따르므로

$$E(Y)=20\times\frac{1}{2}=10$$

$$V(Y)=20\times\frac{1}{2}\times\frac{1}{2}=5$$

$$\sigma(Y)=\sqrt{5}$$

$$\begin{aligned}\therefore\ &E(X)=E(20-Y)=20-10=10\\&V(X)=V(20-Y)=V(Y)=5\\&\sigma(X)=\sqrt{5}\end{aligned}$$

ㄱ. 확률변수 X, Y의 평균, 분산, 표준편차가 모두 같으므로

$P(8\le X\le12)=P(8\le Y\le12)$ (거짓)

ㄴ. ㄷ. 확률변수 X, Y의 평균과 분산이 각각 같다. (참)

따라서 보기에서 옳은 것은 ㄴ, ㄷ이다.

답 ㄴ, ㄷ

2 통계적 추정

345

(1) 모평균 $m=20$, 모표준편차 $\sigma=a$

표본의 크기 $n=4$이므로

표본평균 $\overline{X}$에 대하여

$b=m=20$

$\sigma(\overline{X})=\frac{a}{\sqrt{4}}=4$에서 $a=8$

$\therefore ab=160$

(2) 모표준편차가 $\sigma=12$이므로 표본평균 $\overline{X}$의 표준편차가 2 이하인 것을 식으로 나타내면

$\sigma(\overline{X})=\frac{12}{\sqrt{n}}\leq 2$에서 $\sqrt{n}\geq 6$

$\therefore n\geq 36$

따라서 n의 최솟값은 36이다.

답 (1) 160 (2) 36

347

[1단계] 주어진 표로부터 확률변수 X의 평균 m과 분산 σ^2을 구하면

$\mathrm{E}(X)=0\times\frac{4}{9}+1\times\frac{4}{9}+2\times\frac{1}{9}=\frac{2}{3}$

$\mathrm{E}(X^2)=0^2\times\frac{4}{9}+1^2\times\frac{4}{9}+2^2\times\frac{1}{9}=\frac{8}{9}$

$\therefore \mathrm{V}(X)=\mathrm{E}(X^2)-\{\mathrm{E}(X)\}^2$

$=\frac{8}{9}-\left(\frac{2}{3}\right)^2=\frac{4}{9}$

$\therefore m=\frac{2}{3},\ \sigma^2=\frac{4}{9}$

[2단계] 이때 표본의 크기가 100이므로 표본평균 $\overline{X}$에 대하여

평균은 $\mathrm{E}(\overline{X})=m=\frac{2}{3}$

분산은 $\mathrm{V}(\overline{X})=\frac{\sigma^2}{n}=\frac{\frac{4}{9}}{100}=\frac{1}{225}$

답 평균: $\frac{2}{3}$, 분산: $\frac{1}{225}$

349

[1단계] 모평균 $m=170$, 모표준편차 $\sigma=20$, 표본의 크기 $n=100$이므로 표본평균 $\overline{X}$의 평균과 분산은

$\mathrm{E}(\overline{X})=m=170$

$\mathrm{V}(\overline{X})=\frac{\sigma^2}{n}=\frac{20^2}{100}=4$

따라서 표본평균 $\overline{X}$는 정규분포 $\mathrm{N}(170,\ 2^2)$을 따른다.

[2단계] 이제 다음과 같은 문제로 변신했다.

> 확률변수 $\overline{X}$가 정규분포 $\mathrm{N}(170,\ 2^2)$을 따를 때, 확률 $\mathrm{P}(\overline{X}\geq 175)$를 구하여라.

확률변수 $Z=\frac{\overline{X}-170}{2}$은 표준정규분포 $\mathrm{N}(0,\ 1)$을 따르므로 구하는 확률은

$\mathrm{P}(\overline{X}\geq 175)$

$=\mathrm{P}\left(Z\geq\frac{175-170}{2}\right)$

$=\mathrm{P}(Z\geq 2.5)$

$=0.5-\mathrm{P}(0\leq Z\leq 2.5)$

$=0.5-0.4938$

$=0.0062$

f(z)
O
2.5
z

답 0.0062

351

약품 1병의 용량을 확률변수 X라 하면 모평균이 m, 모표준편차가 10, 표본의 크기가 25이므로 표본평균 $\overline{X}$는 정규분포 $(m,\ 2^2)$을 따른다.

이때 $Z=\frac{\overline{X}-m}{2}$으로 놓으면 Z는 표준정규분포 $\mathrm{N}(0,\ 1)$을 따르므로

$\mathrm{P}(\overline{X}\geq 2000)=\mathrm{P}\left(Z\geq\frac{2000-m}{2}\right)$

$=0.9772$

$=0.5+0.4772$

$=0.5+\mathrm{P}(0\leq Z\leq 2)$

$=0.5+\mathrm{P}(-2\leq Z\leq 0)$

$=\mathrm{P}(Z\geq -2)$

따라서 $\frac{2000-m}{2}=-2$이므로 $2000-m=-4$

$\therefore m=2004$

답 2004

352

$\mathrm{E}(\overline{X})=20$이므로 $m=20$

모표준편차가 4, 표본의 크기가 n, 표본평균 $\overline{X}$의 표준편차가 $\frac{1}{2}$이므로

$\sigma(\overline{X})=\frac{4}{\sqrt{n}}=\frac{1}{2}$에서 $\sqrt{n}=8$

$\therefore n=64$

$\therefore m+n=20+64=84$

답 84

353

주어진 표에서

$$E(X)=(-1)\times\frac{1}{4}+0\times\frac{1}{2}+1\times\frac{1}{4}=0$$

$$V(X)=(-1)^2\times\frac{1}{4}+0^2\times\frac{1}{2}+1^2\times\frac{1}{4}-0^2=\frac{1}{2}$$

이므로

$$E(\overline{X})=E(X)=0,\ V(\overline{X})=\frac{V(X)}{6}=\frac{1}{12}$$

$$\therefore E(\overline{X})+V(\overline{X})=0+\frac{1}{12}=\frac{1}{12}$$

답 $\frac{1}{12}$

354

모집단이 정규분포 $N(50,\ 10^2)$을 따르고 표본의 크기가 25이므로 표본평균 $\overline{X}$는 정규분포 $N\left(50,\ \frac{10^2}{25}\right)$, 즉 $N(50,\ 2^2)$을 따른다.

이때 $Z=\frac{\overline{X}-50}{2}$으로 놓으면 Z는 표준정규분포 $N(0,\ 1)$을 따르므로 구하는 확률은

$$P(\overline{X}\geq 52)=P\left(Z\geq\frac{52-50}{2}\right)=P(Z\geq 1)=0.5-P(0\leq Z\leq 1)=0.5-0.34=0.16$$

답 0.16

355

주어진 표에서

$$E(X)=(-1)\times\frac{1}{5}+0\times\frac{3}{10}+1\times\frac{1}{2}=\frac{3}{10}$$

따라서 표본평균 $\overline{X}$에 대하여

$E(\overline{X})=E(X)=\frac{3}{10}$이므로

$$E(100\overline{X})=100E(\overline{X})=100\times\frac{3}{10}=30$$

답 30

356

구슬을 임의로 1개 꺼낼 때, 구슬에 적힌 수를 확률변수 X라 하고, X의 확률분포를 표로 나타내면 다음과 같다.

X	0	1	2	합계
$P(X=x)$	$\frac{1}{4}$	$\frac{1}{2}$	$\frac{1}{4}$	1

$$E(X)=0\times\frac{1}{4}+1\times\frac{1}{2}+2\times\frac{1}{4}=1$$

$$E(X^2)=0^2\times\frac{1}{4}+1^2\times\frac{1}{2}+2^2\times\frac{1}{4}=\frac{3}{2}$$

$$V(X)=E(X^2)-\{E(X)\}^2=\frac{3}{2}-1^2=\frac{1}{2}$$

이때 표본의 크기가 2이므로

$$V(\overline{X})=\frac{\frac{1}{2}}{2}=\frac{1}{4}$$

답 $\frac{1}{4}$

357

생산되는 제품의 길이를 확률변수 X라 하면 X는 정규분포 $N(m,\ 4^2)$을 따르므로 $Z=\frac{X-m}{4}$은 표준정규분포 $N(0,\ 1)$을 따른다.

이때

$$P(a\leq X\leq m)=P\left(\frac{a-m}{4}\leq Z\leq\frac{m-m}{4}\right)=P\left(\frac{a-m}{4}\leq Z\leq 0\right)=0.3413$$

이므로 $-\frac{a-m}{4}=1$

$\therefore a-m=-4$ ...... ㉠

또, 모집단이 $N(m,\ 4^2)$을 따르고 표본의 크기가 16이므로 표본평균을 $\overline{X}$라 하면 $\overline{X}$는 정규분포 $N\left(m,\ \frac{4^2}{16}\right)$, 즉 $N(m,\ 1^2)$을 따른다.

이때 $Z=\frac{\overline{X}-m}{1}$으로 놓으면 Z는 표준정규분포 $N(0,\ 1)$을 따르므로

$$P(\overline{X}\geq a+2)=P(Z\geq a+2-m)=P(Z\geq -2)\ (\because ㉠)=0.5+P(0\leq Z\leq 2)=0.5+0.4772=0.9772$$

답 0.9772

359

표본평균 $\overline{X}=60$, 표본의 크기 $n=36$이다.

이때 표본의 크기가 충분히 크므로 표본표준편차 3을 모표준편차 σ 대신 사용할 수 있다.

(1) 모평균 m의 신뢰도 95 %의 신뢰구간은

$$60-1.96\times\frac{3}{\sqrt{36}}\le m\le 60+1.96\times\frac{3}{\sqrt{36}}$$

$\therefore 59.02\le m\le 60.98$

(2) 모평균 m의 신뢰도 99 %의 신뢰구간은

$$60-2.58\times\frac{3}{\sqrt{36}}\le m\le 60+2.58\times\frac{3}{\sqrt{36}}$$

$\therefore 58.71\le m\le 61.29$

답 (1) $59.02\le m\le 60.98$ (2) $58.71\le m\le 61.29$

361

n개의 표본을 뽑아 신뢰도 99 %로 모평균을 추정할 때, 신뢰구간의 길이가 0.6 이하이어야 하므로

$2\times2.58\times\frac{5}{\sqrt{n}}\le0.6$에서 $\sqrt{n}\ge43$

$\therefore n\ge1849$

따라서 표본의 크기를 1849 이상으로 해야 한다.

답 1849

363

표본의 크기를 n이라 하면

모평균과 표본평균의 차가 6 이하이어야 하므로

$2.58\times\frac{20}{\sqrt{n}}\le6$에서 $\sqrt{n}\ge8.6$

$\therefore n\ge73.96$

따라서 표본의 크기를 74 이상으로 해야 한다.

답 74

365

(1) $E(X_A)=m_1$, $E(X_B)=m_2$이므로

$m_1=m_2$이면 $E(\overline{X_A})=E(\overline{X_B})$이다. (참)

(2) 표본평균 $\overline{X_B}$의 표준편차는 $\frac{\frac{\sigma}{2}}{\sqrt{n_2}}$, 즉 $\frac{\sigma}{2\sqrt{n_2}}\left(\ne\frac{\sigma}{2}\right)$

이므로 $\overline{X_B}$는 정규분포 $N\left(m_2, \left(\frac{\sigma}{2\sqrt{n_2}}\right)^2\right)$을 따른다. (거짓)

(3) m_1에 대한 신뢰도 95 %의 신뢰구간의 길이는

$$b-a=2\times1.96\times\frac{\sigma}{\sqrt{n_1}}$$

m_2에 대한 신뢰도 95 %의 신뢰구간의 길이는

$$d-c=2\times1.96\times\frac{\sigma}{2\sqrt{n_2}}$$

이때 $n_1=4n_2$이면 $b-a=d-c$이다. (참)

따라서 옳은 것은 (1), (3)이다.

답 (1), (3)

366

표본평균이 $\overline{x}$, 표본의 크기 $n=100$이다.

이때 표본의 크기가 충분히 크므로 표본표준편차 500을 모표준편차 대신 사용할 수 있다.

따라서 모평균의 신뢰도 95 %의 신뢰구간은

$$\left[\overline{x}-1.96\times\frac{500}{\sqrt{100}},\ \overline{x}+1.96\times\frac{500}{\sqrt{100}}\right]$$

$\therefore c=1.96\times50=98$

답 98

367

표본평균 $\overline{X}=800$, 표본의 크기 $n=100$이다.

이때 표본의 크기가 충분히 크므로 표본표준편차 20을 모표준편차 σ 대신 사용할 수 있다.

따라서 모평균 m의 신뢰도 95 %의 신뢰구간은

$$800-1.96\times\frac{20}{\sqrt{100}}\le m\le 800+1.96\times\frac{20}{\sqrt{100}}$$

$\therefore 796.08\le m\le 803.92$

답 $796.08\le m\le 803.92$

368

표본평균이 3.4, 표준편차가 0.5이고, 표본의 크기가 100일 때, 모평균 m의 신뢰도 95 %의 신뢰구간은

$$3.4-1.96\times\frac{0.5}{\sqrt{100}}\le m\le 3.4+1.96\times\frac{0.5}{\sqrt{100}}$$

$\therefore 3.302\le m\le 3.498$

답 $3.302\le m\le 3.498$

369

표준편차가 σ이고, 표본의 크기가 n일 때, 모평균의 신뢰도 95 %의 신뢰구간의 길이는

$2\times2\times\frac{\sigma}{\sqrt{n}}=4l$에서 $\frac{\sigma}{\sqrt{n}}=l$ ······ ㉠

따라서 표본의 크기가 $4n$일 때, 모평균의 신뢰도 99 %의 신뢰구간의 길이는

$2\times3\times\frac{\sigma}{\sqrt{4n}}=3\times\frac{\sigma}{\sqrt{n}}=3\times l=3l$ ($\because$ ㉠)

답 $3l$

370

모표준편차가 5kg이고, 신뢰도 99%로 추정할 때 모평균의 신뢰구간의 길이가 1kg 이하이어야 하므로 표본의 크기를 n이라 하면

$2\times2.58\times\frac{5}{\sqrt{n}}\le1$에서 $\sqrt{n}\ge25.8$

$\therefore\ n\ge665.64$

따라서 조사해야 할 표본의 크기의 최솟값은 666이다.

답 666

371

모표준편차를 σ, 표본의 크기를 n이라 하면 모평균과 표본평균의 차가 모표준편차의 $\frac{1}{10}$ 이하이어야 하므로

$1.96\times\frac{\sigma}{\sqrt{n}}\le\frac{1}{10}\sigma$에서 $\sqrt{n}\ge19.6$

$\therefore\ n\ge384.16$

따라서 필요한 표본의 크기의 최솟값은 385이다.

답 385

372

모평균 $m=10$, 모표준편차 $\sigma=4$, 표본의 크기 $n=8$이므로

$\mathrm{E}(\overline{X})=10,\ \mathrm{V}(\overline{X})=\frac{4^2}{8}=2$

$\mathrm{V}(\overline{X})=\mathrm{E}(\overline{X}^2)-\{\mathrm{E}(\overline{X})\}^2$에서

$2=\mathrm{E}(\overline{X}^2)-10^2$

$\therefore\ \mathrm{E}(\overline{X}^2)=102$

답 102

373

모집단의 확률변수를 X라 하면 X의 확률분포는 다음 표와 같다.

X	1	3	5	합계
$\mathrm{P}(X=x)$	$\frac{1}{4}$	$\frac{1}{2}$	$\frac{1}{4}$	1

$\mathrm{E}(X)=1\times\frac{1}{4}+3\times\frac{1}{2}+5\times\frac{1}{4}=3$

$\mathrm{V}(X)=1^2\times\frac{1}{4}+3^2\times\frac{1}{2}+5^2\times\frac{1}{4}-3^2=2$

이때 표본의 크기가 2이므로

$\mathrm{E}(\overline{X})=\mathrm{E}(X)=3$

$\mathrm{V}(\overline{X})=\frac{\mathrm{V}(X)}{2}=1$

답 평균: 3, 분산: 1

374

모집단이 정규분포 $\mathrm{N}(200,\ 10^2)$을 따르고 표본의 크기가 100이므로 표본평균 $\overline{X}$는 정규분포 $\mathrm{N}\left(200,\ \frac{10^2}{100}\right)$, 즉 $\mathrm{N}(200,\ 1^2)$을 따른다.

확률변수 $Z=\frac{\overline{X}-200}{1}$은 표준정규분포 $\mathrm{N}(0,\ 1)$을 따르므로 구하는 확률은

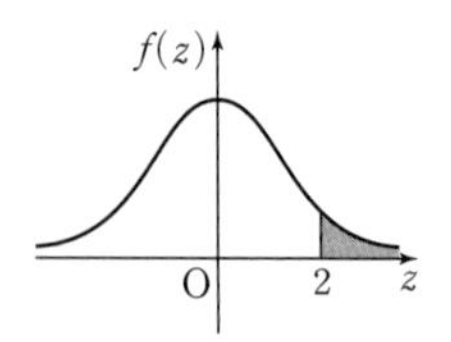

$\mathrm{P}(\overline{X}\ge202)$

$=\mathrm{P}\left(Z\ge\frac{202-200}{1}\right)$

$=\mathrm{P}(Z\ge2)$

$=0.5-\mathrm{P}(0\le Z\le2)$

$=0.5-0.4772$

$=0.0228$

답 0.0228

375

표본평균을 $\overline{X}$라 하면 표본의 크기 1600이 충분히 크므로 표본표준편차 16을 모표준편차 대신 사용할 수 있다.

모평균 m의 신뢰도 95%의 신뢰구간은

$\overline{X}-1.96\times\frac{16}{\sqrt{1600}}\le m\le\overline{X}+1.96\times\frac{16}{\sqrt{1600}}$

$\therefore\ \overline{X}-0.784\le m\le\overline{X}+0.784$

따라서 $\alpha=\overline{X}-0.784,\ \beta=\overline{X}+0.784$이므로

$\beta-\alpha=(\overline{X}+0.784)-(\overline{X}-0.784)$

$=1.568$

답 1.568

376

표본평균이 60, 표본표준편차가 15이고, 표본의 크기가 100일 때, 모평균 m의 신뢰도 95%의 신뢰구간은

$60-1.96\times\frac{15}{\sqrt{100}}\le m\le60+1.96\times\frac{15}{\sqrt{100}}$

$\therefore\ 57.06\le m\le62.94$

따라서 자연수 m은 58, 59, 60, 61, 62로 5개이다.

답 5

> 참고

표본의 크기 100이 충분히 크므로 표본표준편차를 모표준편차 대신 사용할 수 있다.

377

석류의 무게는 정규분포 $N(m,\ 40^2)$을 따르고 크기가 64인 표본을 임의추출하여 구한 표본평균의 값을 $\overline{x}$라 하면 석류 무게의 평균 m에 대한 신뢰도 99 %의 신뢰구간은

$\overline{x}-2.58\times\frac{40}{\sqrt{64}}\le m\le\overline{x}+2.58\times\frac{40}{\sqrt{64}}$

$\therefore\ c=2.58\times\frac{40}{\sqrt{64}}$

$=2.58\times5=12.9$

답 ④

378

표본평균을 $\overline{X}$라 하면 표본의 크기가 n, 모표준편차가 10이므로 모평균 m에 대한 신뢰도 95 %의 신뢰구간은

$\left[\overline{X}-1.96\times\frac{10}{\sqrt{n}},\ \overline{X}+1.96\times\frac{10}{\sqrt{n}}\right]$

$=[38.08,\ 45.92]$

이때 $\overline{X}-1.96\times\frac{10}{\sqrt{n}}=\alpha$, $\overline{X}+1.96\times\frac{10}{\sqrt{n}}=\beta$라 하면

$\beta-\alpha=2\left(1.96\times\frac{10}{\sqrt{n}}\right)=7.84$에서

$1.96\times\frac{10}{\sqrt{n}}=3.92$

$\frac{10}{\sqrt{n}}=2$, $\sqrt{n}=5$

$\therefore\ n=25$

답 ①

379

모표준편차를 σ, 표본의 크기를 n, 모평균 m의 신뢰도를 α %$\left(P(|Z|\le k)=\frac{\alpha}{100}\right)$라 하면

신뢰구간의 길이는 $2k\frac{\sigma}{\sqrt{n}}$

$n=16$일 때 신뢰구간의 길이가 2이므로

$2k\frac{\sigma}{\sqrt{16}}=2$

$\therefore\ k\sigma=4$

따라서 모평균 m의 신뢰도 α %의 신뢰구간의 길이가 1이 되려면

$2k\frac{\sigma}{\sqrt{n}}=1$에서 $\sqrt{n}=8$

$\therefore\ n=64$

답 64

380

신뢰구간의 길이 $2k\frac{\sigma}{\sqrt{n}}$에서 신뢰도를 낮추면 k의 값이 작아지므로 신뢰구간의 길이는 짧아지고, 표본의 크기를 크게 하면 $\sqrt{n}$의 값이 커지므로 신뢰구간의 길이는 짧아진다.

따라서 옳은 것은 ③이다.

답 ③

381

정규분포 $N(m,\ \sigma^2)$을 따르는 확률변수 X의 확률밀도함수의 그래프는 직선 $x=m$에 대하여 대칭이다.

$f(x)=f(80-x)$에 x 대신 $40-x$를 대입하면

$f(40-x)=f(40+x)$

즉, $f(x)$의 그래프는 직선 $x=40$에 대하여 대칭이고, 확률변수 X가 정규분포 $N(m,\ 12^2)$을 따르므로

$m=40$

따라서 확률변수 X는 정규분포 $N(40,\ 12^2)$을 따른다.

이때 $Z=\frac{X-40}{12}$으로 놓으면 Z는 표준정규분포 $N(0,\ 1)$을 따르므로

$P(m-12\le X\le m+12)$

$=P\left(\frac{m-12-40}{12}\le Z\le\frac{m+12-40}{12}\right)$

$=P(-1\le Z\le1)$ ($\because\ m=40$)

$=2\times P(0\le Z\le1)$

따라서 $2\times P(0\le Z\le1)=a$에서

$P(0\le Z\le1)=\frac{a}{2}$

또,

$P(m-24\le X\le m+24)$

$=P\left(\frac{m-24-40}{12}\le Z\le\frac{m+24-40}{12}\right)$

$=P(-2\le Z\le2)$ ($\because\ m=40$)

$=2\times P(0\le Z\le2)$

따라서 $2\times P(0\le Z\le2)=b$에서

$P(0\le Z\le2)=\frac{b}{2}$

또, 모집단이 $N(40,\ 12^2)$을 따르고 표본의 크기가 16이므로 표본평균을 $\overline{X}$라 하면 $\overline{X}$는 정규분포 $N\left(40,\ \frac{12^2}{16}\right)$, 즉 $N(40,\ 3^2)$을 따른다.

이때 $Z=\frac{\overline{X}-40}{3}$으로 놓으면 Z는 표준정규분포 N(0, 1)을 따르므로

$$\begin{aligned}P(34\le\overline{X}\le37)&=P\left(\frac{34-40}{3}\le Z\le\frac{37-40}{3}\right)\\&=P(-2\le Z\le-1)\\&=P(0\le Z\le2)-P(0\le Z\le1)\\&=\frac{b}{2}-\frac{a}{2}\\&=\frac{b-a}{2}\end{aligned}$$

답 ①

382

모평균 m에 대한 신뢰도 95 %의 신뢰구간의 길이가 7.84이므로

$2\times1.96\frac{\sigma}{\sqrt{n}}=7.84$에서 $\frac{\sigma}{\sqrt{n}}=2$

표본평균 $\overline{X}$는 정규분포 $N\left(m, \left(\frac{\sigma}{\sqrt{n}}\right)^2\right)$, 즉 $N(m, 2^2)$을 따른다.

$Z=\frac{\overline{X}-m}{2}$으로 놓으면 Z는 표준정규분포 N(0, 1)을 따른다.

$$\begin{aligned}\therefore\ &P(\overline{X}\ge m+3.92)\\&=P\left(Z\ge\frac{m+3.92-m}{2}\right)\\&=P(Z\ge1.96)\\&=0.5-P(0\le Z\le1.96)\\&=0.5-0.475\\&=0.025\end{aligned}$$

답 0.025

383

표본평균으로부터 모평균을 추정할 때,

$P(|Z|\le k_1)=\frac{k}{100}$라 하면

A: $230-k_1\times\frac{10}{\sqrt{n_1}}\le m\le230+k_1\times\frac{10}{\sqrt{n_1}}$

B: $240-k_1\times\frac{12}{\sqrt{n_2}}\le m\le240+k_1\times\frac{12}{\sqrt{n_2}}$

ㄱ. 표준편차가 작은 표본 A의 분포가 더 고르다. (거짓)

ㄴ. $k_1\times\frac{10}{\sqrt{n_1}}=2$, $k_1\times\frac{12}{\sqrt{n_2}}=3$이므로

$\sqrt{n_1}=5k_1$, $\sqrt{n_2}=4k_1$에서

$n_1=25k_1^2$, $n_2=16k_1^2$

즉, $n_1>n_2$이다. (참)

ㄷ. 신뢰도를 k보다 크게 하면 k_1도 더 커지므로

$k_1\times\frac{10}{\sqrt{n_1}}$, $k_1\times\frac{12}{\sqrt{n_2}}$의 값이 더 커진다.

즉, 신뢰구간의 길이도 길어진다. (참)

따라서 옳은 것은 ㄴ, ㄷ이다.

답 ㄴ, ㄷ